W9-BKP-835

JOHANN SEBASTIAN BACH

NEUE AUSGABE
SÄMTLICHER WERKE

SERIE VI · BAND 1
WERKE FÜR VIOLINE

KRITISCHER BERICHT
VON
GÜNTER HAUSSWALD
UND
RUDOLF GERBER (†)

BÄRENREITER KASSEL · BASEL · LONDON · NEW YORK

1958

Die „Neue Bach-Ausgabe" wird herausgegeben vom Johann-Sebastian-Bach-Institut Göttingen
und vom Bach-Archiv Leipzig

Gemeinsame Edition: „Bärenreiter Kassel · Basel · London · New York" und
„Deutscher Verlag für Musik, Leipzig"
© 1958 by Bärenreiter-Verlag, Kassel – Alle Rechte vorbehalten
Printed in Germany

INHALT

ABKÜRZUNGEN

AfMf	=	Archiv für Musikforschung 1936–1943
AfMw	=	Archiv für Musikwissenschaft 1919–1926
Am.B.	=	Amalienbibliothek
BB	=	Deutsche Staatsbibliothek, früher Preußische Staatsbibliothek (vorher Königliche Bibliothek) Berlin
Bc.	=	Basso continuo
Bd., Bde.	=	Band, Bände
BG	=	Gesamtausgabe der Bachgesellschaft 1851–1899
BJ	=	Bach-Jahrbuch 1904 ff.
Bl., Bll.	=	Blatt, Blätter
BWV	=	W. Schmieder, Thematisch-systematisches Verzeichnis der musikalischen Werke von J. S. Bach. Bach-Werke-Verzeichnis. Leipzig 1950
c.f.	=	Cantus firmus
DDT	=	Denkmäler deutscher Tonkunst
DTB	=	Denkmäler der Tonkunst in Bayern
DTÖ	=	Denkmäler der Tonkunst in Österreich
EDM	=	Das Erbe Deutscher Musik 1935 ff.
Go.S.	=	Sammlung Manfred Gorke, Bach-Archiv Leipzig
hs.	=	handschriftlich
Hs., Hss.	=	Handschrift, Handschriften
JbP	=	Jahrbuch der Musikbibliothek Peters 1896–1942
Jg., Jh.	=	Jahrgang, Jahrhundert
MB. Lpz.	=	Musikbibliothek der Stadt Leipzig (einschließlich ehemalige Musikbibliothek Peters)
MGG	=	Die Musik in Geschichte und Gegenwart, Allgemeine Enzyklopädie der Musik 1949 ff.
Mf	=	Die Musikforschung 1948 ff.
NBA	=	Neue Bachausgabe, herausgegeben vom Johann-Sebastian-Bach-Institut Göttingen und vom Bach-Archiv Leipzig 1954 ff.
NBG	=	Neue Bachgesellschaft, Veröffentlichung der Neuen Bachgesellschaft
Schering KM	=	Arnold Schering, J. S. Bachs Leipziger Kirchenmusik, Leipzig 1936
Schering L	=	Arnold Schering, J. S. Bach und das Musikleben Leipzigs im 18. Jahrhundert. Leipzig 1941 (= Musikgeschichte Leipzigs, Bd. 3)
Smend I–IV	=	Friedrich Smend, J. S. Bach, Kirchenkantaten, Heft I–IV, Berlin-Dahlem 1947–1949
Spitta I. II	=	Philipp Spitta, Johann Sebastian Bach, Bd. 1, Leipzig 1873. Bd. 2, Leipzig 1880
Wustmann	=	Rudolf Wustmann, J. S. Bach Kantatentexte, Leipzig 1913
WZ	=	Wasserzeichen

A. DREI SONATEN, DREI PARTITEN FÜR VIOLINE ALLEIN

BWV 1001–1006

I. QUELLEN

1. Zur Beschreibung der Quellen[1]

A. Autographe Originalhs. im Besitz der BB, gegenwärtig treuhänderisch verwahrt in der Universitätsbibliothek Tübingen. Signatur: *Mus. ms. Bach P 967.*

Alter Pappband, mit braunem Leder überzogen und schmaler Randprägeleiste. Der Rücken zeigt das starke Hervortreten von fünf Bünden. Ovales Schild mit bibliothekarischen Angaben. Überzug vielfach beschädigt, jedoch bei Neubindung 1950 restauriert, dabei Innenseiten der Deckel mit gelblichem Papier überzogen und zwei Vorsatzblätter eingefügt.

Die Hs. enthält insgesamt 24 Bll., zuzüglich eines einzeln eingeklebten, dünneren Blattes von gelblicher Farbe, das den hs. Besitzervermerk *Louisa Bach | Bückeburg | 1842,* den roten Bibliotheksstempel *Ex | Bibl. Regia | Berolin.* sowie die Erwerbsnummer *M. 1917. 393* trägt; Rückseite leer. Die Bll. sind von Bachs Hand, beginnend mit dem Titelbl., oben rechts, von 1–24 durchnumeriert. Jeweils zwei Bogen sind als Binio ineinandergelegt und so hintereinander geheftet. Das Blattformat beträgt $32 \times 20{,}5$ cm. Gelbbraun getöntes Papier, am Rande etwas vergilbt bei gutem Erhaltungsgrad. Das Wasserzeichen zeigt Rippen mit neun Stegen, dazu ein Wappen, erstmals abgebildet in der Faksimileausgabe der Sonaten und Partiten, hrsg. von Wilhelm Martin Luther, vgl. unter II. Die durchweg autographe Schrift mit dunkelbrauner Tinte ist tadellos lesbar. Eine größere Rasur befindet sich nur auf Bl. 22^r, wo anderthalb Zeilen offensichtlich nicht dazugehöriger Notentext nach dem Schlußsatz der letzten Partita getilgt sind. Sonst sind kaum Korrekturspuren nachweisbar. Es handelt sich um eine ungewöhnlich schöne Reinschrift.

Der Titel auf besonderem Bl., dessen Rückseite leer ist, lautet:

> *Sei Solo. | a | Violino | senza | Baßo | accompagnato. | Libro Primo. | da | Joh: Seb: Bach. | ao. 1720.*

Einrichtung und Inhalt der Hs.:

Die Hs. enthält je drei Sonaten und Partiten in der Ordnung Sonata I, g-Moll; Partita I, h-Moll; Sonata II, a-Moll; Partita II, d-Moll; Sonata III, C-Dur; Partita III,

---

[1] Für Förderung dieser Arbeit hat der Herausgeber zu danken dem Johann-Sebastian-Bach-Institut, Göttingen, dem Bach-Archiv, Leipzig, dem Musikwissenschaftlichen Seminar der Universität Jena, dem Musikwissenschaftlichen Institut der Universität Tübingen, ferner der Deutschen Staatsbibliothek Berlin, der Westdeutschen Bibliothek Marburg, der Universitätsbibliothek Tübingen, der Sächsischen Landesbibliothek Dresden, insbesondere den Herren Prof. Dr. Hans Albrecht-Kiel, Prof. Dr. Heinrich Besseler-Leipzig, Prof. Dr. Walter Gerstenberg-Tübingen, Prof. Dr. Werner Neumann-Leipzig, schließlich den Herren Dr. Alfred Dürr-Göttingen, Dr. Wolfgang Schmieder-Frankfurt/Main und Dr. Wilhelm Virneisel-Tübingen.

E-Dur. Jedes Einzelwerk besitzt einen besonderen Kopftitel. Die Bll. sind fast durchweg voll beschrieben mit einer für Bach charakteristischen Raumausnützung. Auf günstige Wendestellen (Zusammenfall von Satzende mit Schluß auf Blattseite, Leerlassung von Systemen, behelfsmäßige Ergänzung von Systemen bei Platzmangel) ist stets Rücksicht genommen worden, so daß damit der Charakter einer vorzüglichen Gebrauchspartitur unterstrichen wird. Die gerasterten Systeme, in der Zahl schwankend zwischen 11 und 13, laufen bei geringem Außenrand über die ganze Seite. Jedes mit Noten beschriebene System trägt einen Violinschlüssel mit entsprechender Vorzeichnung, wobei g-Moll noch „dorisch", B-Dur noch „lydisch" mit einem Be notiert werden. Für höhere Lagen wird gelegentlich der Französische Violinschlüssel verwandt. Die Taktstriche reichen fast stets etwas über und unter das System. Auch Doppeltaktnotierung tritt auf. Als Taktzeichen werden gelegentlich die Ziffern 2 und 3 gebraucht. Am Zeilenschluß stehen mit großer Regelmäßigkeit Kustoden, die bei akkordischen Bildungen, der Stimmenzahl entsprechend, mehrfach auftreten. Am Satzschluß findet sich häufig jeweils über dem letzten Gliederungszeichen eine Fermate sowie darunter das für Bach typische Schlußzeichen: ‖ Zur Verdeutlichung von Textwiederholungen dienen Dal-Segno-Zeichen. Die italienischen Wendevorschriften werden sorgfältig angewandt. Die einzelnen Sätze tragen Tempovorschriften oder Satzbezeichnungen, mitunter auch beides, wobei in der sprachlichen Formulierung vermutlich ohne beabsichtigte Unterscheidung die italienische oder französische Prägung gewählt wird. Die Notation ist durchweg „stimmig" gehalten. Sie zeichnet sich durch äußerste Sorgfalt aus, wie überhaupt das plastisch-eindringliche Notenbild dieser Hs. mit der räumlichen Ausgewogenheit in der graphischen Gestaltung zu den eindrucksvollsten Belegen Bachscher Autographe gehört.

Im einzelnen ergibt sich folgendes Bild:

Bl. 1^r: Titel (s. oben).

Bl. 1^v: vacat.

Bl. 2^r: Kopftitel:

> *Sonata 1ma à Violino Solo senza Baßo di J S Bach.* Darunter 1. Satz vollständig auf 11 Systemen; Tempoangabe unter dem 1. System vorn zu Beginn: *Adagio.*; zwei dünne Schlußstriche, danach auf dem zu Dreiviertel leeren System: *VS:*[2] *volti.*

Bl. 2^v: Beginn des 2. Satzes, Takt 1–45^a (2. Viertel) auf 12 Systemen; Satzbezeichnung über 1. System vorn: *Fuga.*; Tempoangabe unter dem 1. System vorn: *Allegro*; Takt 40–42^a (1. Sechzehntel) im Französischen Violinschlüssel notiert; hinsichtlich der Takte 89 ff. vgl. Bl. 3^r.

Bl. 3^r: Fortsetzung und Schluß des 2. Satzes, Takt 45^b (3. Viertel) bis 88 auf 12 Systemen; ein 13. System beginnt bereits in der Mitte von Bl. 2^v und läuft ohne nochmalige Schlüsselsetzung bis Bl. 3^r glatt durch und umfaßt die Takte 89–94.

---

[2] VS = verte subito.

Bl. 3ᵛ: 3. Satz vollständig und Beginn des 4. Satzes, Takt 1–31 auf 11 Systemen; Satzbezeichnung über 1. System vorn: *Siciliana.*; ohne Tempoangabe; der 4. Satz schließt sich unmittelbar nach zwei dünnen Schlußstrichen in der Mitte des 8. Systems an den 3. ohne erneute Schlüsselsetzung und Vorzeichnung an; bei Satzbeginn unter dem System Tempoangabe: *Presto,* darüber 𝄆 als Markierung der Wiederholung.

Bl. 4ʳ: Fortsetzung und Schluß des 4. Satzes, Takt 32–136 auf 12 Systemen, wobei das letzte System etwas eingerückt wird und eine Ergänzung zu der ursprünglichen Raumplanung darstellt, um den Satzschluß auf der Seite zu ermöglichen; danach steht *Fine.*

Bl. 4ᵛ: Kopftitel:

Partia 1ᵐᵃ ã Violino Solo senza Baßo.

Darunter 1. Satz vollständig und Beginn des 2. Satzes, Takt 1–11ᵃ (1. Viertel) auf 12 Systemen; unter dem 1. System vorn die Satzbezeichnung: *Allemanda*; die veränderte Wiederholung der Satzteile wird durch Doppelbogen und Ziffer 1 über Takt 12, 3.–4. Viertel und Ziffer 2 über Takt 13, 3. Viertel, ferner durch 𝄆 über Takt 13, letzte Note, angegeben; der 2. Satz beginnt mit dem 10. System, darunter vorn die Satzbezeichnung: *Double.*

Bl. 5ʳ: Fortsetzung und Schluß des 2. Satzes, Takt 11ᵇ (3. Viertel) bis 24 und Beginn des 3. Satzes, Takt 1–32ᵃ (5. Achtel); insgesamt 12 Systeme; der Beginn des 3. Satzes umfaßt das 6.–9. System; vorn unter dem 6. System die Satzbezeichnung: *Corrente*; 10.–12. System leer, auf dem 10. System steht *VS. volti.*; der ganze Satz bis Bl. 5ᵛ ist doppeltaktig zusammenfassend bei alternierender Verwendung von normalen und auf die Hälfte gekürzten Taktstrichen notiert.

Bl. 5ᵛ: Fortsetzung und Schluß des 3. Satzes, Takt 32ᵇ (6. Achtel) bis 80 und Beginn des 4. Satzes, Takt 1–27 auf 12 Systemen; der 4. Satz beginnt mit dem 4. System, vorn im System die Satzbezeichnung: *Double,* danach unter dem Taktzeichen die Tempoangabe: *presto.*

Bl. 6ʳ: Fortsetzung und Schluß des 4. Satzes, Takt 28–80 auf 13 Systemen, wobei das letzte System, etwa auf die Hälfte verkürzt, in die Mitte gerückt ist, um Satzschluß auf dieser Seite zu ermöglichen (vgl. Bll. 2ʳ, 3ʳ, 4ʳ); danach rechts: *VS. volti.*

Bl. 6ᵛ: 5. und 6. Satz vollständig auf 12 Systemen; über 1. System vorn Satzbezeichnung: *Sarabande.*; die veränderte Wiederholung Takt 8 durch Doppelbogen angegeben, danach nur Doppelstrich und zweimal 𝄆 in Takt 9, über und unter 1. Viertel als Wiederholungsbeginn markiert; der 6. Satz beginnt mit dem 6. System, darunter vorn die Satzbezeichnung: *Double*; Kennzeichnung der Wiederholungen ähnlich wie bei Bl. 4ᵛ.

Bl. 7ʳ: 7. Satz vollständig; insgesamt 12 Systeme, davon das letzte leer, jedoch mit der Vorschrift: *VS. volti*; über 1. System vorn die Tempoangabe: *Tempo di Borea.*

Bl. 7ᵛ: 8. Satz vollständig auf 12 Systemen; über 1. System vorn die Satzbezeichnung *Double.*; am Schluß steht *Fine.*

Bl. 8ʳ: Kopftitel:

Sonata 2ᵈᵃ â Violino Solo senza Baßo.

Darunter 1. Satz vollständig; insgesamt 12 Systeme, davon 10.–12. System leer; unter dem 1. System vorn die Tempoangabe: *Grave*; nach den beiden dünnen Satzschlußstrichen steht $\frac{2}{4}$ und *VS: volti.*

Bl. 8ᵛ: Beginn des 2. Satzes, Takt 1–86 auf 12 Systemen; über dem 1. System vorn die Satzbezeichnung: *Fuga.*

Bl. 9ʳ: Fortsetzung des 2. Satzes, Takt 87–177 auf 12 Systemen; unter dem letzten System rechts: *V: S: volti presto.*

Bl. 9ᵛ: Fortsetzung des 2. Satzes, Takt 178–262ᵃ (1. Viertel) auf 12 Systemen.

Bl. 10ʳ: Schluß des 2. Satzes, Takt 262ᵇ (2. Viertel) bis 289 und 3. Satz vollständig; insgesamt 12 Systeme, davon die letzten beiden leer, jedoch auf dem 11. System: *V. S. volti.*: der 2. Satz reicht bis zum 4. System; nach zwei dünnen Schluß-strichen steht $\frac{3}{4}$; der 3. Satz umfaßt das 5.–10. System; die veränderte Wieder-holung in Takt 11 durch Doppelbogen mit Ziffern 1 und 2 gekennzeichnet; die Wiederholung des 2. Satzteiles in Takt 12 durch ||: und zweimal ⅔ als Dal-Segno und in Takt 27 (prima volta), von dem nur das 1. Viertel notiert ist, durch ⅔ als Dal-Segno, zwei Kustoden und :|| markiert.

Bl. 10ᵛ: Beginn des 4. Satzes, Takt 1–36 auf 12 Systemen; über dem 1. System die Tempoangabe: *Allegro.*

Bl. 11ʳ: Schluß des 4. Satzes, Takt 37–58; insgesamt 12 Systeme, davon 9.–12. System leer; am Satzschluß steht *Fine.*

Bl. 11ᵛ: Kopftitel:

Partia 2ᵈᵃ â Violino Solo senza Baßo.

Darunter 1. Satz vollständig; insgesamt 12 Systeme, davon das letzte leer; jedoch mit der Vorschrift: *Seque la Courante*; unter dem 1. System vorn die Satzbezeichnung: *Allemanda.*

Bl. 12ʳ: 2. Satz vollständig; insgesamt 12 Systeme, davon das letzte leer, jedoch rechts mit der Vorschrift: *VS: volti*; über dem 1. System vorn die Satzbezeichnung: *Corrente.*

Bl. 12ᵛ: 3. Satz vollständig und Beginn des 4. Satzes, Takt 1–15ᵃ (9. Achtel) auf 12 Systemen; über dem 1. System steht die Satzbezeichnung: *Sarabanda*; die veränderte Wiederholung des 2. Teiles des 3. Satzes ist durch zweimal ⅔ über und unter Takt 9, 2. Viertel sowie durch Doppelbogen mit Ziffer 1 bei Takt 24 und Ziffer 2 bei Takt 25 (seconda volta) angegeben; von Takt 25 (prima volta) ist nur das 1. Viertel mit zwei Kustoden notiert; der 4. Satz beginnt mit dem 7. System; unter diesem vorn die Satzbezeichnung: *Giga.*

Bl. 13ʳ: Fortsetzung und Schluß des 4. Satzes, Takt 15ᵇ (10. Achtel) bis 40 auf 12 Systemen; auf dem nur bis zur Hälfte beschriebenen letzten System steht *VS: volti.*

Bl. 13ᵛ: Beginn des 5. Satzes, Takt 1–59 auf 12 Systemen; über dem 1. System vorn steht die Satzbezeichnung: *Ciaccona.*

10

Bl. 14ʳ: Fortsetzung des 5. Satzes, Takt 60–118 auf 12 Systemen; Takt 86 (3. Achtel) bis 88 im Französischen Violinschlüssel notiert; unter dem letzten System rechts die Vorschrift: *VS: volti presto:*

Bl. 14ᵛ: Fortsetzung des 5. Satzes, Takt 119–179 auf 12 Systemen; Takt 132 ohne abschließenden Taktstrich; dafür Violinschlüssel mit neuer, veränderter Vorzeichnung, für folgenden Takt gültig.

Bl. 15ʳ: Fortsetzung des 5. Satzes, Takt 180–243ᵃ (4. Achtel) auf 12 Systemen; Takt 195–199 im Französischen Violinschlüssel notiert; Takt 208 wie Takt 132, Bl. 14ᵛ; unter dem letzten System rechts die Vorschrift: *VS: volti presto.*

Bl. 15ᵛ: Fortsetzung und Schluß des 5. Satzes, Takt 243ᵇ (5. Achtel) bis 257 auf 1.–3. System; 4. System leer, darunter Kopftitel:
Sonata 3ᶻᵃ â Violino solo senza Baßo.
Darunter 1. Satz vollständig auf 5.–13. System, wobei das letzte, stark verkürzte, nur zwei Takte umfassende System in die Seitenmitte gerückt ist; nach zwei dünnen Schlußstrichen steht ⓛ; unter dem 5. System mit Satzbeginn vorn die Tempoangabe: *Adagio.*

Bl. 16ʳ: Beginn des 2. Satzes, Takt 1–81ᵃ (2. Viertel) auf 12 Systemen; über dem 1. System vorn die Satzbezeichnung: *Fuga.*; unter dem letzten System rechts die Vorschrift: *VS. volti presto.*

Bl. 16ᵛ: Fortsetzung des 2. Satzes, Takt 81ᵇ (3. Viertel) bis 165ᵃ (2. Viertel) auf 12 Systemen.

Bl. 17ʳ: Fortsetzung des 2. Satzes, Takt 165ᵇ (3. Viertel) bis 245 auf 12 Systemen; unter dem letzten System rechts die Vorschrift: *VS: volti presto.*

Bl. 17ᵛ: Fortsetzung des 2. Satzes, Takt 246–321 auf 12 Systemen.

Bl. 18ʳ: Fortsetzung und Schluß des 2. Satzes, Takt 322–354 und 3. Satz vollständig auf 13 Systemen; der 3. Satz beginnt mit dem 5. System; darunter vorn die Tempoangabe: *Largo*; das 13. System, stark verkürzt, umfaßt nur Takt 21 und ist in die Mitte der Seite gerückt; nach zwei dünnen Schlußstrichen steht $\frac{3}{4}$, danach die Vorschrift: *VS: volti.*

Bl. 18ᵛ: Beginn des 4. Satzes, Takt 1-56ᵃ (1. Viertel) auf 12 Systemen; über dem 1. System vorn zu Beginn die Tempoangabe: *Allegro assai.*; die Wiederholung des 2. Satzteiles ist durch ‖ und ↯ als Dal-Segno markiert.

Bl. 19ʳ: Fortsetzung und Schluß des 4. Satzes, Takt 56ᵇ (2. Viertel) bis 102; insgesamt 12 Systeme, das 11. davon leer; nach Satzschluß steht *Fine.*

Bl. 19ᵛ: Kopftitel:
Partia 3ᶻᵃ â Violino Solo senza Baßo.
Darunter Beginn des 1. Satzes, Takt 1–57 auf 12 Systemen; unter dem 1. System vorn zu Beginn die Satzbezeichnung: *Preludio.*

Bl. 20ʳ: Fortsetzung des 1. Satzes, Takt 58–111 auf 12 Systemen; unter dem letzten System rechts die Vorschrift: *VS: volti presto.*

Bl. 20^v: Fortsetzung und Schluß des 1. Satzes, Takt 112–138 und 2. Satz vollständig auf 12 Systemen; der 2. Satz beginnt mit dem 7. System; darüber vorn die Satzbezeichnung: *Loure.*

Bl. 21^r: 3. Satz vollständig auf 14 Systemen; über dem 1. System vorn zu Beginn die Satzbezeichnung: *Gavotte en Rondeaux.*; das letzte System umfaßt nur die Takte 91^b (3.–4. Viertel) und 92 (1.–2. Viertel) und wurde, stark verkürzt, auf die rechte Seitenhälfte gerückt; nach Takt 92^a (2. Viertel) steht die Vorschrift: *Da Capo*; das Ende in Takt 8 durch zwei Fermaten vermerkt; hinter dem letzten System rechts die Vorschrift: *VS: volti.*

Bl. 21^v: 4. und 5. Satz vollständig, sowie Beginn des 6. Satzes, Takt 1–32^a (2. Viertel) auf 13 Systemen; über dem 1. System vorn die Satzbezeichnung: *Menuet 1re.*; der 5. Satz beginnt mit dem 5. System; darunter vorn die Satzbezeichnung: *Menuet 2de*; der 6. Satz beginnt mit dem 9. System; darunter vorn die Satzbezeichnung: *Bourée.*

Bl. 22^r: Schluß des 6. Satzes, Takt 32^b (3. Viertel) bis 36 und 7. Satz vollständig; insgesamt 13 Systeme; der 7. Satz beginnt auf dem 2. System; darunter vorn zu Beginn die Satzbezeichnung: *Gique.*; nach Satzschluß steht *Fine*; 9.–13. System leer; eine starke Rasur tilgt einen fortlaufenden Notentext, der das 9. System sowie die Hälfte des 10. Systems umfaßte und dort durch zwei Schlußstriche abgeschlossen wurde.

Bll. 22^v–24^v: vacat.

B. Abschrift von der Hand Anna Magdalena Bachs im Besitz der BB, gegenwärtig treuhänderisch verwahrt in der Westdeutschen Bibliothek Marburg. Signatur: *Mus. ms. Bach P 268.*

Pappband, mit grünem Glanzpapier überzogen; Rückentitel in Goldprägung auf rotem Schild: *SEB. BACH VIOLIN SOLOS;* Vorderseite des Deckels mit zwei aufgeklebten weißen Schildchen und der Signaturangabe. Die Innenseiten sind mit grauem Papier überzogen. Der Vorderdeckel enthält innen die hs. Angaben: *P. 268 | Mend. Zimmer Vitr. 5*; ferner: *23 Blatt | Titel von Bach's Frau | sonst von Seb Bach's Hand*; darunter: *Adh: Sonata a violino solo c. b. | a moll* [durchgestrichen]. Der Hinterdeckel besitzt innen ein aufgeklebtes Schild: *EX | BIBLIOTHECA | POELCHAVIANA.* Je ein graues Vorsatzbl. ist leer.

Die Hs. umfaßt 23 Bll. Sie wurden mit Bleistift ungeradzahlig oben rechts paginiert, wobei Bl. 1 nicht mitgezählt wird und Bl. 21 doppelt auftritt, durch a und b unterschieden. Lagenschema: Bl. 1, eingezogenes Einzelbl.; Bll. 2–7 und 8–13 je ein Ternio; Bll. 14–21 Quaternio; Bll. 22–23, einfacher Bogen, der angeklebt wurde, sonst Fadenheftung. Das Blattformat beträgt 34,5 × 21 cm. Kräftiges gelbliches Papier mit Wasserzeichen MA, teilweise auf dem Kopf stehend oder seitenvertauscht. Eine Wappenfigur ist nicht erkennbar. Das Titelbl. ist vergilbt und stark fleckig, an den Ecken beschädigt, doch durch Restaurierung überklebt. Die im ganzen unbeschnittene Hs. ist ursprünglich nicht gebunden gewesen. Die Schrift mit schwarzer Tinte ist klar und deutlich.

Der Titel, auf besonderem Titelbl., dessen Rückseite leer ist, lautet:

Pars $\widehat{1}$. | Violino Solo | Senza Basso | Composée | par | S^r. Jean Seb: Bach. | Pars $\widehat{2}$. | Violoncello Solo. | Senza Basso. | composée | par | S^r. J. S. Bach. | Maitre de la Chapelle | et | Directeur de la Musique | a | Leipsic. | ecrite par Madame | Bachen. Son Epouse.

Einrichtung und Inhalt der Hs.:

Die Hs. enthält nicht die im Titel angekündigten beiden Teile, sondern nur die Violin-werke. Im einzelnen ergibt sich folgendes Bild:

Bl. 1^r: Titel (s. oben).

Bl. 1^v: vacat.

Bll. 2^r–4^r: Kopftitel Sonata 1 mit den Sätzen Adagio, Fuga | Allegro, Siciliana, presto.

Bll. 4^v–7^v: Kopftitel Partia 1 mit den Sätzen Allemande, Double, Correnta, Double | presto, Sarabande, Double, Tempo di Borea, Doble.

Bll. 8^r–11^r: Kopftitel Sonata 2 mit den Sätzen Grave, Fuga, Andante, Allegro.

Bll. 11^v–15^v: Kopftitel Partia 2 mit den Sätzen Allemande, Corante, Sarabande, Giga, Ciaccona.

Bll. 15^v–19^v: Kopftitel Sonata 3 mit den Sätzen Adagio, Fuga, Largo, allegro assai.

Bll. 19^v–23^r: Kopftitel Partia 3 mit den Sätzen Preludio, Loure, Gavotte en Rondeau, Menuett 1, Menuett 2, Gique.

Bl. 23^v: Leer, mit Bibliotheksstempel, der auch auf Bl. 2^r steht: Ex | Biblioth Regia | Berolinensi.

C. Abschrift im Besitz der Deutschen Staatsbibliothek Berlin. Signatur: Mus. ms. Bach P 267.

Pappband, mit hellgrünem Glanzpapier überzogen; Rückentitel in Goldprägung auf rotem Schild: Seb. Bach Violin Solos; in das grüne Papier sind eingeprägt die Buch-staben IF· | in | LOHR sowie zwei Schlüssel in Doppelring; Vorderseite des Deckels mit aufgeklebtem Schildchen, darunter die Signaturangabe. Die Innenseiten sind mit grauem Papier überzogen. Der Vorderdeckel enthält innen die hs. Angaben: P 267 | 23 Blatt (adh. 3 Bl. querfol.) | Handschrift von Bach's Frau. Der Hinterdeckel besitzt innen ein aufgeklebtes Schild: EX | BIBLIOTHECA | POELCHAVIANA. Ein Vor-satzbl. mit leerer Rückseite, vom Buchbinder eingezogen, dient als Titelbl. und enthält die hs. Bleistiftangaben der Signatur sowie rechts die Ziffern 19. 6., ferner mit Tinte folgenden Titel:

VI Violin-Solos | von | Joh. Sebast: Bach | Die ersten fünf sind [mit Bleistift von anderer Hand eingefügt: nicht] von seiner eigenen Hand. Dann folgt von dritter Hand die Bemerkung mit Tinte: Die richtige Aufeinanderfolge der pagina ist am oberen Rande | mit rother Tinte angegeben. | D. [= S. Dehn.]

Die Hs. stellt kein einheitliches Ganzes dar. In ihrer ursprünglichen Gestalt bestand sie aus sechs Einzelstimmen, von denen die erste bis fünfte Folioformat mit der Blatt-größe 33 × 21 cm aufweisen, während die sechste im Querformat mit der Blattgröße

24 × 14,5 cm geschrieben ist. Durch den Buchbinder wurden diese Stimmen trotz ihrer unterschiedlichen Formate zusammengebunden, so daß die Querformatbogen geknickt und umgeschlagen werden mußten. Nunmehr umfaßt die Hs. (ohne Vorsatzbl.) 23 Foliobll. und 3 Querbll. mit besonderem Lagenschema. Folio: eingangs wird durch das eingeklebte Vorsatzbl. die nur 1½ Bogen umfassende Lage vervollständigt; quer: ebenfalls zwei ineinandergelegte Bogen (Binio) mit Fadenheftung, wobei aber das dritte Bl. herausgeschnitten ist, anschließend zwei moderne, leere Bll. Für die einzelnen Werke werden die Bll. folgendermaßen beansprucht: Sonata I, 3 Bll.; Partia I, 4 Bll.; Sonata II, 4 Bll.; Partia II, 6 Bll.; Sonata III, 6 Bll.; Partia III, 3 Bll. Der ursprüngliche Verwendungszweck der Bogen als Einzelstimmen ist noch klar ersichtlich. Da diese auf das Pult aufgeschlagen gelegt wurden, wobei bereits im Schriftbild durch entsprechende Raumverteilung ungünstige Wendestellen vermieden wurden, entspricht die blattmäßige Reihenfolge der Seiten im gebundenen Zustand nicht immer dem tatsächlichen Werkablauf. Infolgedessen zeigen die Foliobll. eine vierfache Paginierung, diejenigen im Querformat dagegen nur eine einfache Seitenzählung. Ursprünglicher Benutzerzweck und bibliothekarische Angaben überkreuzen sich dabei. Eine jüngere Zählung numeriert die Foliobll. durchlaufend ohne Rücksicht auf den Inhalt mit 1–23 und läßt die Querbll. unbezeichnet. Eine weitere Numerierung mit roten Ziffern stammt von S. Dehn, der nur von allen mit Noten beschriebenen Foliobll., aber unter Einschluß der Querbll. die Seitenangaben von 1–43 (statt 44) unter Berücksichtigung der richtigen inhaltlichen Folge eintrug. Eine dritte Bleistiftzählung der beschriebenen Folioseiten setzt irrtümlicherweise mit 4 statt mit 6 ein und läuft bis 36. Die vierte Zählung mit schwarzer Tinte ist die älteste. Sie numeriert die beschriebenen Folioseiten in jeder Stimme für sich, wie es der Gebrauch verlangte. Das Papier der Foliobll. ist kräftig, von bräunlicher Farbe, dazu unbeschnitten, im Querformat weniger vergilbt und gut erhalten. Die Foliobll. weisen einen schlechten Erhaltungsgrad auf, so daß sich die Restaurierung auf Überzug mit Chiffonseide und wesentliche Ausbesserungen erstrecken mußte. Das schwer erkennbare Wasserzeichen der Foliobll., am deutlichsten in Bl. 7, zeigt einen gekrönten Doppeladler. Die Querformatbll. weisen ein gekröntes Lilienschild auf. Die Schrift ist klar lesbar. Sie geht auf zwei verschiedene Schreiber zurück, von denen der eine Sonata I–III und Partia I–II, der andere nur Partia III anfertigte.

Einrichtung und Inhalt der Hs.:

Die Hs. enthält je 3 Sonaten und Partiten in abwechselnder Folge mit der tonartlichen Ordnung g-Moll, h-Moll, a-Moll, d-Moll, C-Dur, E-Dur.
Für Nr. 1–5 gilt: Gattungsbezeichnung *Sonata* bzw. *Partia* als Kopftitel; 11-, meist 12zeilig rastriertes Papier; die Systeme laufen über die ganze Papierbreite; vielfach Zeilen frei; nicht immer sind diese bis zum Rand beschrieben, zahlreiche Kustoden; Tempoangaben über, unter oder vor dem System; Schlüssel und Vorzeichen werden auf jeder Zeile wiederholt; selten Notation im Französischen Violinschlüssel; als Bezeichnung des Trillers erscheint meist +; Fermatensetzung am Satzschluß unregelmäßig; gelegentlich Wendevorschriften; zahlreiche leere Seiten erklären sich aus der ursprüng-

lichen Verwendung als Auflagestimmen, deren Praxis noch an Hand des gebundenen Exemplars rekonstruierbar ist.

Für Nr. 6 gilt: Gattungsbezeichnung *Sonata* statt Partia; 10zeilig rastriertes Papier mit freien Rändern; freie Zeilen durch Satzschluß bedingt; präzise Raumausnutzung; Schlüssel und moderne Vorzeichnung nur bei Satzbeginn; ohne Kustoden.

Bl. 1^r: enthält auf dem untersten System die Bemerkung:

> *Dieses von Joh. Sebast. Bach eigenhändig geschriebene | treffliche Werck, fand ich unter altem, für den Butterladen | bestimmten Papier, in dem Nachlasse des Clavierspielers Palschau | zu St: Petersburg 1814. Georg Pölchau.*

Bl. 16^v: Der Schluß der Chaconne ab Takt 246 ist bis zum Ende von anderer, ungeübter Hand geschrieben.

Bl. 19^v: 12zeilig rastriert; auf jedem System ist zu Beginn eine Notengruppe in vorwiegend halben Notenwerten mit meist überschriebenen Buchstaben der Notennamen angegeben. Diese Gruppen wurden dann bis Zeilenschluß mehrfach von anderer, ungeübter Hand ohne Buchstaben nachgeschrieben. Diese „Notenschreibübung", jetzt mitten in die Chaconne eingebunden, stellt ursprünglich die letzte Seite einer Binio dar, welche die Bll. 16^r–19^v umfaßt.

Im einzelnen ergibt sich folgendes Bild:

Bll. 1^r–3^v: Kopftitel: *Sonata 1ma a Violino Solo senza Cembalo*; darunter von anderer Hand: *Von d berümbten Bach;* anschließend 1. Satz ohne Tempoangabe; auf 7. System von Bl. 1^r Bibliotheksstempel *Ex Bibliotheka Regia Berolinensi*; am Schluß der Seite die Bemerkung Pölchaus (s. o.); es folgen ab Bl. 1^v die Sätze *Fuga, Siciliana, Presto.*
Reihenfolge der Seiten: 1–3, 6, 5, 4.

Bll. 4^r–7^v: Kopftitel: *Partia 1ma a Violino Solo senza Baße*; anschließend die Sätze *Allemanda, Double, Corrente, Double, Sarabande, Double, Tempo die Boree, Double.*
Reihenfolge der Seiten: 7–14.

Bll. 8^r–11^v: Kopftitel: *Sonata 2da a Violino Solo senza Baßo*; anschließend die Sätze *Grave, Fuga, Andante, Allegro.*
Reihenfolge der Seiten: 15–17, 20, 21, 18, 19; Seite 22 nur rastriert, sonst leer.

Bll. 12^r–17^v: Kopftitel: *Partia 2da a Violino Solo senza Baße*; anschließend die Sätze *Allemanda, Corrente, Sarabanda, Gigo, Ciaccona.*
Reihenfolge der Seiten: 23–29, 34, 30, 32; Seiten 31, 33 nur rastriert, sonst leer.

Bll. 18^r–23^v: Kopftitel: *Sonata 3^{za} a Violino Solo senza Baße*; anschließend die Sätze *Adagio, Allabreve, Largo, Allegro assai,* danach Bibliotheksstempel (s. o.).
Reihenfolge der Seiten: 35–37, 39, 41, 43, 46, 45, 44; Seite 38 enthält die Schreibübungen (s. o.); Seiten 40, 42 nur rastriert, sonst leer.

Bll. 24^r–26^v: Kopftitel: *Sonata 6*; anschließend die Sätze *Praeludio, Loure, Gavotta, Minuetto, Minuetto 2da, Boure, Giga.*
Reihenfolge der Seiten: 48–51, Seiten 47, 52 leer.

D. Teilabschrift von Johann Peter Kellner in einem Konvolut im Besitz der BB, gegenwärtig treuhänderisch verwahrt in der Westdeutschen Bibliothek Marburg. Signatur: *Mus. ms. Bach P 804.*

Ein steifer Pappband, ursprünglich mit braunem Lederrücken, der aber fehlt; Vorder- und Rückseite mit braungemustertem Papier überzogen; Lederecken; auf dem Vorderdeckel aufgeklebtes Schildchen mit Signaturangabe; der äußere Einband zeigt starke Benutzerspuren. Die Innenseiten der beiden Deckel sind mit grauem Papier überzogen und tragen bibliothekarische Vermerke. Auf dem vorderen der beiden Vorsatzbll. finden sich die Akzessionsnummer *1889.433* sowie die Angabe *Sammelband aus Joh. Pet. Kellner's/Besitz, bisher bei F. A. Roitzsch*; das andere Vorsatzbl. ist leer. Das Wasserzeichen zeigt Stege und ein muschelartiges Gebilde. Ein Lagenschema ist nicht eingehalten. Die Blattgröße beträgt im Durchschnitt 33 × 20 cm. Das Papier ist von unterschiedlicher Qualität. Der Band umfaßt insgesamt 396 Seiten und ist mit ungeraden Ziffern von Bibliothekarshand paginiert.

Inhalt des Konvoluts:

S. 1: Titelbl. *Fuga di J. S. Bach* [BWV 961], ferner Stempel *Ex|Bibl. Regia|Berolin.*; S. 2–3: Notentext; S. 4: vacat; S. 5: Titelbl. *Praeludium in C. ♮ | di Johann Sebastian Bach. | poss: | Johann Peter Kellner* [BWV 943]; S. 6–7: Notentext; S. 8: vacat; S. 9: Titelbl. *Fuga in A dur. | di Jean S. Bach. | Johann P. | Kellner. | p:* [BWV 896, 2]; S. 10–11: Notentext; S. 12: vacat; S. 13: Titelbl. *Concerto in D ♭. | di | J. S. B. | J. P. Kellner* [BWV 974]; S. 14–18: Notentext; S. 19: 17 Takte einer unbekannten *Gigue:*

Gigue

S. 20: vacat; S. 21: Überschrift *Praeludium. | di J. S. B.* [BWV 902, 1]; S. 22: *Fugetta* [BWV 902, 2]; S. 23: Überschrift *Fuga.* [BWV 953]; S. 24: Notentext; S. 25: Titelbl. *Concerto. del Sign. | Teleman | appropriato al Organo*; S. 26: vacat; S. 27–31: Notentext:

Concerto

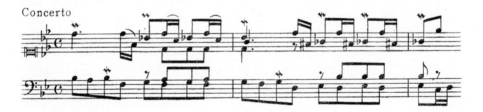

S. 32: Überschrift *Aria. di Telemann.*:

S. 33: Überschrift *Capriccio. In Honorem Johann Christoph Bachij. J. S. Bach.*
[BWV 993]; S. 34–36: Notentext; S. 37: Titelbl. *Fuga | ex E mol | di Joh: S: Bach |
Leonhart Frischmuth.* [BWV 956]; S. 38, 39: Notentext; S. 40: vacat; S. 41: Titelbl.
Praeludium cum Fuga. | in A♭. | di | Johann S. Bach. | Johann Peter Kellner
[BWV 895, 1 und 2]; S. 42, 43: Notentext; S. 44: vacat; S. 45: Titelbl. *SONATA.
clamat. | in D. ♯. | Fuga in H mol. | di | J. S. Bach. | J. P. Kellner. | pos.* [BWV 963];
S. 46–52: Notentext; S. 53: Überschrift *Thema con Suggeto Sig^{re} Corelli elabor. J. S.
Bach.* [BWV 579]; S. 54, 55: Notentext; S. 56: vacat; S. 57: Überschrift *Fuga a 3*
[BWV 873]; S. 58, 59: Notentext; S. 60: rastriert, aber leer; S. 61: Titelbl. *Trio
in G ♮. | Adagio.* [BWV 1039, 1]; S 62, 63: Notentext; S. 64: vacat; S. 65: Überschrift
Fantasia. di Bach [BWV 570, 1]; S. 66: Notentext; S. 67: Notentext ohne Titelbl.,
ohne Überschrift [BWV 563, 1]; S. 68: 17 Takte Notenskizzen:

[Dietrich Buxtehude, Fuge C-Dur, vgl. Orgelcompositionen I, 4; hrsg. von Ph. Spitta
und M. Seiffert, Leipzig (1876)]; S. 69: Notentext ohne Titelbl., ohne Überschrift
[BWV 954]; S. 70–72: Notentext; S. 73: Titelbl. *Concerto di Vivaldi | è accommodato
Sul Clavicembalo | di Gio: Sebastian Bach | Scripsit | Johann Pierè Kellner* [BWV 976,
1, 3]; S. 74–78: Notentext; S. 79: rastriert, aber leer; S. 80: vacat; S. 81: Titelbl. *Clavir
Übung | bestehend in | Praeludien, Allemanden, Couranten, Sarabanden, | Gig.
Menuetten, und anderen Galanterien, | Denen Liebhabern zur Gemüths Ergetzung |
verfertiget von | Johann Sebastian Bach. | Hochfürstl. Anhal. Cöthnischen würkl. |
Capellmeistern und | Directore Chori Musici Lipsiensis. | Partita III. | In Verlegung
des Autoris. | 1727.* [BWV 827]; S. 82–91: Notentext; S. 92: vacat; S. 93: Titelbl.
Fuga clamat ex B ♮. | di | Johann Seb: Bach. | pos: | Joh: Peter Kellner. [BWV 955];
S. 94, 95: Notentext; S. 96: vacat; S. 97: Überschrift *Praelude Composée par Sign:
J. S. Bach* [BWV 907, 1]; S. 98: Überschrift *Fuga.* [BWV 907, 2]; S. 99: Notentext;
S. 100: vacat; S. 101: Titelbl. *Praelude in C mol. | pour La Lute | di Johann Sebastian
Bach. | J. P. Kellner.* [BWV 999]; S. 102, 103: Notentext; S. 104: vacat; S. 105:
Titelbl. *Sonata 1.) di | Johann Sebastian Bach. | Johann Peter Kellner.* [BWV 965, 1];
S. 106: Notentext; S. 107: Überschrift *Fuga* [BWV 965, 2]; S. 108–116: Notentext
ohne Überschrift [BWV 965, 3–7]; S. 117: Überschrift *Aria Variatio: all Imitatione*

17

Ittalian [BWV 989]; S. 118–120: Notentext; S. 121–146: siehe unten; S. 147: Titelbl. *Sonata per la Flaute | Traversiere e Basso di | J. S. Bach. | J. P. Kellner.* [BWV 1034]; S. 148–154: Notentext; S. 155–157: Notentext, falsch eingebunden, da von hinten nach vorn laufend, gehört zu S. 158: Überschrift *Svite ex B. di J. S. Bach.* [BWV 821]; S. 159: Titelbl. *Fantasia in A mol | pro Cembalo | di | Joh: S: Bach.* [BWV 904, 1]; S. 160–162: Notentext; S. 163: Titelbl. *Fantasia in D. dur. | di | Johann Sebastian Bach. | Pos: | Johann Peter Kellner.* [BWV 908, 1]; S. 164: Überschrift *Fugetta* [BWV 908, 2]; S. 165: Notentext; S. 166: vacat; S. 167: Überschrift *Sonata* [BWV 967]; S. 168, 169: Notentext; S. 170: rastriert, aber leer; S. 171: Titelbl. *CONCERTO. in G. mol. | di Johann S. Bach* [BWV 985, 1–3]; S. 172–174: Notentext; S. 175: Titelbl. *Praeludium con Fuga. | di | Johann Sebastian Bach. | Scrip: | Johann Peter Kellner. | Anno 1725* [BWV 894, 1–2]; S. 176–187: Notentext; S. 188–190: vacat; S. 191: Überschrift *Praeludium in A ♯. cum Pedale | da G. Bach.* [BWV 536, 1–2]; S. 192–194: Notentext; S. 195: Überschrift *Concerto in G ♯. di J: S: Bach.* [BWV 592, 1–3]; S. 196–199: Notentext; S. 200, 201: Notentext ohne Titelbl., ohne Überschrift [BWV 906, 1]; S. 202: ebenso; [BWV 906, 2]; S. 203: Titelbl. *Sonate in C♮. | di | Johann Sebastian Bach. | Johann Peter Kellner.* [BWV 966, 1–2]; S. 204: vacat, mit Bleistiftnotizen; S. 205: Überschrift *Praeludium con Fuga di J. S. Bach* [BWV 966, 1]; S. 206: Überschrift *Fuga* [BWV 966, 2]; S. 207, 208: Notentext; S. 209: Titelbl. *Concerto in D. b | di | Johann S. Bach | poss. | Johann Peter | Kellner.* [BWV 987]; S. 210–214: Notentext; S. 215, 216: rastriert, aber leer; S. 217–220: Notentext, ohne Titelbl., ohne Überschrift [BWV 983]; S. 221: Titelbl. *Suite, ex A. b. | pour le Clavecin, | fait par | J. S. Bach.* [BWV 818a]; S. 222–227: Notentext; S. 228: vacat; S. 229: Titelbl. *Fuga in A♯. | di |Johann Sebastian | Bach. Johann Peter Kellner. | Lud. p. t.* [BWV 949]; S. 230–232: Notentext; S. 233: Titelbl. *Praeludia, und Fugen. | Zum Nutzen und Gebrauch | der Lehrbegierigen Musicalischen | Jugend, als auch derer in diesem | Studio schon habil seyenden | Besonderem Zeit Vertreib | aufgesetzet und verfertiget | Von | Johann Sebastian Bachen. | J. P. Kellner.*; S. 234: vacat; S. 235: Überschrift *Praelude* [BWV 870a]; S. 236: Überschrift *Praelude in D. b.* [BWV 899, 1]; S. 237: Überschrift *Fugetta* [BWV 899, 2]; S. 238: ebenso [BWV 870a, 2]; S. 239: Notentext; S. 240: Überschrift *Praeludium* [BWV 900, 1]; S. 241: rastriert, aber leer; S. 242: Überschrift *Fuga* [BWV 900, 2]; S. 243: Notentext; S. 244: vacat; S. 245: Titelbl. *Menuet | di | J. W. Bach*; S. 246–248: Notentext;

S. 249: Titelbl. *Sechs Suonaten | Pour le Viola de Baßo. | par Jean Sebastian | Bach: | pos. | Johann Peter Kellner.*; S. 250: vacat; S. 251–254: Überschrift *Svitte 1* [BWV 1007]; S. 254–257: Überschrift *Svitte 2* [BWV 1008]; S. 257–261: Überschrift *Svitte 3* [BWV 1009]; S. 262–266: Überschrift *Svitte 4* [BWV 1010]; S. 266–269:

Überschrift *Svitte V* [BWV 1011]; S. 270–275: Überschrift *Svitte 6* [BWV 1012]; S. 276: vacat; S. 277: Titelbl. *Aufrichtige Anleitung | Womit denen Liebhabern | des Clavires, Besonderes aber denen Lehrbegierigen eine deütliche Arth ge | zeiget wird, nicht allein (1.) mit 2 Stimen reine spielen zu lernen, sondern auch mit weiteren progressen, auch (2.) mit dreijen obligaten Partien richtig und wohl zu verfahren, anbey auch zu gleich gute inventiones nicht allein zu bekommen, sondern auch selbige wohl durchzuführen, am allermeisten aber eine cantable Art zu spielen zu verlangen und darneben einen starcken Vorschmack von der Composition zu über kŏmen. | Verfertiget | von | Johann Seb: Bach | Cantor zu Leip: | Anno Dom: | 1725.*; S. 278: vacat; S. 279–308: Notentext, ohne Titelbl., ohne Überschrift [BWV 772–801 auf je einer Seite]; S. 309: Titelbl. *Choral | Allein Gott in der Höh sey Ehr | di | Johann Seb. Bach | J. P. K.*; S. 310: Notentext [BWV 715]; S. 311: Überschrift *Herr Jesu Christ dich zu uns wend.* [BWV 726]; S. 312: vacat; S. 313–320: Notentext, ohne Titelbl., ohne Überschrift [BWV Anh. 153]; S. 321: vacat; S. 323: Überschrift *Echo* [BWV 831, 11]; S. 323: Notentext; S. 324: vacat; S. 325: Titelbl. *Prelude en f mol. | di | Johann Sebastian Bach* [BWV 823]; S. 326, 327: Notentext; S. 328: vacat; S. 329: Titelbl. *CONCERTO. in G ♯. | di | J. S. Bach: | Johann Peter Kellner | Lud: p: t:* [BWV 986]; S. 330–332: Notentext; S. 333: Titelbl. *Toccata ex Fis mol. | manualiter. | di | Johann S. Bach | Johann Peter Kellner.* [BWV 910]; S. 334–340: Notentext; S. 341: Titelbl. *Fantasia in H moll. | di | J. S. Bach. | Scripsit | Wolfgang | Meij* [BWV 563, 2. Satz]; S. 342, 343: Notentext; S. 344: vacat; S. 345: Titelbl. *Suitte in H ♮. | di | Johann Sebastian | Bach. | di | Johann Peter Kellner | poss:* [BWV 912]; S. 354–359: Notentext; S. 360: vacat; S. 361: Überschrift *Fuga* [BWV 950, hier in e-Moll]; S. 362–364: Notentext; S. 365: Titelbl. *Concerto in C ♮. | di | Johann Sebastian Bach.* [BWV 984]; S. 366–371: Notentext; S. 372, 373: vacat; S. 374: Notentext, ohne Titelbl., ohne Überschrift [BWV 940, 941, 939]; S. 375: ebenso [BWV 927, 942]; S. 376: vacat; S. 377, 379, 380: Notentext, falsch eingebunden, Reihenfolge 379, 380, 377, ohne Titelbl., ohne Überschrift [BWV 973, 1, 2]; S. 378: Überschrift im System *Fuga in C ♮ di Bach* [BWV Anh. 90]; S. 381–384: Notentext, ohne Titelbl., ohne Überschrift [BWV 972, 1, 2, 3, unvollständig]; S. 385: rastriert, aber leer; S. 386: Überschrift *Praeludium in G ♭.* [BWV 535, 1]; S. 387: Notentext; S. 388: Titelbl. *CONCERTO in C ♮ | di Vivaldi. | accomodato. Sub Clavicembalo. | di | Giov. Joan Seb: Bach. | Poss: | Wolfgang M. Meij* [BWV 977]; S. 390–392: Notentext; S. 393: Titelbl. *Fuga ex cl: E ♭. | di | Signore | Giovanni Sebastiani Bach: E H* [als Sigel ineinander verschlungen] [BWV 533, 2]; S. 394, 395: Notentext; S. 396: vacat, Stempel *Ex | Bibl. Regia | Berolin.*

Die Sonaten und Partiten finden sich auf S. 121–146 des Konvoluts. Die 13 Bll. weisen folgendes Lagenschema auf: 6 ineinandergelegte Bogen mit Fadenheftung, dazu vorgeklebtes Titelbl.; Format 32,5 × 19,5 cm, unten und oben beschnitten; dünneres, gelbliches Papier mit Wasserzeichen A. Die Hs. zeigt im Notentext starke Benutzerspuren, insonderheit Korrekturen, bewertende Urteile, Änderungen, Ergänzungen, offensichtlich von späterer Hand. Der Hauptteil der Hs. ist mit schwarzer Tinte geschrieben, jedoch S. 121 (Titelbl.), S. 145 (Notentext mit 5. System von oben beginnend), S. 146 (Notentext) mit roter Tinte. Der Titel auf gesondertem Bl., dessen Rückseite leer ist, lautet:

> *Sonata 1. ex. G.* ♭. | *Sonata 2. ex. A.* ♭. | *Sonata 3 ex. C.* ♮. | *Partie in E* ♯. *1.)* | *Partie in D* ♭. *2.)* | *â Violino Solo Senza Baßo.* | *par* | *Jean Sebastian Bach.* | *Scrip.* | *Johann Peter Kellner* | *Anno 1726.* | *Franckenhayn.*

Einrichtung und Inhalt der Hs.:

Die Hs. ist unvollständig. Es fehlen Partita I, von der Partita II die Sätze Allemande und Courante, von der Partita III die Sätze Loure, Menuett II, Bourrée, Gigue sowie in verschiedenen Sätzen kürzere und längere Taktgruppen. Einige Stellen weisen Zusammenziehungen und Einschübe auf. Die Reihenfolge der Einzelwerke entspricht, abweichend von den übrigen Quellen, dem Titelbl. Sicherlich handelte es sich ursprünglich um Einzelabschriften. Jedes Werk besitzt Kopftitel; Schlüssel und Vorzeichnung meist nur zu Beginn einer Seite oder eines Satzes; Vorzeichnung nach zeitgenössischem Brauch, Kustoden nur bei Wiederholungszeichen; Fermaten und Taktstriche unregelmäßig; meist Wendevorschriften. Die Bll. sind 10–15zeilig rastriert, laufen über die volle Papierbreite; vielfach leere Systeme, bedingt durch Gebrauchscharakter der Stimmen.

Bl. 1ʳ: Titel (s. o.).

Bl. 1ᵛ: vacat.

Bll. 2ʳ–3ᵛ: *Sonata 1. â Violino Solo Sentza Baßo*; letzter Satz unbezeichnet.

Bll. 4ʳ–6ʳ: *Sonata 2.ᵈᵃ â Violino Solo Senza Baßo*; letzter Satz unbezeichnet.

Bll. 6ᵛ–9ʳ: *Sonata. 3 â Violino Solo Senza Baßo*; in der *Fuga* ist das *Da* | *Capo* (ab Takt 288) nicht ausgeschrieben.

Bll. 9ᵛ–11ʳ: *Partie. a Violino Solo Senza Baßo*; 1. Satz unbezeichnet.

Bll. 11ʳ–13ᵛ: *Partie in D* ♭. Am Ende steht: *Finè.* | *Soli Deo Sit Gloria* | *Franckenhayn. d. 3. Jul.* | *1726.*

E. Abschrift im Besitz der BB, gegenwärtig treuhänderisch verwahrt in der Westdeutschen Bibliothek Marburg. Signatur: *Mus. ms. Bach P 968.*

Pappband, dessen Rücken aus weißem Pergament, das auf beide Deckel übergreift, in Goldprägung den Titel aufweist: *J. S. Bach: Sonaten f. Viol. solo*; die Deckel sind außen und innen mit braunem Papier überzogen; Vorderseite mit blauem Schild und Signatur; die Vorsatzbll. sind von hellbrauner Farbe. Die Hs. umfaßt 19 Bll., bibliothekarisch numeriert, dazu 3 Bll. zum Einschlagen angeklebt, die mit a) bezeichnet werden. Der Inhalt umfaßt die Sonaten für Violine allein sowie auf den Bll. 18ᵛ–19ᵛ die Sonate für Flöte allein [BWV 1013]. Für die Violinwerke werden die Bll. 1ʳ–18ʳ unter Einschluß von Bll. 8(a), 12(a), 14(a), demnach insgesamt 41 Seiten beansprucht. Das Format beträgt 31 × 26,5 cm. Starkes, gelblichbraunes Papier (Halbbogen von Großformat), das Wasserzeichen, unmittelbar im Falz, ist infolge der Heftung nicht genau bestimmbar (gekreuzte Schlüssel und Monogramm). Die Hs. ist so stark beschnitten, daß mitunter Leseschwierigkeiten entstehen. Der Erhaltungsgrad ist gut; doch sind Bll. teils beschädigt oder stockfleckig.

Vom Schreiber wurden auf Bll. 8^v und 9^r Systeme überklebt und neu beschrieben. Vielfach durchschlagende Noten, die mit dunkelbrauner Tinte geschrieben sind. Die Seiten sind 9–14zeilig rastriert. Sicherlich handelt es sich um Einzelstimmen, wie entsprechende Seitenordnung und Wendevorschriften vermuten lassen. Ein Titelbl. fehlt. Jedes Werk mit Kopftitel in zeitgenössischer Notationspraxis.

Bll. 1^r–3^r: *Sonata 1ma â Violino Solo senza Baßo di J S Bach* Stempel *Ex | Bibl. Regia | Berolin.*; Akzessions-Nummer *1917. 394.*

Bll. 3^v–6^v: *Partia I^{ma}:*

Bll. 7^r–9^r: *Sonata II^{da}: â Violino Solo senza Baßo*; mit angeklebtem Bl. 8(a)^r Notentext, 8(a)^v vacat.

Bll. 9^v–12(a)^v: *Partia Prima* [geändert in:] *2da â Violino Solo Senza Baßo*, wobei Bl. 12(a)^v vacat.

Bll. 12^v–15^r: *Sonata Terzia â Violino Solo | senza Baßo*; mit angeklebtem Bl. 14(a)^r Notentext, 14(a)^v vacat.

Bll. 15^v–18^r: *Partia III^{tia} â Violino Solo Senza Baßo.*

Der Schreiber der Violinwerke hat gelegentlich auch für Köthener Aufführungen J. S. Bachs Kopierarbeit geleistet. Er wurde bisher in folgenden Originalhss. Bachs erfaßt:

BWV 21, BB *Mus. ms. Bach St 354* (d-Moll-Stimmen Viol. I, II, Viola, Fagotto, Violoncello);

BWV 184, BB *Mus. ms. Bach St 24* (Köthener Stimmen Traversiere I, II, Viol. I, II, Violoncello).

F. Abschrift in der Amalienbibliothek des Joachimsthalschen Gymnasiums im Besitz der BB, gegenwärtig treuhänderisch verwahrt in der Universitätsbibliothek Tübingen. Signatur: *Am.B. 70.* Ein zweites Exemplar trägt die gleiche Signatur.

1. Exemplar:

Steifer Pappband, mit dunkelblauem Papier überzogen, mit Schild und Signatur; Innendeckel mit grauem Papier überklebt. Vorsatzbl. leicht vergilbt, mit 13 Stegen, Figur und Buchstaben als Wasserzeichen. Die Hs. umfaßt 32 Bll., die von 3–63 paginiert sind und ein Lagenschema von acht Binionen aufweisen. Kräftiges, weißliches Papier mit 12 Stegen, Lilienschild mit Krone und Buchstaben **IKOOL** als Wasserzeichen. Verheftet sind die Seiten 19 und 20, die zwischen Seite 22 und 23 eingeordnet wurden. Das Format beträgt 34 × 23 cm. Klare Schrift mit schwarzer Tinte; 7–15 Systeme auf jeder Seite. Der Kopist hat das Werk vollständig vor sich gehabt, so daß genaue Platzdisposition möglich war. Eine typische Gebrauchsstimme mit bequemen Wendestellen. Jede Sonate mit Kopftitel, Tempovorschriften, sparsamen Kustoden und Wendehinweisen.

Der Titel lautet:

Sechs | Violin Sonaten | ohne | Bass. | von | Johann Sebastian Bach.

Darunter Stempel *GYMNASIO | REG: JOACHIM: | LEGAT: AB ILLUSTRISS: PRINCIPE | AMALIA.*

Bl. 1^r: Titelbl.; Bl. 1^v: vacat; Bll. 2^r–5^r: *Sonata I^m: à Violino Solo. Senza Baßo.*; Bll. 5^v–10^r: *Partia I^m: à Violino Solo. Senza Baßo*; Bll. 11^v–16^r: *Sonata II^d: à Violino Solo, Senza Baßo.*; Bll. 16^v–22^r: *Partia II^d: à Violino Solo. Senza Baßo.*; Bll. 22^v–27^r: *Sonata III^z: à Violino Solo. Senza Baßo.*; Bl. 32^v: vacat.

2. Exemplar:

Steifer Pappband mit Lederrücken und buntem, marmoriertem Papier überzogen. Vorderseite des Deckels mit Signatur und ornamental ausgeschnittenem, aufgeklebtem Schild mit Titel: *Violin Sonaten | ohne Baß | von | J. Seb. Bach.* Geriffelte Vorsatzbll. mit acht Stegen als Wasserzeichen, die auch im Notenpapier wiederkehren. Tadelloser Erhaltungsgrad der Hs. Das Format beträgt 34 × 20,5 cm. Klare Schrift mit dunkelbrauner Tinte. Der Titel lautet:

Sechs | Violin Sonaten | ohne Bass | von J: Seb. Bach.

Darunter Stempel wie beim 1. Exemplar, mit dem es in Inhalt und Einrichtung bis auf ganz geringe, unbedeutende Abweichungen übereinstimmt.

G. Abschrift im Besitz der Deutschen Staatsbibliothek Berlin, gegenwärtig treuhänderisch verwahrt in der Westdeutschen Bibliothek Marburg. Signatur: *Mus. ms. Bach P 573.*

Pappband mit graumarmoriertem Überzugspapier, Rücken in Blauleinen mit Goldprägung *J. S. Bach: Sonaten f. Viol. Solo Ms.* Innendeckel mit hellbraunem Papier überzogen, das auch für die Vorsatzbll. verwendet wurde. Die Hs. umfaßt 22 nicht numerierte, nicht paginierte Bll. Das Lagenschema zeigt vier Binionen, zwischen denen jeweils ein einfacher Bogen eingeschaltet wurde. Kräftiges, kartonartiges Papier mit 15–16 Stegen als Wasserzeichen. Das Format beträgt 45,5 × 29 cm. Die 10–13zeilig rastrierten Systeme wurden mit brauner Tinte gezogen, die Noten mit schwarzer Tinte geschrieben. Der Titel lautet:

SEI. SOLO | à VIOLINO | Senza | BASSO | Accompagnato | LIBRO. PRIMO | da | Signore Giov. Seb. Bach | Possessore | Giov. Godofr. Berger.

Darunter Stempel *Ex | Bibl. Regia | Berolin*; hs. Zusatz *No 22*, geändert in *31*; außerdem Signaturangabe. Die Hs., mit Wendevorschriften, wo nötig, folgt trotz zahlreicher Kustoden vorwiegend moderner Notationspraxis. Jede Sonate mit Kopftitel und Satzbezeichnungen oder Tempovorschriften.

Bl. 1^r: Titel; Bl. 1^v: vacat; Bll. 2^r–4^v: *SONATA. I.*; Bll. 4^v–7^v: *PARTIA. I.*; Bll. 8^r–11^r: *SONATA. II.*; Bll. 11^v–15^r: *Partia. II.*; Bll. 15^v–19^r: *SONATA. III.*; Bll. 19^v–22^r: *PARTIA. III.*; Bl. 22^v: vacat.

H. Hs., für Violoncello transponiert, im Besitz der BB, gegenwärtig treuhänderisch verwahrt in der Westdeutschen Bibliothek Marburg. Signatur: *Mus. ms. Bach P 236.*

Pappband mit marmoriertem Papier und Lederrücken. Vorderdeckel mit Signaturangabe und mit ornamentalem aufgeklebtem Schild und Titel: *Sonaten für die Violine | von Seb: Bach | eine Quinte tiefer für Cello.* Die Hs. umfaßt 21 Bll., ungeradzahlig paginiert, angeordnet als Binio, Ternio mit drei anschließenden Binionen. Im Ternio ist Bl. 10 offensichtlich vor Beschriftung herausgetrennt worden. Nicht beschrieben ist Bl. 20ᵛ. Ein Titelbl. fehlt. Auf Bl. 1ʳ befindet sich ein Stempel mit Wappen und Krone. Kräftiges, wenig vergilbtes Papier von gutem Erhaltungsgrad. Das Format beträgt 36,5×23 cm. Kopftitel ursprünglich nur als Sonata I, II, III bezeichnet; die jeweilige Partita ist dabei mit eingeschlossen. Später von fremder Hand mit Bleistift als Sonata I bis VI durchnumeriert. Tonartliche Ordnung, bedingt durch Transposition um eine Duodezime (nicht Quinte): c-Moll, e-Moll, d-Moll, g-Moll, F-Dur, A-Dur. 11–18zeilig rastriertes Papier, vorwiegend moderne Notationspraxis. Mit Tempo- und Satzbezeichnungen, sparsamen Wendevorschriften, selten gesetzten Kustoden.

Bll. 1ʳ–6ᵛ: *Sonata I*; Bll. 7ʳ–14ʳ: *Sonata II*; Bll. 14ᵛ–21ʳ: *Sonata III*; Bl. 21ᵛ: vacat.

I. Abschrift aus der Sammlung C. F. Becker der Stadtbibliothek Leipzig, jetzt in der Musikbibliothek Leipzig. Signatur: *Becker III, 11.16.*

Fester Pappband mit marmoriertem Papier. Innenseite des Vorderdeckels trägt den Bleistiftvermerk: *Aukt. Kat. Schicht/Nr. 1012,* ferner *Oko. 02.* Die Hs. umfaßt 22 paginierte Bll. im Format 35,5 × 22 cm, angeordnet als fünf Binionen mit eingeklebtem Einzelbogen. Der Titel lautet:

> *Tre. | Sonata | per il Violino solo | senza Baßo. | Del Sig.ʳᵉ | Sebastian Bach | P.ʳ | Presso N. Simrock | in Bonna. | No. 169.*

Das Blatt trägt außerdem den Stempel *STADTBIBLIOTHEK ZU LEIPZIG | C. F. BECKERS | STIFTUNG.,* ferner den Besitzervermerk *Poss. Dröbs.* Kopftitel ursprünglich als Sonata I, II, III angegeben, später mit Bleistift von I bis VI durchnumeriert. Auf der letzten Seite stark durchschlagende Noten.

Bl. 1ʳ: Titel; Bl. 1ᵛ: vacat; Bll. 2ʳ–7ᵛ: *Sonata I*; Bll. 8ʳ–15ʳ: *Sonata II*; Bll. 15ᵛ–22ʳ: *Sonata III*; Bl. 22ᵛ: vacat.

K. Hs. Eintragungen von Alfred Dörffel in eine gedruckte Violinstimme aus der Sammlung Manfred Gorke der Stadtbibliothek Leipzig, jetzt im Bach-Archiv Leipzig. Signatur: *Go. S. 81.*

Es handelt sich um Dörffels Stichvorlage zu BG 27. Wie das Titelbl. ausweist, benutzte er zur Redaktion die Violinstimme der bei Breitkopf und Härtel in Leipzig erschienenen Ausgabe von Robert Schumann *mit hinzugefügter Begleitung des Pianoforte.* Dörffels Revision erstreckt sich hauptsächlich auf Korrektur des graphischen Notenbildes, auf Regelung der Pausensetzung, auf Phrasierung und Ausschreibung von Arpeggien.

Einzelabschriften

L. Abschrift der Sonata I, g-Moll, aus der Sammlung Poelitz der Stadtbibliothek Leipzig, jetzt in der Musikbibliothek Leipzig. Signatur: *Poel. mus. 31.*

Die Hs. umfaßt ein zweiseitig beschriebenes Einzelbl. sowie einen dreiseitig beschriebenen Bogen im Format 35 × 21,5 cm, beide ohne Wasserzeichen. Der Kopftitel lautet:

Sonata 1, ma. à Violino Solo senza Baßo | di J S. Bach.

Darunter der Vermerk von fremder Hand: *Hauser Catalog-No. 404.*; überdies Signaturangabe und von alter Hand Notenköpfe als Schriftprobe. Unbeschnittenes, altes, vergilbtes Papier, gelegentlich stark gebräunt. Rastrierung 11–13zeilig, mitunter leicht durchschlagende Noten.

M. Abschrift der Fuge aus der Sonata I, g-Moll, aus der Sammlung Poelitz der Stadtbibliothek Leipzig, jetzt in der Musikbibliothek Leipzig. Signatur: *Poel. mus. 30, 1.*

Die Hs. umfaßt ein gefaltetes Einzelbl. im Format 27 × 24,5 cm. Der Titel lautet irrtümlich:

Variante zu der Fuge aus D-moll unter No. 4. | Für Violine allein. | J. S. Bach.

Eingeprägter Bibliotheksstempel *Leipziger Stadtbibliothek* mit Wappen; ferner Signaturangabe. 9- bzw. 10zeilig rastriertes Papier. Bleistiftziffern deuten auf Benutzerspuren.

Unzugängliche Quellen

Die B.Dresd. besaß eine Sammelhs. mit der Signatur *1 R/1* (alte Signatur *Ca 5*), die eine vollständige Abschrift der drei Sonaten und Partiten enthielt. Die Quelle ist heute nicht mehr nachweisbar. Nach Andreas Moser[3] lautete der Titel:

Sei Solo a Violino senza Baßo accompagnato.

Er stimmt mit den Quellen A und G überein. Nach Studeny[4] war in der Hs. folgende Reihenfolge eingehalten: Partia I h-Moll, Sonata I a-Moll, Partia II d-Moll, Sonata II g-Moll, Partia III E-Dur, Sonata III C-Dur. Die Ordnung weicht von den übrigen Quellen stark ab. Möglicherweise ging daher die Überlieferung auf Einzelvorlagen zurück. Weder Spitta noch Dörffel kannten die Hs., die nach Studeny *in schöner, großer Schrift* geschrieben war; die Ermittlung des Schreibers jedoch *lieferte keine endgültige Entscheidung.*

Im *Verzeichnis alter und neuer sowohl geschriebener als gestochener Musikalien, welche in der Kunst- und Musikalienhandlung des Johann Traeg, zu Wien, zu haben sind, Wien 1799,* wird nach Schneider[5] eine weitere Hs. genannt:

(Ms.) 3 Partien. (Sonates a Violino solo).

Ob es sich hierbei nur um die drei Partiten oder, was wahrscheinlicher sein dürfte, um die Sonaten und Partiten gehandelt hat, ist nicht zu entscheiden. Ihr Titel deckt sich nicht mit den bisher angeführten Quellen.

[3] A. Moser, *Zu Joh. Seb. Bachs Sonaten und Partiten für Violine allein*; BJ 1920.
[4] G. Studeny, *Beiträge zur Geschichte der Violinsonate im 18. Jahrhundert*; München 1911, S. 31.
[5] M. Schneider, *Verzeichnis der bis zum Jahre 1851 gedruckten (und der geschrieben im Handel gewesenen) Werke von Johann Sebastian Bach*; BJ 1906.

2. Zur Geschichte der Quellen

Das Autograph A wurde im Frühjahr 1917 von der damaligen Königlichen Bibliothek in Berlin aus dem Nachlaß von Wilhelm Rust erworben (Akzessions-Nr. *1917. 393*). Die Witwe, Olga Rust in Leipzig, hatte die Hs. Erich Prieger in Bonn zur Verwahrung übergeben, wo Joseph Joachim 1906 erstmals die Reinschrift von Bachs Hand einsah [6]. Rust, der 1892 starb, hat sie vermutlich erst in seinen letzten Lebensjahren erworben; denn ein Briefwechsel, den Johannes Brahms mit Eusebius Mandyczewski im Jahre 1890 führte [7], bezieht sich offensichtlich auf die Hs. Das beweist die Beurteilung von Mandyczewski: Das Autograph *ist außerordentlich sauber geschrieben, geradezu eine Prachtleistung in der Schrift*; ferner macht er die zutreffende Bemerkung: *Ich habe bei Spitta und in der Bachausgabe nachgelesen; dieses Exemplar ist unbekannt.* Es befand sich *im Besitze eines Mannes, der damit nicht umzugehen weiß.* Mandyczewski hatte Kenntnis davon über den Münchner Antiquar Rosenthal erhalten und wollte es gern in Brahms' Besitz sehen, da er dessen Vorliebe für Autographen kannte. Anfänglich auftauchende Echtheitszweifel wurden durch Handschriftenvergleich geklärt. *Es gewinnt an Wahrscheinlichkeit, daß es dieselbe Schrift ist. Ist das aber der Fall, dann dürfte ein unvergleichlicher Fund gemacht worden sein. Denn die Sonaten sind außergewöhnlich schön geschrieben, ein Rein-Exemplar, wie man es unter Bachschen Stücken wohl sehr selten finden wird, ein wirkliches Prachtstück.* Brahms war für die Hs. sehr aufgeschlossen, suchte *derweilen Genaueres zu erfahren*; doch der Erwerb zerschlug sich; denn Mandyczewski schreibt im Juli an Brahms: *Spitta hat nicht geantwortet und so ist das Stück wieder weiß Gott in welche Hände gerathen.* Die Hs. gehört demnach offensichtlich in der zweiten Hälfte des 19. Jh. zu den *frei umher vagabundierenden Manuskripten* [8], die vom ursprünglichen Hauptbestand abgesplittert waren. Bis etwa zur Jahrhundertmitte scheint jedoch das Autograph in festem, wohlgehütetem Bachschen Familienbesitz gewesen zu sein, so daß es dem Bach-Autographen-Sammler Georg Pölchau (1773–1836) nicht gelang, die Hs. aufzuspüren. Dieser erwarb vieles von Carl Philipp Emanuel Bach. Doch auch in dessen Nachlaßverzeichnis von 1790 [9] fehlt die Hs. Als Vorbesitzer ist durch einen hs. Eintrag auf dem Vorsatzbl. des Autographs *Louisa Bach | Bückeburg | 1842.* bestätigt. Damit führt der Weg zu Christiane Louisa Bach, die als drittes Kind von Johann Christoph Friedrich Bach (1732–1795) in Bückeburg am 26. September 1762 getauft wurde. Sie überlebte ihre sämtlichen sieben Geschwister und verstarb ledig in Bückeburg am 1. Oktober 1852. Besaß Louisa Bach die Hs. bis zu ihrem Tode, so dürften als Nachbesitzer vermutlich die beiden Töchter ihres Bruders Wilhelm Friedrich Ernst Bach (1759–1845), des Cembalisten der Königin Luise von Preußen, nämlich aus erster Ehe

---

[6] J. S. Bach, *Sonaten und Partiten für Violine allein*, hrsg. v. Joseph Joachim und Andreas Moser, Berlin 1908, Vorwort; vgl. II.

[7] K. Geiringer, *Johannes Brahms im Briefwechsel mit Eusebius Mandyczewski*, in: ZfMw. 1933, S. 337 ff.

[8] W. Schmieder, *Die Handschriften Johann Sebastian Bachs*; in: Bach-Gedenkschrift 1950, hrsg. von Karl Matthaei, Zürich 1950, S. 190 ff.

[9] *Verzeichniß des musikalischen Nachlasses des verstorbenen Capellmeisters Carl Philipp Emanuel Bach*, Hamburg 1790; Neudruck im BJ 1938, S. 106 ff., 1939, 81 ff., 1940–48, 161 ff.

Wilhelmine Bach (nach 1852 gestorben) und aus zweiter Ehe Auguste Bach (1858 gestorben) in Frage kommen, mit denen die Bückeburgische Linie der Bachs ausstarb, wie die Nachlaßakten der *Demoiselle Louise Bach* bestätigen [10]. Möglicherweise hat Louisa Bach die Hs. nach dem Tode der Mutter 1803 aus Familienbesitz erhalten, zumal sie bei der Erbschaft besonders reichlich bedacht worden war. Daß ihr Vater, Johann Christoph Friedrich Bach, der bereits 1795 starb, Werke, wenn auch abschriftlich, von Johann Sebastian besaß, ist bestätigt. Er wurde zwar nach dem Tode seines Vaters bei der Erbteilung im November 1750 nicht unmittelbar mit Noten bedacht; denn diese erhielten in der Hauptsache außerhalb der Erbregulierung die drei überlebenden Kinder aus Bachs erster Ehe, Wilhelm Friedemann, Carl Philipp Emanuel und Catharina Dorothea. Dennoch besitzen wir von Johann Sebastian Bachs Werken Abschriften *von der Hand des Bückeburger Bach* [11], vier Stimmen *von Altnicols Hand*, der mit ihm beim Vater studiert hatte, als deren *Possessor J. C. F. Bach* [12] angegeben ist. Wann und auf welchem Wege freilich das Autograph der Sonaten und Partiten für Violine in den Besitz der Bückeburger Bache gekommen ist, bleibt unbekannt. Doch reichen Spuren der Provenienz dieser Hs. bis in die unmittelbare Nähe ihres Schöpfers. Die Quelle ist *ao. 1720* datiert. Das Jahr dürfte den Zeitpunkt der Niederschrift bezeichnen. Es besteht kein zureichender Grund, 1720 als Kompositionsjahr anzusetzen und die Reinschrift selbst etwa der Leipziger Zeit zuzuweisen. Dem widersprechen Quellenbefund und Notationspraxis, wie das in der Leipziger Zeit unbekannte Wasserzeichen oder die noch nicht durchgeführte Verwendung des Doppelkreuzes bestätigen. Wisso Weiß spricht in seinem Katalog *Papier und Wasserzeichen der Notenhandschriften von Johann Sebastian Bach* (Manuskript) hinsichtlich des Wasserzeichens von einem gekrönten Wappen, wobei dieses selbst anscheinend geteilt ist, oben drei Turmspitzen mit Fähnchen, unten gekreuzte Schlegel und Eisen aufweist, unter denen sich eine Tafel mit den Buchstaben *JBA* (?) befindet. Offenbar handelt es sich um Sinnbilder aus dem Bergmannsleben, so daß möglicherweise die Papiermühle Joachimsthal in Böhmen mit dem Papiermacher Abt als Hersteller in Frage kommt. Belegt ist das Papier in Leipzig 1710 und 1722.

Die Geschichte der weiteren Quellen ist schwer zu verfolgen. Quelle B kam vermutlich 1841 durch Erwerb des Nachlasses von Pölchau an die BB. Die Akzessionsnummer ist nicht mehr feststellbar. Schon Spitta [13] weist 1873 die Quelle eindeutig der Leipziger Zeit zu, bedingt durch Handschrift, Wasserzeichen und Titelangabe, wobei er freilich die Abschrift Anna Magdalenas für ein Autograph hält. Das Wasserzeichen des Papiers zeigt auf Stegen die Buchstaben MA und ist nach Weiß in dieser Gestalt für 1730 belegt. Es stammt vielleicht aus der Papiermühle Grün bei Asch, hergestellt von dem Papiermacher Adam Michael. Bei Bach ist es in zahlreichen Partituren und Stimmen nachgewiesen. Das alte Titelbl. besitzt als Wasserzeichen die Buchstaben FN

---

[10] G. Hey, *Zur Biographie Johann Friedrich Bachs und seiner Familie*; BJ 1933, S. 77 ff.

[11] Wohltemperiertes Klavier II, Praeludium 3a (BWV 872a), Praeludium mit Fuge 6 (BWV 875); *Mus. ms. Bach P 226* in BB.

[12] Konzert c-Moll für zwei Klaviere (BWV 1060), sechs Stimmen; *Mus. ms. Bach St. 136* in BB.

[13] Ph. Spitta, *Johann Sebastian Bach*, Leipzig 1930, Bd. I, S. 826.

(oder EN?) sowie undeutlich ein Schild mit den Symbolen von Schlegel und Eisen. Es dürfte der 1. Hälfte des 18. Jh. angehören. Beim Einbinden der ursprünglich losen Bll. wurden Vorsatzbll. eingezogen, die mit dem Wasserzeichen *SECTION FUER DIE ABGABEN* der Zeit nach 1800 (vielleicht Zelters Zeit) angehören. Offensichtlich ist das Titelbl. später zur Notenhs. hinzugekommen. Es stammt auch schriftkundlich von anderer Hand (vgl. I, 3), doch dürfte die Zugehörigkeit zur Zeit um 1730 außer Frage stehen, bestätigt durch die Angabe *Maître de la Chapelle | et | Directeur de la Musique | a | Leipsic.* Schon Schweitzer[14] hat darauf aufmerksam gemacht, daß aus dem Fehlen der Bezeichnung Bachs als *Hofcompositeur*, die gewiß zu erwarten gewesen wäre, geschlossen werden kann, daß Titelbl. und Hs. vor 1736, aber nicht vor 1723 entstanden sein müssen. Auf Grund des ermittelten Schreibers in Gestalt von Anna Magdalena Bach und der Entwicklung ihrer Schriftzüge (vgl. I, 3) kann die Entstehungszeit der Abschrift des Notentextes auf die Zeit zwischen 1725 und 1733/1734 eingeengt werden, während für das Titelbl. die Zeitspanne bis 1736 Gültigkeit behalten dürfte.

Quelle C hat gleichfalls aus Pölchaus Besitz den Weg in die BB gefunden. Auch hier ist die Akzessionsnummer nicht feststellbar. Als Vorbesitzer wird laut Eintrag Pölchaus auf der Hs. der *Clavierspieler Palschau* in Petersburg genannt, bei dem Pölchau die Hs. 1814 im Altpapier fand. Ihre Entstehung läßt eindeutig zumindest zwei verschiedene zeitliche Schichten erkennen. Die erste umfaßt BWV 1001–1005, die zweite BWV 1006. Für die Datierung der ersten Schicht wurde bisher hauptsächlich die Behandlung der Akzidenzien herangezogen. Die Hs. verwendet vielfach das Be, nicht das Quadrat als Auflösungszeichen für zufällige Akzidenzien, woraus Dörffel[15] auf ihr hohes Alter geschlossen hat. Er wie auch Spitta hielten die Hs. für ein Autograph. Da es sich aber um eine Abschrift handelt (vgl. I, 3), muß eine verlorengegangene Erstschrift Bachs oder eine Zwischenquelle als Vorlage angenommen werden, die diesen Notationsstand aufwies. Falls eine Eigenschrift Bachs existiert hat, muß diese vor 1717 liegen; denn zu diesem Zeitpunkt ist bei Bach eine Wandlung der Akzidenssetzung bei Auflösung zufälliger Erhöhungen spürbar. Das würde bedeuten, daß der Zyklus oder Teile davon bereits vor 1720 entstanden sind. Die Datierung der Quelle A mit dem Jahr 1720 stellt dann den endgültigen Zeitpunkt der Reinschrift dar, die Komposition aber erfolgte erheblich früher. Daß Quelle C eine Abschrift verkörpert, beweisen zahlreiche Fehler (vgl. unter IV). Darauf deuten ferner die als sicher zu bezeichnende Einzelüberlieferung, besonders der Verzicht auf Titel, die textliche Unvollständigkeit sowie der fremde, spätere Zusatz *Von d berümbten Bach.* Spitta macht im Quellenbefund auf das abweichende Wasserzeichen des gekrönten Doppeladlers aufmerksam[16]. Damit tritt die Hs. mehr oder minder aus der unmittelbaren und engsten Bach-Überlieferung heraus. Den Blick dazu hatte nur bisher die Annahme eines Autographs versperrt. Es ist möglich, eine Abschrift von den alten Zwischenvorlagen erheblich später anzusetzen. War für Bach eine Wandlung des Notationsbildes hinsichtlich der Akzidenziensetzung etwa

---

[14] A. Schweitzer, S. 358.
[15] BG 27, Vorwort.
[16] Ph. Spitta, Bd. I, S. 825.

mit dem Jahr 1717 gegeben, so hielt sich doch dieser ältere Brauch weit länger. Noch Quelle D, datiert 1726, bringt gelegentlich das Be als Auflösungszeichen. Darüber hinaus aber spricht für einen Ausschluß aus der engsten Bach-Tradition die Tatsache, daß BWV 1001–1005 der Handschrift eine innere Konsequenz in der Setzung der Zeichen, für Ungültigkeit der zufälligen Erhöhung das Quadrat, für die durch die Vorzeichnung begründete Auflösung das Be, vermissen läßt. Sie behandelt die Auflösungsmöglichkeiten durchaus promiscue und ohne erkennbare Systematik, ein Verfahren, das für Bach in dieser Wahllosigkeit kaum Gültigkeit haben dürfte. Man wird daher eine Datierung von BWV 1001–1005 der Quelle C nach 1720 für möglich halten dürfen, was jedoch einer früheren Entstehung des Zyklus nicht widerspricht. In jedem Falle geht diesem Teil von C eine Zwischenquelle voraus. Er spiegelt dabei einen durch unterschiedliche Praxis bedingten möglicherweise älteren Notationsstand einer als Vorlage benutzten zeitgenössischen Quelle, ohne selbst unbedingt einer älteren Zeit anzugehören. Erhärtet wird die Vermutung durch den Papierbefund.

Im Wasserzeichen von BWV 1001–1005 zeigt die Brust des Doppeladlers ein Z; ferner sind die Schwingen mit Kleeblattstengeln belegt. Das Papier stammt nach Weiß aus der Papiermühle Zittau von dem Papiermacher Christian Friedrich Schaffhirt und dessen Sohn Johann Christian Schaffhirt und ist in der Zeit von 1721–1817, also verhältnismäßig spät, häufig zu finden. Damit wäre ein weiteres Argument für eine Datierung von BWV 1001–1005 der Quelle C nach 1720 gegeben, unberührt vom erhaltenen Bild einer älteren Notationsweise. Für BWV 1006 der Quelle C aber gilt eine noch weit spätere Entstehung. Das Wasserzeichen des Papiers zeigt ein gekröntes Lilienschild zwischen Stegen sowie bruchstückhaft die Buchstaben *J. KOOL*. Nach Weiß entstammt es der Papiermühle Bonsem in Zaandijk in den Niederlanden, gefertigt von dem Papiermacher Jan Kool (1775–1808). Papierqualität, Format, Schriftbild und Notationsstand verweisen diesen Teil der Hs. C in das späte 18. Jh. Die beim Binden der Hs. eingezogenen grauen Vorsatzbll. gehen schließlich auf die erste Hälfte des 19. Jh. zurück, wie durch das Wasserzeichen *K & G,* der Papiermühle Cröllwitz bei Halle (Keferstein und Germer, 1824–1842) zugehörig, bestätigt wird.

Quelle D kam als Geschenk von Max Abraham in Leipzig 1889 in die BB. Die Akzessionsnummer lautet *1889. 433*. Sie findet sich in einem Konvolut, das F. A. Roitzsch in Leipzig noch 1879 besessen hatte. Sie ist doppelt datiert. Das Titelbl. vermerkt *Anno 1726. | Frankenhayn*, am Schluß der Hs. steht *Frankenhayn. d. 3. Juli | 1726.* Unvollständigkeit, geänderte Reihenfolge der Sonaten und Partiten, zahlreiche Kürzungen (vgl. unter I, 4), die keineswegs als Eigenmächtigkeiten des Bach hoch verehrenden Schreibers Johann Peter Kellner aufzufassen sind, beweisen deutlich, daß die Hs. auf eine selbständige zeitgenössische Überlieferung zurückgeht, deren Fassung nicht mit A oder B übereinstimmt, so daß genau wie für C eine Zwischenüberlieferung als Vorlage anzunehmen ist. Die genaue Datierung von Quelle D, die doppelt erfolgt, bedeutet vermutlich Beginn und Abschluß der Abschrift im Jahre 1726; doch scheint eine über einen längeren Zeitraum vorher sich erstreckende Sammlung der Abschriften und nachträglich zusammenfassende Datierung nicht ausgeschlossen zu sein. Darauf weist die Anlage des Titelbl. hin, das mit dem Jahre 1726 den zusammenfassenden

Charakter der möglicherweise früher einzeln abgeschriebenen Sonaten und Partiten betont.

Quelle E kam aus dem Vorbesitz von Olga Rust in Leipzig 1917 in die BB (Akzessionsnummer *1917. 394*). A. Moser hält sie für kaum viel jünger als A. Sie dürfte nach dem Notationsstand etwa um 1720 in ihrer Entstehung anzusetzen sein, da sie von einem Köthener Kopisten Bachs stammt. Die Einzelabschrift L gehörte der Sammlung des Leipziger Professors der Staatswissenschaft, Karl Heinrich Poelitz (1772–1838), an und kam durch Testament 1839 an die Stadtbibliothek Leipzig[17]. In die zweite Hälfte des 18. Jh. fallen mutmaßlich die beiden Abschriften von Quelle F, die als Sammlung der preußischen Prinzessin Anna Amalia (1723–1787) und Schwester Friedrichs des Großen 1788 dem Joachimsthalschen Gymnasium zu Berlin[18] einverleibt wurden[19]. Quellenmäßig deckt sich F im Papierbefund mit BWV 1006 in C, deren Teilhs. in der gleichen Zeit anzusetzen ist. Quelle G, entstanden etwa um 1800, mit dem italienischen Besitzervermerk *Possessore Giov. Godofr. Berger* wurde von der BB 1887 von dem Antiquar Liepmannssohn (Akzessionsnummer *1887, 147*) erworben. Um 1800 ist wohl auch die Abschrift M der Fuge der g-Moll-Sonate anzusetzen, die gleichfalls zu den Beständen der Sammlung Poelitz gehörte und 1839 an die Stadtbibliothek Leipzig kam. Ende des 18. Jh. dürfte die Quelle H entstanden sein, ein Geschenk des Grafen Stosch 1865 an die BB (Akzessionsnummer *1865. 10 792*). In das frühe 19. Jh. gehört Quelle J als Abschrift des Simrockschen Erstdrucks. Die Hs. ist im Auktionskatalog von Schicht vom Oktober 1802 unter *Nr. 1012* verzeichnet. Besitzer war laut Titelbl. ein gewisser *Dröbs*. Die Hs. gehörte dann zur Sammlung von Carl Ferdinand Becker (1804–1877), der als Organist, Kapellmeister und Lehrer am Leipziger Konservatorium Hss. gesammelt hatte, die 1856 durch Verkauf gegen eine Leibrente an die Stadtbibliothek Leipzig kamen[20]. Schließlich ist Quelle K mit Alfred Dörffels (1821–1905) Revisionsangaben zu nennen, welche die Stichvorlage für BG 25 bildeten, erschienen 1877. Die hs. Eintragungen in der gedruckten Violinstimme gehören zur Sammlung Manfred Gorke, Eisenach, die teilweise mit dem Nachlaß Nikolaus Forkels (1818 gestorben) gegründet und selbständig weitergeführt wurde, bis sie in die Stadtbibliothek Leipzig überging[21].

3. Zum Schriftbild der Quellen

Die Probleme, die sich aus Schriftbild und Schreibern ergeben, kreisen vornehmlich um die Quellen A, B, C. Im BWV werden alle drei Hss. noch als Autographe geführt.

[17] L. Weinhold, *Die Musikabteilung der Leipziger Stadtbibliothek*, Sonderdruck aus dem Zentralblatt für Bibliothekswesen, Leipzig o. J., ferner: R. Bellardi, *Verzeichnis der Handschriften der Poelitz-Sammlung*, 1911 (hs.).

[18] C. Kupke, *Geschichte der Bibliothek des Joachimsthalschen Gymnasiums*, Berlin 1831.

[19] R. Eitner, *Katalog der Musikalien-Sammlung des Joachimsthalschen Gymnasiums zu Berlin*, Berlin 1800, Beilage zu MfM.

[20] Kat. hs. 3. Bd. ferner: *Alphabetisch und chronologisch geordnetes Verzeichnis einer Sammlung von musikalischen Schriften*, Leipzig 1843; weitere Verzeichnisse von Karl Riedel (1827–1883) und Alfred Dörffel (1821–1905).

[21] E. v. Cornberg, Bach-Sammlung Manfred Gorke, in: Deutsche Tonkünstler-Zeitung, Nr. 23, 1929.

Diese Bewertung resultiert aus der historischen Situation. Da einer älteren Bach-Forschung Quelle A unbekannt war, richtete sich das Augenmerk ausschließlich auf B und C, für die Pölchau, Spitta und Dörffel den autographen Charakter in Anspruch nahmen. Mit dem Auftauchen von A erhoben sich aber, insonderheit für B, berechtigte Zweifel an dieser Beurteilung.

Daß es sich in Quelle A um ein Autograph handelt, ist seit der Wiederentdeckung kaum bestritten worden. Die Hs. gilt mit Recht als eine Reinschrift, die weitere autographe Vorlagen voraussetzt. Daß A ein Autograph darstellt, steht außer Zweifel, bestätigt durch Schriftzüge, Raumanordnung und Gesamtanlage. Zu ihrer Charakteristik sei auf die Beschreibung Schünemanns[22] verwiesen, der nicht nur auf größte Feinheit und genaueste Figureneinteilung aufmerksam macht, sondern zugleich eine zusammenfassende Betrachtung des Bachschen Schriftbildes mit seinen bildlich musikalischen Formen und der dynamischen Bewegtheit des Notenbildes entwirft, die genau für Quelle A zutrifft, wenn sie nicht daraus entwickelt ist. Das Notenbild läßt sich auch mit dem Typus III der Schriftstile in Einklang bringen, wie ihn Danckert[23] für Bach als objektiv-statisch, strahlig und akzentscharf entwirft. Den Versuch, die Hs. als eine spätere Abschrift Anna Magdalena Bach zuzuordnen, deren Hs. der ihres Gatten zum Verwechseln ähnlich war, hat schon Schünemann zurückgewiesen. Dagegen sprechen neben Quellenbefund vor allem die Schriftzüge Anna Magdalenas, die zwar viel Gemeinsames, aber ebensoviel Trennendes mit Quelle A aufweisen, wie Quelle B eindeutig bestätigt. So wird der autographe Charakter von A, der sich leicht durch weiteren Vergleich mit Bachschen Eigenschriften erbringen ließe, erhärtet. Es liegt eine vorzügliche Reinschrift vor, die offensichtlich auf einen besonderen Anlaß oder Zweck zurückgeht. Man wird vielleicht ein autographes Widmungsexemplar aus der Köthener Zeit dahinter vermuten dürfen.

Quelle B hat bisher eine unterschiedliche, kaum endgültig geklärte Beurteilung erfahren. Spitta und Dörffel sahen in ihr ein Autograph, bei dem Titel und einige Überschriften von Anna Magdalena Bach stammen sollten. A. Moser[24] und Schweitzer[25] nahmen die Hs. für Anna Magdalena in Anspruch. Kretzschmar[26] verblieb beim Autograph[27]. Jüngst untersuchte Anna Gertrud Huber[28] die Hss. von Johann Sebastian und Anna Magdalena, wobei sie für Quelle B laut Abbildung 3 in ihrem Aufsatz am autographen Charakter festhält[29]. Dagegen führte W. M. Luther 1950 einen kurzen Hs.-vergleich durch, der bestätigte, daß es sich in Quelle B um eine Abschrift von der Hand

[22] G. Schünemann, *Musiker-Handschriften von Bach bis Schumann*, Berlin und Zürich, 1936.

[23] W. Danckert, *Beiträge zur Bachkritik I*, Jenaer Studien zur Musikwissenschaft, Bd. I, Kassel 1934.

[24] A. Moser, in: BJ 1920.

[25] A. Schweitzer, S. 358.

[26] H. Kretzschmar, *Bach-Kolleg*, Leipzig 1922, S. 59.

[27] Der von W. M. Luther im Nachwort seiner Faksimile-Ausgabe veröffentlichte Hinweis, daß Kretzschmar Bedenken gegen die Echtheit angemeldet habe, bezieht sich laut Abbildung in BG 44, Leipzig, Vorwort datiert 1895, auf Quelle C.

[28] A. G. Huber, *Die Handschrift von Johann Sebastian und Anna Magdalena Bach*, in: Schweizerische Musikzeitung 88, 1948, S. 458–461.

[29] Entgegen der Meinung W. M. Luthers beziehen sich ihre Angaben auf Quelle C.

Anna Magdalenas handelt. Die dort vorgetragenen Kriterien konnten erweitert werden. Es trifft zu, daß die Hs. von Anna Magdalena derjenigen ihres Mannes sehr ähnlich ist, Grund genug, die lange Inanspruchnahme der Hs. für Johann Sebastian Bach zu erklären. An Eigenzügen heben sich heraus: die eigenwillige sperrige Schlüsselgestaltung, die charakteristische Taktzeichenformung des C mit dem *fühlerartigen Zierstrich*[30], der etwas *unpersönliche, ungleiche* Charakter, auf den Schünemann aufmerksam macht. Insbesondere wird der Eigenstil durch andere Abschriften Anna Magdalenas bestätigt. Dazu gehören die Klavierbüchlein von 1722 und 1725, die als eindeutiger Beleg mit den gleichen Kriterien herangezogen werden können. Ein Vergleich mit den bislang als Autograph bewerteten Sechs Suiten für Violoncello (BWV 1007 bis 1012), die nahezu gleichzeitig in Köthen entstanden, lag nahe. Auch hier bot sich ein in den Schriftzügen völlig übereinstimmendes Bild dar, so daß auf Grund der angeführten Charakteristika auch Hs. P 26[31], genau wie Quelle B, als Abschrift Anna Magdalenas zu bewerten ist. Das Schriftbild von B gestattet aber auch Rückschlüsse auf die Entstehungszeit der Hs. Wie v. Dadelsen nachgewiesen hat, läßt sich eine zeitliche Wandlung in der Schrift Anna Magdalena Bachs an Hand des geöffneten oder geschlossenen Mittelfeldes des Auflösungszeichens feststellen, so daß hiernach als Begrenzung für die Datierung von B 1725 bzw. 1733/1734 in Frage kommen, da die Quelle B eindeutig noch das geschlossene Mittelfeld im Auflösungszeichen aufweist.

Schwierigkeiten bereiten bei Quelle B die Titelgestaltung und die Formung einiger Überschriften. Es ist nicht ausgeschlossen, daß Anna Magdalena den Titel selbst geschrieben hat. Dagegen spricht die Schrägrichtung des Schriftbildes, die zarte, leicht verschnörkelte Führung der Buchstaben. Anna Magdalenas Hs. wirkt sonst kompakter und massiver, doch dient der Zusatz *ecrite par Madame Bachen | Son Epouse*, der früher inhaltlich irrtümlicherweise nur auf den Titel bezogen wurde, als Beweismittel, daß Anna Magdalena zwar den gesamten Notentext geschrieben hat, aber nicht den Titel und einige Überschriften. Diese stammen nicht von ihr, wie bisher angenommen wurde, sondern von fremder Hand aus späterer Zeit. Von unbekanntem Schreiber dürften die Kopftitel *Sonata* und *Partia* in BWV 1001–1006 sowie die Satzbezeichnungen *Gavotte en Rondeau, Menuett 1, Menuett 2* in BWV 1006 herrühren.

Die Verhältnisse in der bisherigen Beurteilung verunklaren sich bei Quelle C noch mehr. Pölchau, später Spitta und Dörffel, auch noch A. Moser, bewerteten die Hs. als Autograph. Spitta[32], der sie für die erste Reinschrift hielt, weist dazu im Hinblick auf die Spitzigkeit und Schärfe der Schriftzüge auf die Verwandtschaft mit dem 2. (Köthener) Autograph der Inventionen und Sinfonien (BWV 772–801) hin, hebt aber gleichzeitig hervor, daß sich das vermutete autographe Schriftbild sowohl von Bachs Hs. der

---

[30] Vgl. hierzu den Kritischen Bericht G. v. Dadelsens zu NBA, Serie V, Bd. 4, der erstmals genaue Charakteristika der Hs. Anna Magdalenas gibt; ferner: G. v. Dadelsen, *Bemerkungen zur Handschrift Johann Sebastian Bachs, seiner Familie und seines Kreises*, Tübinger Bach-Studien, Heft 1, Trossingen 1957.

[31] Die Ausgabe von Paul Grümmer und E. H. Müller-Asow, als Autograph bezeichnet, Wien, 1944, ist daher zu berichtigen.

[32] Ph. Spitta, Bd. I, 825, 669, Anm. 53.

Leipziger wie auch der Weimarer Zeit unterscheidet. Dörffel unterstreicht den Charakter einer frühen Reinschrift. Kretzschmar [33] hält gleichfalls daran fest, betont aber bereits in dem im Oktober 1895 datierten Vorwort zu BG 44 aufkommende Zweifel: die Hs. *zeigt Abweichungen in den Bindebogen und läßt ahnen, wie in Sachen der Phrasierung die Componisten beim Niederschreiben sehr frei und anscheinend inconsequent verfuhren. Das Stück ist eine sehr schöne Reinschrift, aber es ist nicht ausgeschlossen, daß es doch kein Bach'sches Autograph ist. Für die Feder Anna Magdalena's sprechen am stärksten die langen Striche* [34]. Schweitzer [35] weist es eindeutig der Gattin Bachs zu: *Es ist von der Hand Anna Magdalenas, deren Schrift schon damals der ihres Mannes täuschend ähnelte. Als sie die Abschrift anfertigte, überwachte sie zugleich einen der Knaben, wohl Friedemann, der auf einer frei gebliebenen Seite sich im Notenschreiben übte, wozu ihm der Vater die Exempel vorgezeichnet hatte.* Der Anschauung folgt auch Anna Gertrud Huber, wobei sie freilich den Vergleich mit Quelle B (Anna Magdalenas Schrift, die sie für autograph hält) durchführt. Es wird da die *phantasievoll kräftig fließende Notenschrift mit der weiblich zart gegliederten der Anna Magdalena* [36] herausgearbeitet. Schon aus den dargelegten Zusammenhängen geht hervor, wie unsicher die bisherige Bewertung war.

Daß es sich vom Schriftbild her um kein Autograph handelt, beweisen vor allem folgende Eigentümlichkeiten: die völlig abweichende Gestaltung des Violinschlüssels, die anders geartete Schreibung des Taktzeichens C, die kantige 3 in der Taktangabe, die durchweg spitze und steile Schrift, bei der die Notenhälse vielfach die Balken kreuzen, ein Merkmal, das schon Kretzschmar als nicht autograph bezeichnet. Die Hs. Anna Magdalenas aber zeigt trotz der engen Verwandtschaft mit der ihres Mannes kleine Unterschiede. *Der etwas weniger beschwingte Ductus Magdalenas, Abweichungen in der Schreibung der Schlüssel, Vorzeichen und Textworte, werden dem Ungeübten kaum auffällig* [37]. Gerade diese Kennzeichen treffen aber auf Quelle C nicht zu. Hinzu kommen spitzgehaltene Auflösungszeichen und Bes, die nicht geschwungenen Balken, die abweichende Gestaltung der Achtel- und Viertelpausen, die geschwänzten Sechzehntel ♪, die gerundeten Fermaten. Der Duktus ist völlig anders als bei Bach und seiner Gattin. Die Kopftitel, ebenfalls stark abweichend, stammen sicherlich von der Hand des gleichen Schreibers. Sie sind im Wortbild mit ihrer unorganischen Richtung keineswegs Johann Sebastian oder Anna Magdalena gemäß. Schließlich läßt, abgesehen vom Notentext, die Hs. noch weitere Schreiberspuren erkennen. Auf eine andere Hand geht zweifellos der Zusatz *Von d berümbten Bach* zurück. Das nachträglich vorgebundene Titelbl. weist nicht weniger als vier verschiedene Schreiber auf: Schreiber I für den Titel *VI Violon-Solos*; Schreiber II für den Zusatz *Die ersten fünf sind von seiner eigenen Hand,* in den Schreiber III mit Blei das Wort *nicht* eingefügt hat, schließlich Schreiber IV, S. W. Dehn, der die ursprünglichen Auflegestimmen pagi-

---

[33] H. Kretzschmar, *Bach-Kolleg*, Leipzig 1922.
[34] BG 44, Vorwort zu Nr. 7.
[35] A. Schweitzer, S. 358.
[36] A. G. Huber, S. 460.
[37] B. Paumgartner, *Johann Sebastian Bach*, Zürich 1950, Bd. I, S. 329.

niert und dies auf dem Titelbl. vermerkt hat. Die Hs. des Notentextes für Anna Magdalena in Anspruch zu nehmen, ist im Hinblick auf Quelle B nicht mehr möglich. Sie ist aber auch nicht autograph. Somit verbleibt nur noch die Tatsache eines anonymen, bislang der Bach-Forschung unbekannten Schreibers, der möglicherweise der *Clavierspieler Palschau* selbst sein kann, bei dem Pölchau die Hs. fand. Diese Angaben treffen für BWV 1001–1005 zu; denn BWV 1006 zeigt ohnehin eindeutig das Gepräge einer jüngeren Kopistenhs.

Damit wird freilich Schweitzers legendäre Annahme von den angeblichen Schreibeübungen Friedemanns zerstört. Diese sind ohnehin erst durch den Buchbinder zwischen den Textteil geraten. Ursprünglich bildet Bl. 19ᵛ die leere Rückseite einer Auflegestimme und kann daher sehr wohl von anderer Hand zu anderer Zeit zu dem oben angegebenen Zweck benutzt worden sein, zumal die mutmaßlich von Bach vorgeschriebenen Modelle weder in der Schlüsselsetzung noch in der Art der Notengestaltung seiner Schrift entsprechen.

Quelle D stammt von dem Bach-Sammler Johann Peter Kellner, der als Schreiber hauptsächlich von Orgel- und Klavierwerken in der Bach-Überlieferung in Erscheinung tritt. Die eigenwillige Hs. mit großen, runden Notenköpfen, sperrigen Hälsen und massiven Balken, charakteristischen Akzidenzien und eigenwilliger Schlüssel- und Pausensetzung besitzt ihren eigenen Stil. Vermutlich dürften die mit *Poss. J. P. Kellner* vor allem in P 804 gekennzeichneten Abschriften noch weitere Eigenschriften Kellners darstellen. Quelle E ist auf Grund ihrer klar ausgeprägten Hs. mit regelmäßiger Schlüsselsetzung und mit der graphischen Klarheit im Notenbild einem gewandten Kopisten zuzuordnen. Das gilt erst recht für die graphisch übersichtliche und drucknah gestaltete Abschrift von F, während die Einzelabschrift M mehr einen Liebhaber verrät, wobei auf Schicht geschlossen werden dürfte. L stammt von dem Leipziger Hauptschreiber Bachs und stellt somit eine frühe und sichere Quelle dar. Er verwendet eine Form des Violinschlüssels, wie sie nur bis zum Johannistag 1723 in den Kantaten BWV 22, 21, 24, 167 und 185 zu beobachten ist. Da der Schreiber in Köthen noch nicht belegt ist, käme als Entstehungszeit nur 1723, vor 1. Juli, für Quelle L in Frage[38]. G hat möglicherweise den *Possessore Giov. Godofr. Berger* zum Schreiber. Das Schriftbild besitzt hier einen weitgehend unpersönlichen Charakter, der auch in H spürbar ist. Ob das verhältnismäßig unruhige Schriftbild in I dem Besitzer der Hs., *Dröbs*, zuzuordnen ist, kann nicht ohne weiteres entschieden werden. K weist in den Korrekturen die Schrift Dörffels auf.

4. Zur Abhängigkeit der Quellen

Quelle A setzt als autographe Reinschrift aus dem Jahre 1720 mit Notwendigkeit die Existenz vorhergehender Fassungen oder Entwürfe voraus. Diese werden vermutlich in Einzelgestalt vorhanden gewesen sein, so daß A die letzte, endgültige Redaktion und entscheidende zyklische Zusammenfassung darstellt, die ohne Zweifel von Haus aus geplant war und kaum einer erst mit der Reinschrift vorgenommenen Zusammen-

---

[38] Nach Mitteilungen von A. Dürr.

stellung oder Auswahl entspricht. Daß aber die frühen Fassungen sich bereits in Einzelabschriften verbreiteten, dafür spricht die Überlieferung der Quellen C und D, die keine zyklische Vorlage gehabt haben.

Quelle B als Abschrift von der Hand Anna Magdalena Bachs aus der Zeit zwischen 1725 und 1733/1734 benutzt eindeutig A als Vorlage. Es handelt sich um eine sehr getreue Abschrift, die sich bis in Einzelheiten an das Vorbild hält. Das beweist zunächst die genau übernommene Raumaufteilung, die beispielsweise bei den Bll. 2^v und 3^r in völliger Übereinstimmung mit dem Original das exakt nachgebildete Zusatzsystem aufweist. Vielfach endet der Notentext auf den einzelnen Systemen gleichsinnig mit Quelle A. Ergibt sich einmal eine Verschiebung auf das neue System, so wird mitunter die Balkenteilung von Quelle A, die dort platzbedingt ist, von Anna Magdalena ohne Zwang übernommen. Der gesamte Duktus der Schrift, Balkensetzung, Behalsung der Noten, Zitat der Wendevorschriften, folgt bis in Einzelheiten hinein der Vorlage. Die Dynamik steht wie in A über dem Notentext. Auch fakultativ gesetzte Vorzeichen (Partita II, Satz 1, Takt 85, dis″ mit Kreuz) werden konserviert. Andererseits wird ein leicht zu übersehendes Be (so Sonata III, Satz 2, Takt 196, 3. Viertel es″ mit Be) vergessen. Ein Kreuz bei einem Kustos (ebenda, Takt 252) wird irrtümlich als überschriebenes Kreuz übernommen. Gelegentlich werden die Akzidenzien verwechselt (ebenda, Takt 261, Auflösungszeichen statt Be). In der Phrasierung verfährt Anna Magdalena großzügiger und weniger genau, als die Vorlage sie angibt. So kommt eine flüchtigere Bogensetzung zustande, die Inkonsequenzen aufweist. Über Einzelheiten der Abweichungen und Kongruenz vgl. IV.

Quelle C als anonyme Einzelhs., zeitlich aus verschiedenen Schichten stammend, geht mit dem älteren Teil von BWV 1001–1005 keinesfalls auf Quelle A oder B zurück. Dagegen sprechen der stark selbständige Text, die abweichenden Lesarten, Fehler und Ungenauigkeiten. C geht jedoch unmittelbar auf eine nicht erhaltene Bachsche Erstfassung zurück oder aber auf Zwischenquellen, die ihrerseits von dieser Erstfassung abhängen. Die Annahme eines Autographs, verbunden mit der altertümlichen Notierung, hat den Rückschluß auf eine frühe Reinschrift ausgelöst. Dem widersprechen aber die zahlreichen Fehler, die Bach in Quelle A dann verbessert haben müßte. Daß es sich bei Quelle C um eine Abschrift handelt, beweist eindeutig die Stelle in Partita II, Satz 5, Takt 236 ff., wo eine Zeile der Vorlage bei der Niederschrift übersprungen worden ist. Die unbekannte Vorlage dazu muß A nahegestanden haben; denn die zitierte Stelle deckt sich in der Raumverteilung genau mit A, die aber auf Grund der alten in der Abschrift erhaltenen Notation nicht als Vorlage in Frage kommt. Man wird kaum fehlgehen, wenn man in Quelle C eine zeitgenössische um oder nach 1725 entstandene Abschrift einer unbekannten älteren Zwischenquelle sieht. Einzelheiten zur Abhängigkeit vgl. unter IV. Für BWV 1006 mit seiner weit später entstandenen Abschrift mag eine jüngere Kopie als Vorlage gegolten haben. Eine direkte Abhängigkeit von A oder B läßt sich nicht erkennen.

Quelle D als Abschrift Kellners, datiert 1726, geht auf Zwischenquellen zurück, die vermutlich nur einzelne Stücke enthielten und verlorengegangen sind, keinesfalls auf A, B oder C. Die Gestaltung ist durchaus selbständig, vielfach abweichend, in der

Bogensetzung oft eigenwillig, aber auch ungenau. Die Hs. enthält Fehler und Lesarten, die nicht allein auf Flüchtigkeit der Abschrift zurückzuführen sind. Daß es sich um Einzelvorlagen gehandelt hat, geht aus der torsohaften Überlieferung hervor, die Partita I, von Partita II die Sätze 1 und 2, von Partita III die Sätze 2, 5, 6, 7 überhaupt nicht enthält. Die Hs., deren vielfache Fehler später durch Bleistiftzusätze verbessert wurden, die offenbar auf eine genaue Durchsicht der Hs. zurückgehen, weist starke Varianten auf. Zu den wichtigsten gehören kürzere Fassungen gegenüber anderen Quellen in der Sonata I, Satz 1, mehrfach in Partita II, Satz 5, ebenso in Sonata III, Satz 2. Andererseits kennt die Hs. freie Einschübe, die quellenmäßig nirgend anders belegt sind, so in Partita II, Satz 4 und in Sonata III, Satz 2. Doppelt gesetzte, aber auch vergessene Takte sind feststellbar. Sprünge und Einschübe werden entweder an geigerischen Stellen bruchlos vollzogen oder durch entsprechende Umwandlung der Anschlußtakte nahtlos miteinander verzahnt. A. Mosers Meinung, daß es sich dabei um Eigenmächtigkeiten Kellners gehandelt habe, der nur besonders schwierige Stellen ausgelassen habe, ist nicht zutreffend (s. u. Sonata I, Satz 2). Man wird vielmehr gesonderte Vorlagen anzunehmen haben, die diese Gestalt aufweisen, da die Übergänge völlig organisch erfolgen, es sei denn, es handelt sich um übersehene oder doppelt gesetzte Takte, die als Schreibversehen zu werten sind. Im ganzen wahrt die Hs. ihren Eigencharakter, der aber im Hinblick auf Quelle A keineswegs als gültige Gestaltung angesehen werden kann. Die Unregelmäßigkeit der Anlage und Gestaltung beeinträchtigt den Quellenwert der Hs. erheblich. Nachstehend die wichtigsten Abweichungen unter Verzicht auf Angabe der Bogen- und Pausensetzung, leichtere Versehen und Flüchtigkeiten in der Akzidenssetzung oder Notation:

S o n a t a I:

S a t z 1, *Adagio*:

Takt	Taktteil	Bemerkung
2	1. Viertel	1. Note f' statt d'
	2. Viertel	Ohne *tr*
	3. Viertel	1. Zweiunddreißigstel f' statt g'
3	3. Viertel	Die letzten beiden Noten c'', a' nur Zweiunddreißigstel
	4. Viertel	Die beiden letzten Noten c', c'' nur Vierundsechzigstel
		Ohne *tr*
5	1. Viertel	Ohne Akkordnoten cis', e'
6	1. Viertel	Lesart:
7	4. Viertel	Ungenaue Rhythmik:
10	1. Viertel	Rhythmik:
12	4. Viertel	Ohne *tr*

Takt	Taktteil	Bemerkung
13	3. Viertel	h' ohne ♮
14	1. Viertel	Rhythmik:
	3. Viertel	h' als Sechzehntel gebalkt
15	2. Viertel	Ohne d''
	3. Viertel	Rhythmik:
19	4. Viertel	a' statt g'
21	3. Viertel	g' statt a'
	4. Viertel	Rhythmik:
		Ohne *tr*

S a t z 2, *Fuga*:

Takt	Taktteil	Bemerkung
1		Taktzeichen C statt ¢
5	4. Viertel	e'' statt d''
12	2., 3. Viertel	es' unbezeichnet
23	2. Viertel	Ohne a'
24	2. Viertel	Mit *tr* über cis''
28	3. Viertel	a statt g
29	1. Viertel	g' statt b'
		f'' statt d''
	2. Viertel	e'' statt d''
		g'' statt e''
30	4. Viertel	Ohne a
34		Neue Lesart: ; zugl. neuer Anschluß
35–41		Die Takte fehlen
42	1. Viertel	Neuer Anschluß:
44	2. Viertel	e'' mit ♮ statt es'' mit ♭
48	2. Viertel	e' mit ♯ statt es' mit ♭
50	3., 4. Viertel	Ersetzt durch *bis*
52	4. Viertel	b'' unbezeichnet, ohne ♮
54	4. Viertel	b'' unbezeichnet, ohne ♮
63	2. Viertel	c''' statt b''
68	3. Viertel	d'' statt c''
75	1. Viertel	Im Französischen Violinschlüssel notiert
83	3. Viertel	h' statt g'

Takt	Taktteil	Bemerkung
86	4. Viertel	fis'' mit ⁓
90	1. Viertel	g statt b
93	2. Viertel	Rhythmik:

Satz 3, *Siciliana*:

Takt	Taktteil	Bemerkung
2	4.–6. Achtel	Fehlen
4	1. Achtel	Oberstimme: Rhythmik: Akkord mit d''
5	4.–9. Achtel	Fehlen
6	10. Achtel	Mit c''
9	1. Achtel	Ohne d'
16	10. Achtel	Ohne b'; f' statt d'
	11. Achtel	ges' mit ♭ statt es' mit ♭
	12. Achtel	a' statt f'

Satz 4, *Presto*:

Takt	Taktteil	Bemerkung
1		Ohne Tempoangabe
13	3. Sechzehntel	b' mit ♮
26	3. Sechzehntel	e'' mit ♮
41	2. Sechzehntel	g' zuviel
44	1. Sechzehntel	e' statt d'
45	1. Sechzehntel	c' statt b
	6. Sechzehntel	a' statt f'
116	3. Sechzehntel	a' statt b'
122	6. Sechzehntel	g' statt a'
123	3. Sechzehntel	c'' statt b'
135		Fehlt
136		Nur d', g', b' lesbar

Partita I:

Die Partita fehlt vollständig.

Sonata II:

Satz 1, *Grave*:

Takt	Taktteil	Bemerkung
2	2. Viertel	Ohne *tr*
3	4. Viertel	Ohne *tr*
4	3. Viertel	2. Note h' Zweiunddreißigstel statt Vierundsechzigstel

Takt	Taktteil	Bemerkung
12	2. Viertel	7., 8. Note c'', a'' Zweiunddreißigstel statt Vierundsechzigstel
	4. Viertel	6., 7. Note d', h Sechzehntel statt Zweiunddreißigstel
14	1. Viertel	Oberstimme: Rhythmik: ♪♪♪♪
15	4. Viertel	4.–7. Note: Rhythmik: ♪♪♪♪
18	3. Viertel	Ohne e'
19	3. Viertel	2. Note a' Zweiunddreißigstel statt Vierundsechzigstel
	4. Viertel	Ohne h
21	2. Viertel	h' mit ⁓
	4. Viertel	Rhythmik: ♪♪♪♪♪♪♪

S a t z 2, *Fuga*:

Takt	Taktteil	Bemerkung
13	1. Viertel	Unterstimme: g statt c'
17	1. Viertel	Unterstimme: h statt a
	2. Viertel	d'' mit ⁓
27	2. Viertel	♭ irrtümlich vor g'' statt vor e''
44	2. Viertel	h' mit ⁓
47	1. Viertel	*pian*
49	1. Viertel	*for*
52	1. Viertel	Fehlt vollständig
53	1. Viertel	Ohne Dynamik
55	1. Viertel	e', h' als Achtel
57	1. Viertel	Ohne e'
59	1. Viertel	Ohne g'
63	1. Viertel	Ohne h'
73	1. Viertel	Oberstimme als Viertel ohne ⅞
101	1. Viertel	h statt g
111	2. Viertel	4. Note c''' statt h''
131	2. Viertel	2. Notengruppe ohne f', c''
136	2. Viertel	fis'' mit ⁓
154	1. Viertel	Oberstimme: h'' ohne ♭
166	2. Viertel	2. Notengruppe ohne g, g'
174	2. Viertel	2. Notengruppe h statt a
176	1. Viertel	h statt a
179	2. Viertel	h' statt c''
183	2. Viertel	g' statt a', fis' statt gis'
190	2. Viertel	a' statt g'
192	1. Viertel	Akkord unvollständig: ohne g, d'; g'' statt f''
	2. Viertel	g' statt f'
200	1. Viertel	b unbezeichnet

Takt	Taktteil	Bemerkung
221	1. Viertel	h statt g
230	2. Viertel	2. Notengruppe a statt g
259, 276	2. Viertel	Rhythmik: ♩ ♪
260	1. Viertel	Ohne *tr*
267	1. Viertel	a als Achtel
280	2. Viertel	c' statt a

Satz 3, *Andante*:

Bogensetzung ungenau, vielfach fehlen Bogen; ein einheitliches Bild läßt sich nicht gewinnen.

Takt	Taktteil	Bemerkung
4	1. Viertel	Ohne d'
7	3. Viertel	Zweimal ohne g
8	2. Viertel	Ohne e'
10	3. Viertel	Ohne *tr*
11	3. Viertel	Prima volta: Zweimal ohne h; 1. Note e' statt d'
17	2. Viertel	Oberstimme: h'', a'' statt c'', h''
18	1. Viertel	Rhythmik: ♫♫♫♪
25	1. Viertel	Rhythmik: ♩. ♫♫♫♪

Satz 4, *Allegro*:

Takt	Taktteil	Bemerkung
1		Ohne Tempobezeichnung
10	1. Viertel	h statt a
18	2. Viertel	f ohne ♯
	4. Viertel	fis' mit *tr*
19	3. Viertel	Fehlt vollständig
55	2. Viertel	5. Note f'' statt d''

Partita II:

Satz 1 fehlt vollständig.

Satz 2 fehlt vollständig.

Satz 3, *Sarabanda*:

Takt	Taktteil	Bemerkung
11	2. Viertel	d'' statt c''
28	2. Viertel	g statt gis

S a t z 4, *Giga*:

Takt	Taktteil	Bemerkung
1		*Gig.*
12	1. Achtel	Ohne Dynamik
	6. Achtel	Einschub

eines halben Taktes, danach Taktstrich; es folgt Takt 12, 7. bis 12. Achtel mit Taktstrich, Takt 13, 1.–6. Achtel mit Taktstrich, 7.–12. Achtel mit Taktstrich

Takt	Taktteil	Bemerkung
14	1. Achtel	c'' statt b'
28	5., 6. Achtel	4., 6. Note a' statt c''
37	4.–6. Achtel	Fehlen
	7.–9. Achtel	Fehlen

S a t z 5, *Ciacona*:

Takt	Taktteil	Bemerkung
1		*Ciacona*
6	2., 3. Viertel	b' statt a', a' statt g'
16	1. Viertel	Unter- und Mittelstimme fehlen
21–24		Die Takte fehlen vollständig
25	1. Viertel	Anschlußnote: 1. Achtel nur d''
26	2., 3. Viertel	g', f', e' statt b', a', g'
39	3. Viertel	h'' mit ♮ statt ♭
43	3. Viertel	b' statt g'
47	1. Viertel	b', d' statt a, b
53	2. Viertel	e'' statt f''
54	1. Viertel	f' statt e'
56	3. Viertel	d''' statt e'''
62	2. Viertel	1. Note, Unterstimme: f' statt e'
66	3. Viertel	e' mit ♮ statt ♭
72	2. Viertel	b ohne ♮
73	3. Viertel	Ohne *tr*
78	3. Viertel	Letzte Note e'' mit ♯ und ♭
80	3. Viertel	a' statt g'
81	2. Viertel	f'' mit ♭ = ♮
85	1.–6. Achtel	Rhythmik:
86	1.–6. Achtel	Rhythmik:
	2. Achtel	gis'' verdeutlicht aus ais''
	4. Achtel	Bis Takt 88 im Französischen Violinschlüssel notiert
89–120		Die Takte fehlen vollständig

Takt	Taktteil	Bemerkung
126–140		Die Takte fehlen vollständig
142	3. Viertel	Ohne g'
150	3. Viertel	Fehlt vollständig
151	1., 2. Viertel	Fehlt vollständig
	3. Viertel	Lautet:
152	1. Viertel	Ohne a, c'
	2. Viertel	a'' statt g''
171	2. Viertel	fis'' statt gis''
177–216		Die Takte fehlen vollständig; 1½ Systeme frei
220	3. Viertel	d'' statt e''
228	2. Viertel	Lautet:
230	1. Viertel	Ohne c'
236	3. Viertel	Unterstimme: d' statt e'
237	2. Viertel	Starke Korrektur
238	1.–3. Viertel	Unterstimme eine Terz zu tief, da eine durchgezogene Hilfslinie zuviel
239	1. Viertel	Ebenso
	2. Viertel	Oberstimme: 1. Note a' statt g
241–244		Die Takte fehlen vollständig
250	2., 3. Viertel	d', f' statt cis', g', a'
256	2. Viertel	e' mit *tr*
257		Unter dem System steht: *Fine.	Soli Deo Sit Gloria	Franckenhayn. d. 3. Jul	1726*

Sonata III:

Satz 1, *Adagio*:

Takt	Taktteil	Bemerkung
1		adag.
	3. Viertel	d' statt e'
11	3. Viertel	fis'' mit ~
14	3. Viertel	a' mit ~
15	3. Viertel	a statt h
17	3. Viertel	d'' statt e''
18	3. Viertel	h statt c'
19	3. Viertel	e'' statt f''
20	3. Viertel	c'' statt h'
23	1. Viertel	Ohne g'

Takt	Taktteil	Bemerkung
24	3. Viertel	Ohne e''
39	3. Viertel	h' mit ⁓
42	1. Viertel	a' mit ♮ statt ♭
	2. Viertel	Unterstimme: g statt h
	2., 3. Viertel	Rhythmik:
44	3. Viertel	h' mit ⁓

S a t z 2, *Fuga*:

Takt	Taktteil	Bemerkung
25	1. Viertel	Ohne fis'
31	3. Viertel	c'' mit ♭ = ♮
33	1. Viertel	h statt d'
39	3. Viertel	b' mit ♭ statt h'
44	1. Viertel	g' statt f'
49	1. Viertel	d'' statt e''
	3. Viertel	Ohne d''
55	4. Viertel	d'' statt c''
57	1. Viertel	h' statt a'
63	4. Viertel	f' ohne statt mit ♯
84	2. Viertel	h' statt d''
131	1. Viertel	a statt d'
	3. Viertel	fis' mit ♯ statt f' mit ♮
141	2. Viertel	Lesart:
146	4. Viertel	f', e' statt a', g'
154	2. Viertel	f'' ohne ♯
155	1. Viertel	g' statt a'
157	4. Viertel	g' ohne ♯
159	3. Viertel	cis'' statt dis''
162	4. Viertel	fis'' statt e''
164	3. Viertel	Ohne *tr*
169	4. Viertel	g' statt a'
170	2. Viertel	d' statt c'
183	4. Viertel	d'' statt e''
185	1. Viertel	g'' statt fis''
	2. Viertel	c'' statt d''
188	1., 2. Viertel	Neue Lesart:

entspricht 1. und 3. Viertel von Takt 200, um den Sprung zu ermöglichen

Takt	Taktteil	Bemerkung
188	3., 4. Viertel	Fehlt
189–200		Die Takte fehlen vollständig
213	1. Viertel	e' statt f'
217	2. Viertel	h'' mit ♮ statt ♭
232	4. Viertel	h' mit ♮ statt ♭
233	2. Viertel	h' ohne ♭
254	2. Viertel	d'' statt c''
256	1.–4. Viertel	Neuer, freier Einschub: [Notenbeispiel] ; zugl. neuer Anschluß
257–270		Die Takte fehlen vollständig
276	4. Viertel	Neuer, freier Einschub: [Notenbeispiel] ; zugl. neuer Anschluß
277–286		Die Takte fehlen vollständig
287	1. Viertel	Frei ergänzt [Notenbeispiel] ; zugl. neuer Anschluß
289–354		Nicht ausgeschrieben, ersetzt durch *Da	Capo*

Satz 3, *Largo*:

Takt	Taktteil	Bemerkung
2	1. Viertel	4. Note e' statt f'
6, 8, 16	3. Viertel	Ohne *tr*
9	2., 3. Viertel	Ohne *tr*
	4. Viertel	Oberstimme: zweimal g' statt b'
12, 13	4. bzw. 1. V.	Rhythmik: [Notenbeispiel]
17	1., 4. Viertel	Ohne *tr*
18	4. Viertel	g' statt f'
20	3. Viertel	1. Note g'' statt f''
21	2. Viertel	Ohne *tr*
	3. 4. Viertel	Mit c''

Satz 4, *Allegro assai*:

Die Bogensetzung faßt entweder 1.–4. oder 2.–4. Note zu einer Gruppe zusammen, ohne dabei Eindeutigkeit zu erzielen.

Takt	Taktteil	Bemerkung
11	3. Viertel	g'' statt a''
14	2. Viertel	g'' statt f''
37	3. Viertel	e''' statt d'''
70	2. Viertel	e' statt g'

Partita III:

Satz 1, *Preludio*:

Takt	Taktteil	Bemerkung
1		Ohne Satzbezeichnung
47	3., 4. Viertel	Nicht notiert, ersetzt durch *bis*
61	3. Viertel	d" statt h'
87	2. Viertel	gis" statt fis"
103	1.–3. Viertel	Doppelt
107	1. Viertel	g' ohne ♮
111	2. Viertel	4. Note fis" statt e"
125	2. Viertel	fis" statt gis"
135	3. Viertel	Letzte Note fis" statt e"

Satz 2, *Loure*, fehlt vollständig.

Satz 3, *Gavotte en Rondeau*:

Takt	Taktteil	Bemerkung
1		*Gavotte en Rondeaux*
	1. Viertel	a' als halbe Note
16	3. Viertel	Ohne e'
17	1. Viertel	Ohne *tr*
27	3., 4. Viertel	gis', cis', dis' statt a', dis", e"
33	1.–4. Viertel	Doppelt
37, 41, 65	1. Viertel	Ohne *tr*
39	3. Viertel	cis" mit ⁓
59	2. Viertel	d''' ohne ♮
75	1.–4. Viertel	Verkürzt um einen halben Takt zu:
78	1. Viertel	cis' statt h
82	3. Viertel	a' statt gis'

Satz 4, *Menuet I*:

Takt	Taktteil	Bemerkung
1		*Menuet*
15	3. Viertel	h ohne ♯
21	1.–3. Viertel	Rhythmik irrtümlich:
23	1., 3. Viertel	Lesart irrtümlich:

Satz 5, *Menuet II*, fehlt vollständig.

Satz 6, *Bourée*, fehlt vollständig.

Satz 7, *Gigue*, fehlt vollständig.

44

Quelle E erweist sich als eine genaue Abschrift von A. Die Abweichungen betreffen einige Schreibversehen, geringe Varianten der Akzidenssetzung, die aber kaum die Deutlichkeit der Alterierung gefährden; schließlich sind geringe Veränderungen notationsmäßiger Art (z. B. in der Setzung der Restpausen bei polyphonem Satz) feststellbar. Daß A die Vorlage gewesen ist, geht aus einzelnen Abweichungen hervor. E übernimmt eine in A schlecht zu lesende Note c" als Achtelpause (Sonata I, Satz 2, Takt 84); E interpretiert einen in A in sich gegliederten Bogen als Bogenteilung (Sonata I, Satz 3, Takt 18); in E entspricht die Korrektur einer Viertelnote in eine halbe Note genau der Vorlage A (Sonata III, Satz 2, Takt 275). An wesentlichen Abweichungen seien festgehalten:

Sonata I:

Satz 1, *Adagio*:

Takt	Taktteil	Bemerkung
2	4. Viertel	Rhythmik: [Notenbeispiel]
3	4. Viertel	Die letzten beiden Noten b', c" nur Vierundsechzigstel
7	4. Viertel	Ungenaue Rhythmik: [Notenbeispiel]
21	4. Viertel	*tr* doppelt angegeben

Satz 2, *Fuga*:

Takt	Taktteil	Bemerkung
1		*Allegro* statt Fuga
45–50		Phrasiert unterschiedlich [Notenbeispiel] oder [Notenbeispiel] oder [Notenbeispiel] oder [Notenbeispiel] oder [Notenbeispiel] ähnlich auch in den Parallelstellen
62	1. Viertel	Akkordnote c" statt a'
84	4. Viertel	Mittelstimme: ohne c", dafür ↱

Satz 3, *Siciliana*:

Takt	Taktteil	Bemerkung
3	11.-12. Achtel	c", es" als Zweiunddreißigstel statt a', c"

Satz 4, *Presto*:

Takt	Taktteil	Bemerkung
40	2., 4. Note	a' statt b'
53	3. Achtel	Unterstimme: ohne a

Partita I:

S a t z 1, *Allemanda*:

Takt	Taktteil	Bemerkung
4		*Allemande*
4	3. Viertel	fis'', e'' als Zweiunddreißigstel statt Vierundsechzigstel
7	3. Viertel	fis'', g'' als Zweiunddreißigstel statt Vierundsechzigstel

S a t z 3, *Corrente*:

Takt	Taktteil	Bemerkung
17	6. Achtel	a'' statt cis''

S a t z 4, *Double*:

Takt	Taktteil	Bemerkung
1		Ohne *Presto*
43	2. Viertel	Irrtümlich 1. Viertel mit g'', h', e', h' wiederholt statt fis'', h', d', h'

S a t z 6, *Double*:

Takt	Taktteil	Bemerkung
11	3. Achtel	h' statt d''

S a t z 8, *Double*:

Takt	Taktteil	Bemerkung
8	3. Achtel	h statt g

S o n a t a II:

S a t z 1, *Grave*:

Takt	Taktteil	Bemerkung
5	3. Viertel	Ohne c'
21	4. Viertel	Rhythmik:

S a t z 2, *Fuga*:

Takt	Taktteil	Bemerkung
17	2. Viertel	Mit *tr*
55	1. Viertel	Akkord vierstimmig e', g', h', e''
165	2. Viertel	Mit zusätzlicher Note d' als Unterstimme zu Akkord ergänzt
198	2. Viertel	Unterstimme: e' statt d'
221	1. Viertel	Unterstimme: a statt g
261	1. Viertel	2., 3. Note h', a' statt a', f'
271	1. Viertel	Oberstimme: 2. Note fis'' mit ♯ statt ♮; offenbar Schreibversehen, da in A leicht verwechselbar

S a t z 3, *Andante*:

Takt	Taktteil	Bemerkung
8	4., 5. Achtel	Zweimal ohne e'
22	1., 2. Achtel	Mit ergänzter Oberstimme a'', g'' als Achtel

S a t z 4, *Allegro*:

Takt	Taktteil	Bemerkung
1		Taktzeichen C statt ¢

P a r t i t a II:

S a t z 3, *Sarabanda*:

Takt	Taktteil	Bemerkung
13	1. Viertel	Ohne *tr*

S a t z 5, *Giga*:

Takt	Taktteil	Bemerkung
87–89		Ab 3. Achtel im Französischen Violinschlüssel notiert
91–99		Ausgelassen, auf folgender Seite nachgetragen
111–115		Ebenso
119	2. Viertel	f' statt g
195–199		Im Französischen Violinschlüssel notiert
218		Der Takt fehlt
237	3. Viertel	Der Taktteil fehlt
255	1., 2. Viertel	Rhythmik:

S o n a t a III:

S a t z 1, *Adagio*:

Takt	Taktteil	Bemerkung
42	2. Viertel	Ohne h, as'

S a t z 2, *Fuga*:

Takt	Taktteil	Bemerkung
21	1. Viertel	e' statt g'
46	3. Viertel	Unterstimme: h mit ♮ statt ♭

P a r t i t a III:

S a t z 1, *Preludio*:

Takt	Taktteil	Bemerkung
36	2. Viertel	2. Note a'' statt gis''
112	1. Viertel	1. Note a' statt a' mit ♯

S a t z 2, *Loure*:

Takt	Taktteil	Bemerkung
15	2. Viertel	Ohne *tr*

S a t z 3, *Gavotte en Rondeau*:

Takt	Taktteil	Bemerkung
1		*Gavotte en Rondeaux*

S a t z 4, *Menuet I*:

Takt	Taktteil	Bemerkung
27	3. Viertel	Unterstimme: e'' statt h'

S a t z 6, *Bourée*:

Takt	Taktteil	Bemerkung
1		*Bourree*

In Quelle F zeigen die beiden Abschriften untereinander weitgehende Übereinstimmung. Welche Abschrift dabei Vorlage oder Kopie darstellt, ist nicht zu entscheiden. Vermutlich gehen beide auf einen gemeinsamen Ursprung zurück, der aber außerhalb der beiden betrachteten Quellen liegt. Der spätere Charakter der Entstehung wird dadurch betont, daß sich bereits, vermutlich durch weitere Zwischenquellen, neue Lesarten gebildet haben. So verzeichnet Sonata I, Satz 1, Takt 1, 4. Viertel beispielsweise folgende Variante, die sich in späteren Ausgaben vielfach findet:

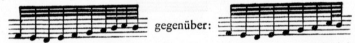 gegenüber:

Die Füllnote b', die den Terzsprung ausgleicht, ließ sich bisher nicht nachweisen. Eine stark abweichende Lesart ist in Partita I, Satz 5, Takt 18 zu verzeichnen, wo die Führung der Mittel- und Unterstimmen erheblich geändert ist:

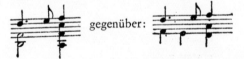 gegenüber:

Die erste Lesart ist in älteren Quellen nirgends belegt. Strittig bleibt die Lesart in Partita II, Satz 2, Takt 51, wo E eindeutig h' mit Auflösungszeichen gibt, eine Abweichung, die sonst nur noch Quelle H verzeichnet, die offensichtlich auf F zurückgeht. In Partita III, Satz 5, Takt 29 werden die Stimmenverhältnisse vereinfacht:

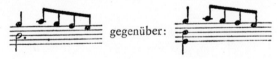 gegenüber:

Es handelt sich um eine Lesart, die 1802 vom Erstdruck übernommen wird (vgl. II). Hinzu kommen zahlreiche Schreibversehen. Eigenmächtigkeiten in der Rhythmik wie in der Bogensetzung, abweichende Akzidenzienbehandlung, die auf eine Zwischenquelle aus der Zeit nach 1750 schließen lassen. Fehlende Takte (Sonate 1, Satz 2, Takt 87; Sonate 5, Satz 1, Takt 269) gefährden den Quellenwert erheblich. Die Hs. spiegelt einen Textstand, der durch spätere Einflüsse merklich getrübt erscheint.

Quelle G zeigt im Titel nahezu völlige Übereinstimmung mit A. Sie geht auf eine A nahestehende Quelle oder auf diese selbst zurück, zeigt daher auch viel Gemeinsamkeit in der Rhythmik, Bogensetzung, im Gebrauch von Restpausen, Nichtanwendung des Französischen Violinschlüssels mit E, von der sie eine spätere Abschrift darstellen könnte. Dem steht jedoch entgegen, daß E den Takt 218, Satz 5, Partita II nicht kennt, der in G vorhanden ist. In G fehlen folgende Takte: Sonata I, Satz 1, Takt 15 bis 17, Partita I, Satz 2, Takt 22b (ab 3. Viertel) bis 23a (2. Viertel), Partita II, Satz 4, Takt 11. Ein Einschub entsteht durch veränderte Wiederholung des Taktes 78, Satz 4, Sonata I, so daß folgender Übergang als neue Lesart gebildet wird:

Weitere Abweichungen erstrecken sich hauptsächlich auf Schreibversehen, Bogensetzung und Akzidensbehandlung.

Quelle H stellt offensichtlich eine moderne Transposition um eine Duodezime nach unten zur Verwendung für Violoncello dar, notiert im Baß-, teilweise im Tenorschlüssel. Die Hs., vermutlich eines Liebhabers, weist viele Fehler und Ungenauigkeiten auf, zeigt aber Gemeinsamkeiten mit Quelle B, auf die sie möglicherweise zurückgeht, wie insbesondere gemeinsame Rhythmik beweist. Die Phrasierung ist modern gehalten (mit Staccato-Bezeichnung). Unklarheiten ergeben sich aus der Verkennung des altertümlichen Gebrauchs der Akzidenzien der Vorlage, des weiteren aus der Transposition. Es fehlen folgende Takte: Sonata I, Satz 2, Takt 87; Sonata II, Satz 2, Takt 269.

Quelle I bildet eine ungenaue Abschrift des Simrockschen Erstdrucks von 1802 (vgl. unter II) und übernimmt dort aufgezeigten Abweichungen und Fehler. Hier dürfte der Ursprung der Varianten liegen, die sich in den praktischen Ausgaben immer wieder hartnäckig behaupten. Dazu gehört beispielsweise die ausgleichende Rhythmik in Sonata I, Satz 1, Takt 1, 4. Viertel (vgl. hierzu das Notenbeispiel S. 48), ferner das gis in Sonata II, Satz 1, Takt 1, 2. Viertel:

das den ursprünglich äolischen Charakter des Satzes in ein modernes harmonisches a-Moll fälschlich umdeutet.

Quelle K bietet die im wesentlichen nach B, C, D sowie nach den Drucken von 1802 und 1843 ermittelten Korrekturen Dörffels für den Stich der BG.

Quelle L als Einzelabschrift der Sonata I gibt sich in rhythmischer Hinsicht, in Fragen der Akzidenzienbehandlung wesentlich exakter als die jüngeren Quellen. Vor allem bietet der Notentext weitgehende Sicherheit, abgesehen von reinen Schreibversehen. So fehlt in Satz 1, Takt 2, 1. Viertel die Unterstimme d'. Die Abschrift geht auf eine A verwandte Quelle zurück.

Quelle M als Einzelabschrift des 2. Satzes der Sonata I mit dem irreführenden Titel einer *Variante zu der Fuge aus D moll unter No. 4* mit durchweg nach heutigem Brauch gesetzten Akzidenzien bietet keine wesentlichen Abweichungen. Als Vorlage scheint Quelle B zugrunde gelegen zu haben.

Nachstehende Übersicht verdeutliche zusammenfassend die Quellenlage:

Quelle	Über-lieferung	Schrift-charakter	Schreiber	Entstehungs-zeit	Vorlage
A	Zyklus	Autograph	J. S. Bach	1720	Entwürfe, noch vor 1717 zurückreichend
B	Zyklus	Abschrift	Anna Magd. Bach	1725–33/34	A
C	Zyklus	Abschrift	BWV 1001–1005: Anonym (Palschau?)	um 1725	Zwischenquelle, evtl. vor 1717
			BWV 1006: Anonym	1750–1800	Zwischenquelle aus späterer Zeit
D	Teilzyklus	Abschrift	Joh. Peter Kellner	1726	Zwischenquelle
E	Zyklus	Abschrift	Anonym (Köthener Kopist Bachs)	um 1720	A od. A nahestehende Zwischenquelle
F 1, 2	Zyklus	Abschrift	Anonym	1750–1800	Zwischenquelle nach 1750
G	Zyklus	Abschrift	Anonym (Giov. Godofr. Berger?)	um 1800	A nahestehende Quelle oder E
H	Zyklus	Abschrift	Anonym	um 1800	vermutlich B
I	Zyklus	Abschrift	Anonym (Dröbs?)	nach 1802	Druck: Simrock
K	Zyklus	Teilabschrift	Alfred Dörffel	vor 1877	B, C, D, Drucke: Simrock, David
L	Einzelhs.	Abschrift	Anonym (Leipziger Hauptschreiber)	1723, vor 1. Juli	A od. A nahestehende Zwischenquelle
M	Einzelhs.	Abschrift	Anonym (Schicht?)	um 1750	möglicherweise B

Bachs Sonaten und Partiten erfuhren zu seinen Lebzeiten keine Drucklegung. 1754 werden sie im Nekrolog als ungedruckt bezeichnet[39]. Als Frühdruck läßt sich nur die Fuge der Sonata III nachweisen, die 1798 in Paris erschien. Der vollständige Erstdruck der Sonaten und Partiten erfolgte erst 1802 in Bonn. Bereits von dieser Ausgabe liegen mehrere Nachdrucke vor. Die praktischen Neuausgaben setzten 1843 mit einer Ausgabe von Ferdinand David bei Kistner und Siegel in Leipzig ein, deren weitere Folge sich rasch zeitlich verkürzte und zahlenmäßig verdichtete, so daß die Reihe zum Spiegel der Ausbreitung und Wertschätzung der Werke wird, bis sich die Spuren des Originals in zahlreichen Bearbeitungen verwischen und verlieren.

1. Erstdrucke

FUGA | de la SONATE IIIe | Par JOH. SEB. BACH.

FUGA | de la SONATE IIIe | Par JOH. SEB. BACH.

Unter diesem Titel findet sich der Frühdruck der Sonata III, Satz 2 in der Violinschule von J. B. Cartier unter der Nummer 154, S. 327–331[40]. Der Titel des Werkes lautet:

> *L'ART | du Violon | ou | Divisions des Ecoles choisies dans les Sonates | Itallienne; FRANCQISE et Allemande, | Précédée d'un abrégé de principes pour cet Instrument; | Dédié | Au Conservatoire de Musique | qui en a favorablement accueilli l'hommage | PAR | J. B. CARTIER | Premier Violon | adjoint de l' Opéra.*

Der Geiger Jean Baptiste Cartier (1765–1841) vermittelt darin die Prinzipien seiner Violinmethodik und schließt daran eine grundlegende Beispielsammlung zahlreicher französischer, deutscher und italienischer Violinwerke des 18. Jh. Die Bachsche Fuge findet sich als vorletztes Beispiel des Bandes in einer Werkgruppe *Pieces a violon seul* neben Kompositionen von Stamitz, Nardini, Spadina, Locatelli und Moria.

Als Erscheinungstermin ist 1798 anzusetzen, wie aus Auszügen von Beurteilungen des Werkes durch eine Kommission des Pariser Konservatoriums hervorgeht, die auf zwei Sitzungen, *Séance du 18 Germinal* und *Séance du 13 Floréal, au 6 de la République Française,* Bezug nehmen. Sie finden sich in dem Exemplar der BB, Signatur *Mus 9128,* das *chez DECOMBE, Luthier, Editeur; Professeur, et M^d. de Musique, Quai | De l'Ecole près le Pont-Neuf, N°. 14 à Paris* erschien. Es ist als *Troisième Edition | Revue et Corigée* bezeichnet. Möglicherweise geht eine gleichlautende Ausgabe vorher, die *à Paris, Chez JANET et COTELLE, Editeurs et Marchands de Musique du ROI, | Rue St. Honoré, N°. 123 | et Rue de Richelieu, N°. 92, entre Celles Saint Marc et Feydeau* herauskam und die nicht die zitierten Sitzungsberichte enthält. Exemplar in B. Dresd.

Der Druck der Bachschen Fuge erfolgte nach einer Quelle, die der Geiger Pierre Gaviniès besaß, bestätigt durch den Vermerk: *Le Manuscrit apartient au C.^{en}*

---

[39] Mizlers Musikalische Bibliothek, Leipzig 1754, Bd. 4, S. 167; Neudruck in BJ 1920.
[40] Andreas Mosers Angabe, daß die Fuge *den Abschluß des 140 Nummern aufweisenden Buches* (S. 36) bilde, ist zu berichtigen.

[= Citoyen] *GAVINIES*. Die Hs. muß Quelle A sehr nahegestanden haben, wie der Vergleich ergab. Dennoch finden sich zahlreiche Fehler. Von Notationsfragen, Bogensetzung und Ornamentik abgesehen, sind folgende wesentliche Abweichungen zu verzeichnen: Takt 47, 1. Note e' statt f'; Takt 52, letzte Note g' statt a'; Takt 81, 1. Note d'' statt h'; Takt 194, 1. Viertel fehlt e'''; Takt 196, 3. Viertel fehlt c'''; Takt 209, 3. Viertel fehlt h'; Takt 216, 1. Viertel ges'' statt b''; Takt 252, 2. Note d'' statt c''; Takt 269 fehlt ganz; Takt 286, 1. Viertel c'' statt d''; Takt 296, Mittelstimme: h' statt g'; Takt 334, im Akkord d' statt h'; Takt 343, 1. Viertel d' statt a', c'' statt d''. Der Druck selbst zeigt die Praxis des älteren Plattenstichs, bei dem die Unterbringung der stimmig notierten Akkordnoten aus Platzgründen Schwierigkeiten bereitet, so daß seitliche Verschiebungen eintreten.

TRE | *SONATE* | *per il Violino solo* | *senza Baßo.* | *Del Sig.^{re}* | *SEB: BACH.* | *Pr.* | *Presso N. Simrock* | *in Bonna.* | *N°. 169.*

Der vollständige Erstdruck des Zyklus erschien bei Simrock mit verschiedenen Titelfassungen. Sie bedürfen der Klärung. Der originale Titel Bachs ist im Druck nicht belegt. Die obige italienische Titelangabe entspricht zeitgenössischem Brauch, der auf ältere Ausgabenpraxis zurückgeht. Insonderheit zeigt sich dies in der zusammenfassenden Gattungsbezeichnung *Tre Sonate*, bei der die Partiten als suitenhafter Anhang zu den Sonatensätzen empfunden werden und trotz ihrer im ganzen abweichenden, jedoch satzmäßig gleichen Tonart als Zyklus unbezeichnet bleiben[41]. Die bei späteren Ausgaben vielfach festzustellende Übernahme des Begriffs „Sonate" zur Kennzeichnung für den Gesamtzyklus hat hier ihre Wurzel; dabei wird der ursprüngliche Sinn noch dadurch verunklart, daß die Folge fälschlich mit „sechs" Sonaten bezeichnet wird, wodurch die Gattungsunterschiede von Sonate und Partita aufgehoben werden. Die Simrocksche Erstausgabe trägt die Stichnummer 169. Als Erscheinungsjahr dürfte 1802 anzusetzen sein, da zu dieser Zeit Forkel[42] in seiner Bach-Biographie die *6 Violinsolo ohne alle Begleitung* noch als ungedruckt bezeichnet, andererseits die Folge im gleichen Jahr als Druck belegt ist. Dafür gibt Dörffel[43] folgenden Titel an: *Studio* | *o sia* | *Tre Sonate* | *per il Violino solo* | *del Sig.^{r}* | *Seb. Bach*, mit der gleichen Stichnummer wie oben bei Simrock in Bonn erschienen. Er verweist hierzu auf die Anzeige im Intelligenzblatt der AmZ[44]. Sie lautet: *Bach, Seb., 3 Sonate per il Violino solo senza Baßo. 1 Thlr. 14 Gr.* Mit dieser Angabe dürfte jedoch die eingangs genannte Ausgabe gemeint sein, mit der sie im Wortlaut des Titels übereinstimmt. Die von Dörffel angeführte Ausgabe stellt möglicherweise einen späteren Druck von den gleichen Platten dar, wie weitere Ausgaben mit dem Zusatz *Studio* belegen. Hinsichtlich dieser Bezeichnung kann eine authentische Erklärung nicht gegeben werden. Dörffel meint, es

---

[41] Der gleiche Vorgang ist beispielsweise schon um 1722 bei einem Amsterdamer Druck von Jeanne Roger in den *Balletti e Sonate*, op. 8, von Tomaso Albinoni zu beobachten, wo jeweils einer dreisätzigen Sonate eine geschlossene Werkgruppe von Tanzsätzen in völlig anderer Tonart folgt, zusammengefaßt als *Sonata*.

[42] J. N. Forkel, *Über Johann Sebastian Bachs Leben, Kunst und Kunstwerke,* hrsg. von Josef Müller-Blattau, Kassel 1950, S. 77.

[43] BG 27, Vorwort.

[44] AmZ 1802, Intelligenzblatt Nr. 10, S. 44.

bestehe der Eindruck, *als habe man den Ausdruck nicht zu deuten gewußt*, so daß eine erklärende, die verschiedenen Gattungen zusammenfassende Bezeichnung mit Sonata I, II, III notwendig geworden sei. Wie dargelegt, handelt es sich um eine aus älterer Zeit übernommene Praxis. Die Bezeichnung *Studio* scheint dagegen der Musikanschauung des ausgehenden 18. und beginnenden 19. Jh. zu entsprechen, die in dieser Frühzeit der Verbreitung den Zyklus vorwiegend unter dem zweckhaften Gesichtspunkt des Studiums mit ausgesprochen pädagogischer Zielsetzung auffaßte. Forkel[45] äußert sich hierzu 1802: *Die Violinsolos wurden lange Jahre hindurch von den größten Violinisten allgemein für das beste Mittel gehalten, einen Lehrbegierigen seines Instruments völlig mächtig zu machen.* Den gleichen Gedanken bestätigt auch die erste praktische Ausgabe von David (1843), die nicht nur den alten Titel übernimmt, sondern auch den genannten Sinn und Zweck verwirklicht. Erst eine spätere Zeit erkannte Eigenwert und Bedeutung der Folge. Die Bonner Simrockschen „Studio"-Ausgaben haben eine rasch wachsende Verbreitung gefunden, so daß sich ein Neudruck in Berlin notwendig machte. Der Titel lautet: *STUDIO | o sia | Tre Sonate | per il Violino solo | del Sig.ʳ | Seb. Bach. Nuova Editione. | Berlino presso N. Simrock.* Über der ersten Sonate steht in dieser Ausgabe nochmals *STUDIO von J. S. Bach.* Weitere Exemplare werden in zeitgenössischen Katalogen von 1809, 1817 und 1828 angekündigt[46]. So sind verzeichnet 3 *Sonate (Studio). Bonn, Simrock* im *Catalogue complet de Musique, qui si trouve chez Auguste Guillaume Unger, Libraire à Koenigsberg, 1809;* ferner bringt das *Handbuch der musikalischen Litteratur oder allgemeines systematisch geordnetes Verzeichniß der bis zum Ende des Jahres 1815 gedruckten Musikalien, auch musikalischen Schriften und Abbildungen mit Anzeige der Verleger und Preise. Leipzig, in Kommission bey Anton Meysel, 1817,* die gleiche Angabe; dort wird auch eine Ausgabe *Paris, Decombe* angezeigt. Vermutlich handelt es sich um einen Nachdruck der Simrockschen Ausgabe, die noch 1828 als *Studio o 3 Sonate, Bonn, Simrock* im *Handbuch der musikalischen Literatur,* hrsg. von C. F. Whistling in Leipzig, vermerkt ist.

Das Exemplar der BB, das *EX BIBLIOTHECA | POELCHAVIANA* stammt, folgt im wesentlichen Quelle B. Der Druck zeigt darüber hinaus zahlreiche Abweichungen, Ungenauigkeiten, Inkonsequenzen und Fehler, so daß der Quellenwert erheblich gemindert wird. Bei Satzüberschriften wird die italienische Fassung bevorzugt. Im Notentext fehlen Takte, Taktteile, einzelne Noten. Dazu kommen Stichfehler und vielfach rhythmische Ungenauigkeiten, die als neue Lesarten zur Quelle für spätere Nachdrucke werden. In der Akzidenziensetzung herrscht Mehrdeutigkeit, da das Akzidens in seiner Bedeutung bald singulär, bald pluraliter innerhalb eines Taktes aufgefaßt wird. Das ergibt mitunter eine empfindliche Störung der melodischen und harmonischen Logik. Der Erstdruck bietet darin deutlich das Spiegelbild einer Übergangsepoche, bei der sich erst allmählich eine neue Auffassung in der Akzidenzienfrage entwickelt. In der Phrasierung werden Keile statt Punkte verwendet. Geringfügige Varianten betreffen Dynamik und Ornamentik. Im einzelnen seien folgende wesentliche Abweichungen festgehalten:

---

[45] J. N. Forkel, S. 77.
[46] Vgl. M. Schneider, S. 84 ff.

Sonata I:

S a t z 1: Takt 1, die letzten vier Noten als Vierundsechzigstel; Takt 3, 3. Viertel, e′ statt es′; 4. Viertel, die letzten beiden Noten als Vierundsechzigstel; Takt 7, Unterstimme: ohne c′, h; Takt 9, *tr* – Note mit Verlängerungspunkt; Takt 10, 1. Viertel, a′ als Sechzehntel; b′, d″ als Vierundsechzigstel; Takt 11, 3. Viertel, f′, g″ als Zweiunddreißigstel; Takt 14, 3. Viertel, ; 4. Viertel, letzte Note e″ statt es″; Takt 21, 4. Viertel, fis″, gis″ als Zweiunddreißigstel, ferner Rhythmik:

S a t z 2: Takt 23, 2. Note es″ statt e″; Takt 28, 3. Viertel, a statt g′; Takt 87 fehlt ganz
S a t z 3: Takt 4, 6. Achtel, c″ statt d″; Takt 9, 8. Achtel, fis′ statt f′
S a t z 4: Takt 70, 2. Note d″ nicht c″; Takt 91, 6. Note e″ statt es″; dazu häufige Divergenzen in der Bogensetzung, Notengruppen mit Keilen

Partita I:

S a t z 1: *Allamanda;* Takt 3, 1. Viertel , 4. Viertel, Unterstimme: ohne d′; Takt 5, 1. Viertel ; Takt 7, 3. Viertel ; Takt 18, 2. Viertel *tr*

S a t z 2: Takt 15, 4. Viertel, 4. Note h′ statt a′
S a t z 3: Takt 9, Akkord unter 4. Note
S a t z 4: Takt 33, 3. Viertel, g″ statt gis″, a″ statt ais″; Takt 42, 2. Viertel, d″ statt dis″, Takt 72, 1. Viertel, fis′ statt g′
S a t z 7: Takt 50, 4. Viertel, letzte Note e″ statt cis″

Sonata II:

S a t z 1: Takt 1, 2. Viertel, gis statt g[47]; Takt 4, 1. Viertel, Unterstimme: ohne f′; 3. Viertel, 1. und 2. Note als Zweiunddreißigstel; 4. Viertel, Unterstimme: ohne e′; Takt 5, 4. Viertel ; Takt 9, 2. Viertel

Takt 19, 2. Viertel

S a t z 2: Takt 17, 1. Viertel, Unterstimme: ohne a, e′; Takt 45, 47, 4. Achtel, gis′ statt a′; Takt 49, 1. Sechzehntel, Oberstimme: d′ statt e′; Takt 61, 4. Achtel, Unterstimme: g′ statt a′; Takt 170, 2. Note dis″ statt d″; Takt 177, 1. Viertel, Oberstimme: ; Takt 183, 2. Viertel, 2. Note g′ statt a′; Takt 198, 2. Viertel, Mittelstimme: f′ statt g′; Takt 208, 4. Note fis′ statt e′

---

[47] Eine wesentliche Abweichung, welche die äolische Tonart verkennt und in zahlreichen älteren Ausgaben, Dörffels Revision in BG eingeschlossen, immer wiederkehrt; vgl. hierzu Andreas Mosers Bemerkung in BJ 1920.

S a t z 3: Takt 10, 2. Viertel, d als Halbe Note
S a t z 4: Takt 10, 2. Viertel, 3. Note c' statt d'; Takt 15, 3. Viertel

Takt 53, 2. Viertel

P a r t i t a II:
S a t z 2: *Corente*; Takt 34, 3. Viertel, e'' statt es''; Takt 49, letzte Note h''
statt b''
S a t z 3: Takt 26, 3. Viertel, 1. Note c' statt a
S a t z 5: Takt 11, 1. Viertel, Oberstimme: f'' statt e''; Takt 12, 3. Viertel: Ober-
stimme ohne a''; Takt 23, 3. Viertel, f'' statt e''; Takt 43, 1. Viertel, e' statt es';
Takt 66, 1. Viertel, Unterstimme: ohne c'; Takt 82, 2. Viertel, cis'' statt c'';
Takt 105, 3. Viertel, Mittelstimme: d'' statt c''; Takt 142, 1. Viertel, Unterstimme:
a statt cis'; Takt 220, 2. Viertel, 4. Note e'' statt d''; Takt 244, 4. Notengruppe e''
statt d''; 6. Notengruppe letzte Note d'' statt e''

S o n a t a III:
S a t z 1: Takt 3, 3. Viertel, Oberstimme: e'' statt f''; Takt 5, 2. Viertel, g'' statt
a''; Takt 7, 1. Viertel, e'' statt es''; Takt 15, 3. Viertel, Unterstimme: a statt h;
Takt 17, 3. Viertel, Oberstimme: d'' statt e''
S a t z 2: Takt 160, 1. Viertel, Unterstimme: h statt a; Takt 209, 3. Viertel, Mittel-
stimme: ohne h'; Takt 268, 4. Viertel, 2. Note c'' statt d''; Takt 269 fehlt ganz
S a t z 3: Takt 2, 3. Viertel, Mittelstimme: f' statt e'; Takt 10, 1. Viertel

; Takt 12, 4. Viertel ; Takt 17, 3. Viertel, Oberstimme:

fis' statt f'; Takt 20, 3. Viertel

S a t z 4: Phrasierung isoliert meist 1. Note; Takt 22, 3. Viertel, d', h, a, g statt
d', c' h, a; Takt 92, 1. Viertel, 3. Note g'' statt a''

P a r t i t a III:
S a t z 1: *Prelude*; Takt 129, 3. Viertel, 2. Note e'' statt fis''; Takt 133, 2. Viertel,
3. Note dis'' statt e''

S a t z 2: Takt 6, 5. Viertel, h' statt cis''; Takt 10, 1. Viertel ;

Takt 24, 2., 3. Viertel

S a t z 4: Takt 18, letzte Note e'' statt fis''
S a t z 5: Takt 29
S a t z 6: *Bourre*

So bietet, im ganzen gesehen, der Erstdruck das Bild einer wenig exakten Wiedergabe, die vorwiegend aus Quelle B, aber auch aus anderen Vorlagen, etwa Quelle F, schöpft.

2. Neudrucke

Die nachstehende Tabelle der Neudrucke der Sonaten und Partiten, bei der Einzelausgaben unberücksichtigt bleiben, gibt einen Überblick über die wesentlichsten vorhandenen Ausgaben:

Erscheinungs-jahr	Herausgeber	Ort	Verlag
1843	F. David	Leipzig	Kistner
1865	J. Hellmesberger	Leipzig	Peters
1879	A. Dörffel	Leipzig	Breitkopf und Härtel
1887	E. Pinelli	Milano	Ricordi
1889	H. Sitt	Leipzig	Kistner
1896	F. Hermann	Leipzig	Breitkopf und Härtel
1901	A. Rosé	Wien	Universal-Edition
1905	E. Kross	Mainz	Schott
1906	O. Biehr	Leipzig	Steingräber
1907	A. Schulz	Braunschweig	Litolff
1908	J. Joachim/A. Moser	Berlin	Bote und Bock
1908	E. Naudaud	Paris	Costallat
1913	W. Besekirsky	Warszawa	Idzikowski
1915	T. Nachez	London	Augener
1915	L. Capet	Paris	Sénart
1915	P. Lemaître	Paris	Durand
1917	L. Auer	New York	Fischer
1919	A. Busch	Bonn	Simrock
1920	H. Wessely	London	Williams
1921	M. Anzoletti	Milano	Ricordi
1921	J. Hubay	Wien	Universal-Edition
1922	H. Marteau	Leipzig	Steingräber
1922	E. Kurth	München	Drei Masken
1922	L. Niverd	Paris	Gallet
1922	E. Herrmann	New York	Schirmer
1925	B. Eldering	Mainz	Schott
1930	C. Flesch	Leipzig	Peters
1934	J. Hambourg	London	Oxford University Press
1934	E. Polo	Milano	Ricordi
1935	J. Garcin	Paris	Salabert
1940	G. Havemann	Berlin	Bote und Bock
1950	W. M. Luther	Kassel	Bärenreiter
1950	J. Feld	Praha	Orbis

Die Übersicht spiegelt die zahlenmäßig starke Verbreitung der Sonaten und Partiten. Zeitlich gesehen, setzt sie in der ersten Hälfte des 19. Jh. ein und erreicht bis zur Mitte des 20. Jh. eine besondere Dichte, wobei um 1920 ein Höhepunkt zu verzeichnen ist. Träger der Ausgaben sind vorwiegend Geiger, die praktische Bedürfnisse zu verwirklichen suchen. Davon heben sich die wissenschaftliche Ausgabe von Dörffel, die vorwiegend theoretischer Erkenntnis dienende Ausgabe von Kurth sowie die Faksimile-Ausgabe von Luther ab. Quellenmäßig stützen sich die frühen Ausgaben auf die Hss. B und C, des weiteren auf den Simrockschen Erstdruck. Aus der Diskrepanz dieser Quellen resultieren Lesarten und Fehler, die sich oft in der Folgezeit mit Hartnäckigkeit behaupten. Erst Dörffel gelang es 1879, den Kreis der Hss., vor allem um Quelle D zu erweitern, so daß ein exakter Text entstand. Diese Revision bildete die Basis für weitere praktische Ausgaben, bis 1908 durch J. Joachim und A. Moser eine abermals berichtigte, wenn auch keineswegs endgültige Textgestaltung erfolgte, da diese Ausgabe erstmals die Quelle A mit heranziehen konnte. Von da an bildet sie die Basis für weitere, vorwiegend praktischen Zwecken dienende Ausgaben. In der NBA wurde sie erstmals für wissenschaftliche Ziele ausgewertet.

Die Titelgestaltung der Ausgaben ist vielfach ungenau. David bezeichnete 1843 die Folge als *Sechs Sonaten,* Hellmesberger 1865 sogar als *Six Sonates ou Suites,* bis dann 1908 mit wachsendem quellenkritischem Bewußtsein bei J. Joachim und A. Moser die exakte Angabe *Sonaten und Partiten* erscheint. Die frühen Ausgaben dienen der Unterrichtspraxis, insonderheit bei David, später auch bei Hermann und Schulz. Noch 1906 betrachtet Biehr die Werke *als Vorstudien für die Spielweise Bachs,* hebt aber gleichzeitig als Zweck den des öffentlichen Vortrags hervor, den insbesondere Joseph Joachim verwirklichte und damit eine Wendung in der öffentlichen Meinungsbildung und Bewertung erreichte. Die späteren praktischen Ausgaben schritten auf dem Wege der Konzertpraxis weiter. Die großen technischen und geistigen Schwierigkeiten, welche die Sätze aufweisen, beeinflußten die Editionspraxis und führten vielfach zu einer Gegenüberstellung von Urtext und geigerisch bedingter Klangnotation, die sich aus dem Widerspruch von optischem Notenbild und klanglicher Realisierung erklärt. Eine derartige Notation verändert insbesondere beim mehrstimmigen und akkordischen Spiel, aber auch beim Arpeggio, bei wiederangestrichenen Haltetönen entscheidend den originalen Notenwert, führt zu abweichender Pausensetzung, anderer Behalsung und Balkensetzung und schafft damit eine neue Struktur des Notenbildes, wobei Klarheit der Stimmführung und musikalische Logik im Sinne des Urtextes weitgehend gefährdet erscheinen oder überhaupt aufgegeben werden. Nachstehende kritisch vermerkte Einzelheiten beschränken sich auf besonders charakteristische Neudrucke.

Die Ausgabe von F. David, im August 1843 bei Fr. Kistner in Leipzig in drei Heften mit den Stichnummern 1834–1837 erschienen, trägt den Titel: *Sechs | Sonaten | für die Violine allein | von | Joh. Sebastian Bach. | Studio | ossia | Tre Sonate | per il Violino solo senza Basso. | Zum Gebrauch bei dem Conservatorium der Musik zu Leipzig, | mit Fingersatz, Bogenstrichen und sonstigen Bezeichnungen versehen | von | Ferd. David. | Für diejenigen, welche sich dieses Werk selbst bezeichnen wollen, ist der Original-Text, | welcher nach der auf der Königl. Bibliothek zu Berlin befindlichen Original-Hand | schrift des Componisten aufs genaueste revidirt ist, mit kleinen Noten beigefügt.* Sie folgt ursprünglich dem Simrockschen Erstdruck, übernimmt oder korrigiert auch dortige Fehler. Schon Dörffel[48] machte auf zahlreiche Änderungen aufmerksam, die an den Korrekturen der Stichplatten zu erkennen waren. Sie gehen auf kritische Auswertung der Quelle C zurück, die damit erstmals für die Fixierung des beigegebenen Originaltextes herangezogen wird. Aus der Fehlerhaftigkeit beider Vorlagen sowie aus der Unkenntnis von Quelle A resultieren im Urtext bei David zahlreiche Abweichungen und Ungenauigkeiten, die vor allem die Rhythmik (ungenaue oder irrtümliche Balkensetzung) sowie den Gebrauch der Akzidenzien betreffen. Die meisten der beim Erstdruck und bei Quelle C (vgl. IV) vermerkten Fehler wurden übernommen. Der für die Praxis bearbeitete Text beschränkt sich auf sparsame Ergänzung von Spielhilfen. Bereits hier ist gelegentliche Klangnotation mit entsprechender Wertverkürzung der Noten spürbar. Hingewiesen sei ferner auf die Ersetzung von Verlängerungspunkten durch Pausen (Partita I, Satz 1, Takt 5 und

andernorts: Original: 𝄞 ; praktische Ausgabe: 𝄞 , ferner die Verschärfung der Rhythmik bei Trillern (ebenda Takt 11 und andernorts: Original: 𝄞 ;

praktische Ausgabe: 𝄞 Akkordgriffe werden vielfach gebrochen mit entsprechenden Griffen vorschlagsartig notiert; Arpeggien ausgeschrieben. Die spätere Ausgabe von Hans Sitt, 1889, beschränkt sich nur auf Durchsicht des Davidschen Textes.

Die Ausgabe von J. Hellmesberger mit dem Titel *Six | Sonates ou Suites | pour | Violon seul | par | J. Seb. Bach*, als *Edition nouvelle, revue et doigtée* 1865 in Leipzig und Berlin bei Peters, Bureau de Musique, als Oeuvres de Bach, Serie III, Cah. 4 mit der Stichnummer 4551 erschienen, basiert auf den gleichen Quellen. Sie gibt nur einen bearbeiteten Text unter Anschluß an die bestehenden Fassungen. Die Wiedergabe berücksichtigt eine gemischtstimmige Notation, bei der bei mehrgriffigem Spiel die Behalsung der Note stimmig oder akkordisch durchgeführt wird. Die Kürzungen im Notenbild bei Klangnotation gehen bis zu Dreiviertel des Notenwertes. So erscheint

folgende Stelle 𝄞 als 𝄞 . Die Phrasierungsangaben werden differenziert; zur Ausführung der Bariolage in Partita III werden Ossia-Notierungen angegeben. Die Ausgabe von A. Dörffel, veröffentlicht 1879 als BG 27, 1, konnte erstmals neue Quellen zur Revision heranziehen, so Quelle D, den Erstdruck, die Ausgabe Davids, die Bearbeitung von Robert Schumann (vgl. II, 3). Damit ergab sich ein kritisch gesichteter Text, der in der NBA durch Einbeziehung von Quelle A eine nicht unerhebliche Korrektur erfuhr. Die Abweichungen hierbei betreffen hauptsächlich Phrasierungsangaben, Akzidenzienfragen, in geringem Umfang den reinen Notentext. Dörffels Verdienst bleibt es, ohne Kenntnis des Autographs einen weitgehend gesicherten Urtext vorgelegt zu haben, der praktischen Ausgaben wertvolle Hilfe bot.

---

[48] BG 27, Vorwort.

58

Die Ausgabe von F. Hermann, 1896, verfolgte pädagogische Zwecke und verunklarte den Text durch Häufung von zahlreichen dynamischen und phrasierungsmäßigen Angaben. Enger an die BG schloß sich 1901 Rosé an, der den Text getreu übernahm und Ergänzungen praktischer Art auf das Notwendigste beschränkte, wenn auch das Notenbild gelegentlich von der Interpretation her bestimmt erscheint. Die Ausgabe von O. Biehr, 1906, verstärkt die Spielhilfen und schließt sich im Text den bestehenden Ausgaben, vor allem der BG, an. Dabei wird die Schreibweise Davids so abgeändert, daß *die Übersichtlichkeit des von Bach mit bewundernswerter Logik fixierten Stimmengewebes keine Einbuße erleide.* Das bedeutet, daß die Originalnotation beibehalten, jedoch die durch die Ausführung bedingte Wertverkürzung der Noten durch Kleindruck der Noten oder Pausen kenntlich gemacht wird. Dadurch wird eine Entstellung des Originals vermieden, für die Praxis jedoch eine Leseerschwerung gegeben. Die Ausgabe von A. Schulz bringt den bisherigen Fassungen gegenüber kaum einen Fortschritt, steigert die Klangnotation und geht zu moderner Akzidensbehandlung über. Textmäßig gesehen, behaupten sich nach wie vor rhythmische Varianten.
Eine neue Situation spiegelt die Ausgabe von J. Joachim und A. Moser. Sie erschien mit dem Originaltitel *Sonaten und Partiten | für | Violine allein | von | Joh. Seb. Bach* 1908 in Berlin bei Bote und Bock in zwei Heften. Sie gibt den kritisch ausgewerteten Text des Autographs. Dabei werden folgende Abweichungen von Quelle A verzeichnet:

S o n a t a I:
    S a t z 3: Takt 4, 6. Achtel, c'' statt d''; Takt 9, 8. Achtel, fis' statt f'

P a r t i t a I:
    S a t z 7: Takt 48, letztes Achtel, fis'' statt h'
    S a t z 8: Takt 64, 4. Note gis'' statt g'' (Irrtum: auch Quelle A gibt gis'')

S o n a t a II:
    S a t z 1: Takt 5, 4. Viertel: Richtigstellung der Takteinteilung
    S a t z 2: Takt 198, 5. Sechzehntel, f' statt g'

P a r t i t a II:
    S a t z 3: Takt 10, 3. Achtel, in Oberstimme: h' nicht b'

S o n a t a III:
    S a t z 3: Takt 9, 4. Achtel , nicht:

P a r t i t a III:
    S a t z 1: Takt 128, 5. Sechzehntel, gis'' statt a''
    S a t z 4: Takt 18, letztes Achtel, e'' statt fis''

Ein Vergleich mit NBA ergibt weitere Abweichungen. Sie betreffen Notations- und Textfragen. An wesentlichen Einzelheiten seien festgehalten:

S o n a t a I:

    S a t z 1: Takt 3, 8. Achtel ♪♪♪♪♪♪♪ ; Takt 9, 3. Viertel, a und fis' als Achtel; Takt 19, 1. Viertel, Unterstimme mit d' (Lesefehler)

    S a t z 3: Takt 9, 8. Achtel, f' unbezeichnet (wird als fis' mit ♯ interpretiert)

P a r t i t a I:

    S a t z 1: *Allemande*; Takt 5, 1. Viertel ♪♪♪♪ ; Takt 15, 4. Viertel, c'' statt cis''; Takt 17, 2. Viertel ♪♪♪♪

    S a t z 4: Takt 72, 1. Viertel, 2. Note fis' statt g'; Takt 78, 1. Viertel, 2. Note mit ♮ statt ♯

    S a t z 8: Takt 64, 4. Note g'' unbezeichnet (vgl. oben)

S o n a t a II:

    S a t z 1: Takt 1, 2. Viertel ♪♪♪♪♪♪ ; Takt 5, 1. Viertel, Unterstimme: g; 4. Viertel, 1. Notengruppe ♪♪♪ ; Takt 7, 4. Viertel ♪♪♪♪♪♪

    S a t z 2: Takt 55 mit g' im Akkord

P a r t i t a II:

    S a t z 1: *Allemande*; Takt 31, 4. Viertel, h' statt b'

    S a t z 2: *Courante*; Takt 41, 3. Viertel, 1. Note h' statt b'

    S a t z 3: *Sarabande*; Takt 10, 2. Viertel, Oberstimme: b' statt b

    S a t z 4: *Gigue*; Takt 17, 9. Achtel, cis'' statt c''

    S a t z 5: *Chaconne*; Takt 220, 2. Viertel, 4. Note e'' statt d''

S o n a t a III:

    S a t z 1: Takt 10, 1. Viertel, Unterstimme: dis' unbezeichnet

    S a t z 2: Takt 103, 1. Viertel, es'; Takt 127, 3. Viertel, Unterstimme: a statt c'

    S a t z 3: Takt 9, 2. Viertel ♪♪♪♪

P a r t i t a III:

    S a t z 5: Takt 17, a' mit ♮

    S a t z 6: *Bourrée*

Der Text der praktischen Ausgabe gibt geigerische Anweisungen im Hinblick auf Vortrag und Dynamik. In der Phrasierung folgt die Ausgabe weitgehend der Quelle. Im

Bereich der Ornamentik erscheinen Triller mit notierten Vor- und Nachschlägen. In der Notation wird in der Chaconne eine leichtwiegende, tanzmäßige Auffassung des

Satzes durch ⟨notation⟩ statt ⟨notation⟩ unterstrichen. Klangnotation, beispielsweise ⟨notation⟩ statt ⟨notation⟩ (Partita I, Satz 3), herrscht vor.

Mit der Ausgabe von Joachim/Moser wurde ein entscheidender Schritt in der Bewertung und Interpretation der Violinsonaten getan. Sie leitet eine stärkere Rückbesinnung auf den Urtext und dessen geigerische Gestaltung ein. Davon zeugt bereits 1916 die Ausgabe von P. Lemaître. Sie hält sich darüber hinaus weitgehend an die BG, verzichtet auf Klangnotation und beschränkt sich auf sparsame Zusätze. H. Marteau greift in seiner Ausgabe von 1922 nochmals auf ältere Notationspraxis dadurch zurück, daß er seiner geigerischen Fassung zahlreiche Anweisungen beigibt, während er den unterlegten Originaltext nach den zwei Manuskripten der BB gestaltet, vermutlich nach Quelle A und C. Auch die Ausgabe von Bram Eldering, 1925, stützt sich auf Dörffel und Joachim/Moser. Sie verstärkt das geigerische Prinzip.

Die Ausgabe von C. Flesch, 1930, setzt Urtext und geigerische Interpretation scharf voneinander ab. Der Originaltext basiert auf Quelle A in der Fassung von Joachim/ Moser, jedoch vielfach richtiggestellt, vor allem in Hinblick auf die oben vorgezeichneten rhythmischen Abweichungen, die im Sinne der von NBA mitgeteilten Lesarten korrigiert wurden. Dazu gehören folgende Stellen: Sonata I, Satz 1, Takt 3, 4. Viertel; Sonata II, Satz 1, Takt 1, 2. Viertel; Takt 5, 4. Viertel; Takt 7, 4. Viertel; Satz 3, Takt 18; Partita II, Satz 3, Takt 10, 2. Viertel; Sonata III, Satz 3, Takt 9, 2. Viertel, dazu vielfache Kongruenz in der Bogensetzung und Dynamik. Dennoch bleiben wesentliche Abweichungen textlicher, dynamischer und phrasierungsmäßiger Art gegenüber der NBA bestehen. Die geigerische Fassung erstrebt eine Vereinfachung des Notenbildes und vermeidet eine Pausensetzung schweigender Stimmen, da *deren Anblick eine unnötige optische Belastung bietet*. Gleichzeitig wird reine Klangnotation durchgeführt, so daß das Notenbild der tatsächlichen Ausführung entspricht. Als Beispiel diene folgende Stelle: Original: ⟨notation⟩ , geigerische Fassung: ⟨notation⟩ (Sonate I,

Satz 3, Takt 8). Die Textredaktion beläßt die Bachschen Bögen *nach Möglichkeit*, setzt Zäsurzeichen, um eine großlinige Gestaltung zu wahren und beschränkt dynamische Zusätze auf ein Mindestmaß. So entstand eine praktisch-geigerische Fassung, die ein Maximum quellenkritischer Erkenntnis auswertete.

Die Ausgabe von G. Havemann, 1940, stellt den Ersatz für die vergriffene Ausgabe von Joachim/Moser dar. Zur Redaktion werden fünf nicht näher bezeichnete hs. Quellen der BB herangezogen. Übernommen wird der Originaltext nach Quelle A in der Revision von Joachim/Moser. Die dynamisch stark bezeichnete und mit zahlreichen Spielhilfen versehene geigerische Fassung des Textes bevorzugt eine verschärfte Klangnotation, behandelt Akkordgriffe vielfach als Vorschläge, schreibt in der Chaconne den Rhythmus ♩. ♪ in ♩ ♪ um, übernimmt jedoch weitgehend die Originalbögen. Bedenklicher bleibt, daß verschiedentlich bei Akkorden dreistimmige Ausführungsvarianten angegeben werden, wo das Original ausdrücklich vierstimmigen Griff vorschreibt. Darüber hinaus sind Veränderungen einzelner Noten *nach Vergleich mit anderen Handschriften und theoretischen Erwägungen vorgenommen* worden. So wird nach einer Eisenacher [?] Hs. in der Chaconne Takt 11, 1. Viertel die oberste Note e'' in f'' geändert: ; die Quellen A bis E und G geben jedoch stets e''; nur die jüngeren Quellen F, H und I verzeichnen f'', eine Lesart, die auch BG aufweist. In der Übertragung des Verlängerungspunktes, der nur ein Viertel des Zeitwertes bedeutet, wird gewechselt, so daß das Original entweder als oder als erscheint.

III. ALLGEMEINES

1. Zur Entstehungsgeschichte

Bei einer Erörterung geschichtlicher Probleme ist die Frage aufzuwerfen, ob die Komposition des Zyklus in einem Zuge erfolgte oder ob erst eine nachträgliche Auswahl bereits vorhandener Sonaten und Partiten stattfand. Nach dem Original zu schließen, das offensichtlich die letzte Redaktion als Reinschrift darstellt, war wohl von Grund auf eine zyklische Anlage vorgesehen. Dafür spricht auch der stilistische Befund der Werke. Ob die drei Sonaten und Partiten freilich unmittelbar hintereinander in kurzer Zeit entstanden sind, bleibe dahingestellt. Die aus den Quellen sich ergebende Einzelüberlieferung in veränderter Ordnung, die offensichtlich auf Abschriften von Einzelstücken zurückgeht, läßt vermuten, daß zumindest verschiedene Schichten der Entstehung, vielleicht auch Vorstudien zur endgültigen Gestalt bestanden haben mögen, deren Festlegung, Ordnung und zyklisch-systematische Anlage 1720 in Köthen erfolgte, während die frühesten Spuren der Konzeption oder Anregungen dazu in Bachs Weimarer Zeit zu suchen sein dürften.

In unmittelbare Nachbarschaft zu den Sonaten und Partiten für Violine gehören die Suiten für Violoncello allein (BWV 1007–1012). Die Parallelität in der solistischen Besetzung, dazu der quellenmäßig übereinstimmende Befund bestätigen die enge Zusammengehörigkeit. In der Frage der Priorität dürften aus stilistischen Gründen die Suiten den Vorrang haben, da sie keineswegs die Struktur der Form so stark aufbrechen und erschüttern, wie es bei den Violinsonaten mit ihrer paarigen Koppelung an die Violinpartiten der Fall ist[49]. Nennt man noch die Sonate für Flöte allein (BWV 1013), die chronologisch hier einzuordnen ist, so zeigt sich, daß Bachs Schaffen um 1720 eine ganz spezifische Hinwendung zum charakteristischen Instrument, und zwar in völliger Isolierung vom Bc. aufweist, eine Entwicklung, die er später in der Kunst der Fuge (BWV 1080) verlassen hat. So gewinnt diese solistische Werkgruppe mit ihrer eindeutigen Verwendung der Melodieinstrumente in der Köthener Schaffensperiode zentrale Bedeutung, die notwendigerweise Rückwirkungen auslösen mußte. Sie sind in erster Linie in der gleichsinnigen Bevorzugung eines weiteren solistischen, aber akkordgriffigen Instruments zu sehen, das durch das Cembalo in Erscheinung tritt. Den Werken für Melodieinstrumente unmittelbar voran geht die Anlage des Klavierbüchleins für Wilhelm Friedemann Bach, 1720, gefolgt von dem Wohltemperierten Klavier, 1722 (BWV 846–869).

Diese charakteristische instrumentale Solomusik bildet offensichtlich einen Schwerpunkt für Bach in diesen Jahren. Sie erfährt eine klar erkennbare Akzentuierung durch die Vorrangstellung der Violine. Nicht nur, daß die Sonaten und Partiten das Endglied einer Entwicklung darstellen, sondern das violinistische Element wird für Bach in dieser Periode zur wesenhaften und in dieser Hinsicht wohl auch endgültigen Aussage. Welch starke Rolle das geigerische Prinzip für ihn spielt, beweisen die in die zeitliche Nachbarschaft gehörenden Sonaten für obligates Cembalo und Violine (BWV 1014–1019), nicht zuletzt die solistische Behandlung der Violine im Vierten Brandenburgischen Konzert (BWV 1049). Der Gesamtzyklus wurde in unmittelbar zeitlicher Nähe abgeschlossen, wie die Widmung an den Markgrafen Christian Ludwig von Brandenburg vom 24. März 1721 beweist. Erinnert sei ferner an die beiden Soloviolinkonzerte, a-Moll und E-Dur (BWV 1041, 1042), die hier einzugliedern sind. Die Vormachtstellung der Violine reicht bis in die Vokalmusik hinüber; denn zu den Charakteristika der von Smend[50] ermittelten Fassungen der Köthener Kantaten gehört die solistisch verwandte Violine. Noch einen Schritt weiter führen dessen Beobachtungen zur Kantate *Gott, man lobet dich in der Stille* (BWV 120), wo die Eingangsarie durch starke Figurierung ausgesprochen violinmäßige Züge trägt und nichts anderes darstellt als die nachträgliche Texierung des Mittelsatzes eines verlorengegangenen Köthener Violinkonzerts. Schließlich gehen auch die Arie *Heil und Segen* und das Cantabile aus der ersten Fassung der 6. Sonate für Violine und obligates Cembalo (BWV 1019a) auf eine verschollene weltliche Arie zurück. So zeigt sich, daß Bach um 1720 nicht nur dem spezifisch Instrumentalen weitgehend aufgeschlossen war, sondern daß gerade die Violine mit ihrer Eigenart offenbar entscheidend seine Kompositionsweise beeinflußt hat. Die Sonaten und Partiten erscheinen daher aus dieser Situation als innerlich notwendiger Ausdruck seiner Persönlichkeit.

Diese Einstellung wird verständlich, wenn man bedenkt, daß Bach von Haus aus Geiger war, eine Tatsache, die oft zugunsten des Orgelspiels verdunkelt wurde. Geige-

[49] Vgl. H. Besseler, Kritischer Bericht zur NBA, Serie VII, Bd. 2, S. 25.
[50] Fr. Smend, *Bach in Köthen*, Berlin [1952].

rische Tradition war von alters her in seiner Familie heimisch[51]. Sie findet sich bei seinen Vorfahren. Er selbst genoß den Violinunterricht seines Vaters, erlangte als Violinist am 8. April 1703 eine Anstellung in Weimar und wirkte dort nochmals als Geiger und Cembalist von 1708–1717[52]. Die Köthener Zeit bedeutet daher Höhepunkt und Abschluß einer geigerischen Entwicklung. Für die Interpretation seiner Violinwerke stand ihm in Köthen als Geiger lediglich neben dem *Camer musicus Martin Friedrich Marcus* der *Premier Cammer Musicus Josephus Spieß* zur Verfügung, der 1716 aus Berlin verpflichtet worden war. Ob dieser die großen Schwierigkeiten der Bachschen Sonaten und Partiten gemeistert hat, ist fraglich. Bach dürfte sie daher wohl selbst gespielt haben. So deutet einmal die Angabe eines Fingersatzes (Partita III, Satz 3, Takt 34) nicht nur auf genaueste Kenntnis der Violintechnik, sondern auch auf persönlichen Gebrauch der Werke.

Daß die Sonaten und Partiten für die Kammer und möglicherweise auch für die Kirche verwandt wurden, läßt sich aus Forkels[53] Angaben entnehmen: *Zu Bachs Zeit wurde in der Kirche während der Communion gewöhnlich ein Concert oder Solo auf irgend einem Instrument gespielt. Solche Stücke setzte er häufig selbst, und richtete sie immer so ein, daß seine Spieler dadurch auf ihren Instrumenten weiter kommen konnten.* Schering[54] führt Quellen aus den Jahren 1694, 1717 und 1719 an, in denen es heißt: *Unter der Communion, ehe die teutschen Lieder angefangen werden, wird ein Stück musiciret oder eine Motette gesungen.* Er vermutet daher auch einen Gebrauch der solistischen Instrumentalmusik für solche Gelegenheiten. Da Bach in der Fuge der Sonata III das Thema dem Choral *Komm, heiliger Geist, Herre Gott* entnommen hat, dürfte ein derartiges Musizieren *sub communione* für Pfingsten wahrscheinlich sein.

2. Zur Übertragung der Werke

Von Bachs Sonaten und Partiten existieren verschiedene Übertragungen auf andere Instrumente, die von ihm selbst oder zeitgenössischen Kleinmeistern stammen. Sie betreffen folgende Werke und Einzelsätze:

a) Sonata II (BWV 1003) → Sonata für Cembalo (BWV 964) [vgl. NBA V]
   Partita III (BWV 1006) → Suite für Harfe (BWV 1006a) [vgl. NBA V]

b) Fuga aus Sonata I → Fuge für Laute (BWV 1000) [vgl. NBA V]
   (BWV 1001/2) → Fuge für Orgel (BWV 539) [vgl. NBA IV]
   Grave aus Sonata III → Adagio für Cembalo (BWV 968) [vgl. NBA V]
   (BWV 1005/1)
   Preludio aus Partita III → Sinfonia für Orchester (BWV 120a/4 bzw. BWV 29/1)
   (BWV 1006/1) [vgl. NBA I]

[51] Vgl. J. Pulver, *Johann Sebastian Bach als Violinist,* in: The Monthly Musical Record, London 1926, Nr. 662, S. 35.
[52] Vgl. M. Pincherle, *Jean Sébastian Bach et le violon,* in: Contrepoints 7, Paris 1951, S. 47 ff.
[53] J. N. Forkel, S. 83.
[54] A. Schering, *Johann Sebastian Bachs Leipziger Kirchenmusik,* Leipzig 1954², S. 10, Anm.

Eine so verschiedenartige Verwendung der Vorlagen beleuchtet die zentrale Stellung der Sonaten und Partiten im Gesamtschaffen Bachs. Die Gründe für eine Auswahl der zyklischen Folgen und Einzelsätze sind unbekannt, doch sprechen sicher für die Doppelverwendung des Preludio als Sinfonia aufführungspraktische Erwägungen. Die klangliche Umwandlung erstreckt sich dabei auf weite Gebiete instrumentalen Musizierens, sei es solistischer oder orchestraler Prägung, sei es für Blas- oder Saiteninstrumente, gezupfter oder tastenmäßiger Art. Bach oder auch andere Meister haben ohne Zweifel die musikalische Substanz der Violinmusik für stark genug gehalten, auch in veränderter klanglicher Gestalt wirksam zu werden. Dabei müssen für sämtliche Fassungen die Violinwerke als primär gelten; denn ein umgekehrter Weg erscheint nach Struktur und Quellenlage der Werke entstehungsgeschichtlich ausgeschlossen. Die Übertragungen für Klavier, Laute und Orgel wurden als selbständige Komposition entworfen, während die orchestrale Fassung des Preludio als Sinfonia zunächst in die Trauungskantate *Herr Gott, Beherrscher aller Dinge* (BWV 120a) eingebaut und dann in die Ratswahlkantate *Wir danken dir, Gott* (BWV 29) übernommen wird. Derartige bei Bach häufig belegte Wiederverwendungen entsprechen zeitgenössischem Brauch.

Die Fuga aus Sonata III (BWV 1005/2) verwendet als Thema die erste Choralzeile der textlich vorreformatorischen Pfingst-Antiphon *Veni sancte spiritus*, deren aus dem 15. Jh. stammende Übersetzung *Komm, heiliger Geist, Herre Gott* durch Luther unter Hinzufügung neuer Strophen erweitert wurde. Die Weise erscheint bei Bach in den beiden Pfingstkantaten *Wer mich liebet* (BWV 59) und *Er rufet seinen Schafen* (BWV 175), ferner in der Motette *Der Geist hilft unsrer Schwachheit auf* (BWV 226), in der Violinsonate (BWV 1005/2), schließlich in der Doppelfassung der *Fantasia super „Komm heiliger Geist"* (BWV 651 und 652) im Rahmen der Leipziger Originalhandschrift (vgl. NBA IV/2). Spitta [55] hält angesichts dieser thematischen Bezogenheit bei der Violinfassung für möglich, daß diese durch Umschreibung einer Orgelfuge entstanden sei. Er stützt sich dabei auf Mattheson [56], der verschiedentlich Orgelfugendispositionen über fast gleichlautende Themen angegeben hat und die möglicherweise Bach zum Teil in vorliegender Violinfassung ausgeführt habe. Er nimmt an, daß es eine Choralfuge für Orgel *Komm heiliger Geist* gab, die Bach vielleicht als Vorlage für die Violinfuge benutzt habe. Da aber diese bereits 1720 komponiert war und Matthesons Vorschläge aus dem Jahre 1727 bzw. 1739 datieren, besteht kein zwingender Grund anzunehmen, daß Bach im Jahre 1720 gleichzeitig oder kurz vorher an einer Orgelfuge mit verwandtem thematischem Material gearbeitet hat. Die Möglichkeit der Existenz einer Orgelfuge als Vorgängerin der Violinfuge könnte lediglich aus der Tatsache gefolgert werden, daß Bach überlieferungsgemäß den Hauptteil seiner Orgelwerke in Weimar komponiert haben soll und daß in dieser Zeit bereits eine Niederschrift erfolgte, die später als Vorlage diente.

---

[55] Ph. Spitta, Bd. I, S. 689.
[56] J. Mattheson, *Große General-Baß-Schule*, Hamburg 1731, S. 35; ders.: *Der vollkommene Capellmeister*, Hamburg 1739, S. 368.

3. Zur Edition der Werke

Zur Redaktion wurden nur die Quellen A, B, C herangezogen, da sie ein ausreichendes Bild für die Textkritik boten, bedingt durch die Vorrangstellung des Autographs. Nur fallweise wurden die übrigen Quellen zum Vergleich herangezogen, deren wesentlichste Abweichungen bereits mitgeteilt wurden. Quelle D mußte wegen Unvollständigkeit in der Überlieferung ausscheiden. Die Quellen E, F, G stellen jüngere Abschriften dar, deren quellenkritischer Wert für die Edition gegenüber den Hauptquellen als gering anzusehen ist. Das gilt erst recht für Quelle H als transponierte späte Abschrift, für Quelle I als Abschrift des Erstdrucks und Quelle K als Stichvorlage Dörffels zur BG. Die Quellen L und M als Einzelabschriften, von denen L offensichtlich A folgt, boten für die Edition kein neues Bild. Die stark fehlerhaften Erstdrucke, deren Divergenzen andernorts vermerkt sind, mußten ebenfalls ausscheiden. So ruht die Ausgabe auf dem Autograph Bachs, auf einer aus unmittelbarer Nähe stammenden Abschrift von Anna Magdalena Bach sowie auf einer eine ältere Zeit spiegelnden Abschrift eines unbekannten Kopisten.

Nur in wenigen Fällen mußte in der Textkritik gegen die unbedingte Vormachtstellung des Autographs entschieden werden. Die Abweichungen betreffen hauptsächlich Schreibversehen oder Ungenauigkeiten, etwa in der Bogensetzung, die durch die übrigen Quellen mitunter verdeutlicht wurden. Es ist jedoch zu betonen, daß durch die kritische Auswertung der Quelle A, namentlich auch im Hinblick auf Phrasierung und Dynamik, ein neuer, quellenmäßig gesicherter Text vorgelegt werden konnte. Schwierigkeiten bereitete das Problem der Notation, da nicht nur eine Diskrepanz zwischen geigerischer Interpretation und bildmäßiger Fixierung besteht, sondern sich auch ein Wandel in der Notationspraxis vollzogen hat, der hier besonders deutlich zutage tritt. Dahin gehört die Frage nach der stimmigen Notation bei Doppel-, Tripel- und Quadrupelgriffen, wie überhaupt das Problem einer polyphonen Anlage des Geigenparts, die in der heutigen Praxis weitgehend aufgegeben wird. Der Entscheid fiel zugunsten der Erhaltung der eigenwüchsigen Stimmengesetzlichkeit. Auch dort, wo bei einem Intervall oder Akkord Gleichwertigkeit der Noten vorlag, wurde die von Bach stets angewandte stimmige Schreibweise beibehalten. Nur die Behalsung der Noten, bei Bach oft von Raumverhältnissen abhängig, wurde nach heutigem Brauch durchgeführt. Auf diese Weise wurde versucht, das polyphone Stimmengewebe Bachs bei sonst moderner Notationspraxis zu erhalten. Ein Verzicht oder eine Vermischung der Prinzipien hätte die Eigengesetzlichkeit der Werke gefährdet. Die Labilität des geigerisch-polyphonen Satzes, sein beständiges Schwanken zwischen Akkordgriff, mehrstimmiger Phrase und einstimmiger Linie, wirft auch die Frage der Ergänzung von Restpausen schweigender Stimmen auf, auf deren Zusatz fast durchgehend verzichtet wurde. Die in wenigen Fällen von der Polyphonie bedingte abweichende Behandlung der Akzidenzien wurde nur insoweit berücksichtigt, wie sie zur Vermeidung von Mißverständnissen erforderlich war. Nicht vermerkt wurde der gleichsinnige Gebrauch eines ♭ als Auflösungszeichen, sofern es sich nur um eine reine Schreibpraxis handelt.

66

Die im Original gegebene Notierung ♩ 𝅘𝅥𝅯𝅘𝅥𝅯𝅘𝅥𝅯 wurde stets als ♪ 𝅘𝅥𝅯𝅘𝅥𝅯𝅘𝅥𝅯𝅘𝅥𝅯 über-
tragen. Das betrifft: Partita I, Satz 1, Takt 5, 3. Viertel; Takt 11, 3. Viertel; Takt 19,
1. Viertel; Takt 22, 1. Viertel; Sonata II, Satz 1, Takt 5, 3. Viertel; Satz 3, Takt 26,
2. Viertel; Sonata III, Satz 1, Takt 39, 2. Viertel.

IV. SPEZIELLE ANMERKUNGEN

SONATA I

BWV 1001

S a t z 1, *Adagio*:

Der Satz bietet vor allem in rhythmischer Hinsicht in den Quellen ein uneinheitliches
Bild. A gibt wertmäßig meist genaue Rhythmen, wodurch der Charakter einer Reinschrift betont wird. B zeigt gewisse Flüchtigkeiten in der Bogensetzung und Rhythmik,
deren Varianten sich in den übrigen Hss. fortsetzen. Die stärksten Abweichungen weist
D auf (vgl. I).

Takt	Taktteil	Bemerkung
1		C: Ohne Tempobezeichnung
	2. Viertel	A, B: Bogen endet auf 7. Note b'
2	1. Viertel	C: 1. Note c'' irrtümlich mit Verlängerungspunkt; Bogen be- ginnt bei 1. Note fis''
	2. Viertel	B: Ohne *tr*; C: Nur 𝄢 𝅘𝅥𝅘𝅥𝅘𝅥𝅘𝅥
3	2. Viertel	B: Ohne Bogen
	3. Viertel	A, B: es' ohne ♭; B: Die beiden letzten Noten c'', a' nur als Zweiunddreißigstel, Bogen nur bis vorletzte Note c''
	4. Viertel	A, B: Die beiden letzten Noten b', c'' nur Vierundsechzigstel; B: *tr* unter 6. Note d'', Bogen nur bis 10. Note c'' Balkenteilung nicht original
4	1. Viertel	B, C: *tr* steht über 2. Viertel a'' statt 1. Viertel fis''
	3. Viertel	A, B, C: Bogensetzung ungenau, möglich wäre auch 2.–4. Note d''–a'' zu lesen
5	3. Viertel	C: Ohne Bogen
	4. Viertel	C: Ohne unteren Bogen
6	1. Viertel	B, C: Ohne Bogen
	3. Viertel	C: Bogen 1.–4. Note e'–e''
	4. Viertel	B: Ohne 2. Bogen
7	4. Viertel	C: 2.–7. Note nur Zweiunddreißigstel
8	1. Viertel	C: Ohne Bogen
	2. Viertel	C: 𝅘𝅥𝅘𝅥𝅘𝅥𝅘𝅥
	3. Viertel	C: Bogen von 2.–9. Note cis'–e''

Takt	Taktteil	Bemerkung
9	2. Viertel	C: 9. Note b' mit Verlängerungspunkt Balkenteilung nicht original
	3. Viertel	C: a, fis' als Achtel, obere Notengruppe:
10	1. Viertel	C: 1. Note als Achtel
	2. Viertel	Balkenteilung nicht original
	4. Viertel	C: Balkenteilung nicht original
11	1. Viertel	C: 1. Note c' als Achtel
	3. Viertel	Bogen vor Vorschlag ergänzt B, C: Die beiden letzten Noten f'', g'' nur Zweiunddreißigstel
	4. Viertel	B: Ohne Bogen; C: Bogen 1.–4. Note as''–as''
12	1. Viertel	C: Bogen 1.–2. Note es'–as''
	2. Viertel	B, C: Bogensetzung ungenau, möglich wäre auch 2.–4. Note g'–des'' zu lesen
13	3. Viertel	C: 8. Note es'' ohne ♭; die letzten drei Noten h', c'', fis' durch zusammenlaufende Balken rhythmisch undeutlich, nur Balkenteilung nicht original
	4. Viertel	C: Bogen 1.–6. Note g'–c''
14	1. Viertel	Balkenteilung nicht original
	3. Viertel	B: Bogen 2.–3. Note c''–f''; C: Ohne Bogen
15	3. Viertel	B:
	4. Viertel	C: Ohne ⁊
16	1. Viertel	B: Ohne 1. Bogen
	2. Viertel	C: Ohne Bogen
	4. Viertel	A: Bogen 1.–5. Note f''–f''; B: Bogen beginnt 2. Note g''; C: Die beiden letzten Noten es'', f'' nur Zweiunddreißigstel
17	4. Viertel	A, B: Stimmengemäß ⁊⁊ untereinander
18	1. Viertel	B, C: Note es'' ohne ♭ Balkenteilung nicht original
	2. Viertel	C: Balkensetzung verschoben Balkenteilung nicht original
	4. Viertel	C: Ohne 2. Bogen; Unterstimme: letzte Note a' mit ♮
19	1. Viertel	B, C: Ohne Bogen; C: 1. Note fis'' mit ♯
	2. Viertel	C: 1. Note b nur Achtel mit Verlängerungspunkt, Bogen beginnt 1. Note b
	3. Viertel	B: Bogen 2.–4. Note g'–a'
	4. Viertel	B: Ohne Bogen
20	3. Viertel	B: Ohne 2. Bogen
	4. Viertel	B, C: Bogensetzung ungenau, möglich wäre auch 2.–4. Note h'–es'' zu lesen

Takt	Taktteil	Bemerkung
		C: , Bogen 1.–3. Note g''–g''
		Viertel des Zeitwertes; er wurde jedoch in seiner Bedeutung nach heutiger Praxis aufgefaßt, so daß die folgende Notengruppe mit Triolenbezeichnung versehen werden mußte; B: Bogensetzung ungenau, möglicherweise gültig 2.–5. Note a''–g''; C: Ohne Bogen
	4. Viertel	1. Notengruppe: B: Die beiden letzten Noten fis'', g'' nur ein Vierundsechzigstel
		2. Notengruppe: A, B: 1. Note g'' als Zweiunddreißigstel;
21	2. Viertel	A, B, C: , der Verlängerungspunkt gilt hier nur ein
22		A, B: Nach Schlußstrichen steht *VS: volti*
		C: Ohne Fermaten.

S a t z 2, *Fuga*:

Die Polyphonie des Satzes führt in den Quellen notationsmäßig zu Divergenzen in der Behandlung der Restpausen, die uneinheitlich gesetzt werden. C artikuliert Takt 69 ff. vorwiegend 1.–4. Note zu einheitlicher Gruppe.

Takt	Taktteil	Bemerkung
1		C: Ohne Tempoangabe; Taktzeichen C statt ¢
4	4. Viertel	B: Wert der letzten Note nicht erkennbar
5	3. Viertel	C: f' ohne ♮
	4. Viertel	C: Stimmengemäß mit 𝄾𝄾
11	3. Viertel	C: Stimmengemäß mit 𝄾𝄾
12	1. Viertel	C: Ohne Bogen
	4. Viertel	C: Mit Bogen 1.–2. Note es'–d' und 3.–4. Note d'–c'
15	1. Viertel	C: Oberstimme: ohne 𝄾
	4. Viertel	C: Oberstimme: d'' als Achtel mit 𝄾, daher auch ohne Haltebogen
16	2. Viertel	C: Letzte Note es'' ohne ♭
17	3. Viertel	A, B: Ohne 𝄾
21	2. Viertel	C: Ohne 𝄾
22	2. Viertel	C: Ohne obere 𝄾
23	3. Viertel	C: Ohne 𝄾𝄾
	4. Viertel	C: Ohne untere 𝄾
24	1. Viertel	B, C: Ohne untere 𝄾
	4. Viertel	C: Ohne 𝄾
25	1. Viertel	C: d' irrtümlich gleichzeitig als Viertel nach unten behalst
26	4. Viertel	C: 

Takt	Taktteil	Bemerkung
27	3. Viertel	C: Ohne die beiden 𝄾
28	1. Viertel	C: Ohne Bogen
	3. Viertel	C: Ohne 𝄾; g ohne ♮
	4. Viertel	C: , beim letzten Achtel ist als oberste Note vermutlich a'' ergänzend zu lesen
29	1. Viertel	B: Mittelstimme: ursprünglich c'', korrigiert in d''
30	2. Viertel	B: Ohne Bogen; B, C: Mit 𝄾𝄾
	3. Viertel	C: Mit 𝄾𝄾; Oberstimme: gis'' mit ♯
	4. Viertel	A, B: Ohne 𝄾; C: Mit 𝄾𝄾; Unterstimme: ohne a
31	1. Viertel	B: Ohne Bogen; C: Mit 𝄾𝄾; Oberstimme: fis'' mit ♯
	2. Viertel	B: Ohne Bogen; C: Mit 𝄾𝄾
	3. Viertel	C: Mit 𝄾𝄾; Unterstimme: cis ohne ♯
	4. Viertel	C: Mit 𝄾𝄾
32	1. Viertel	C: Ohne Bogen
	2. Viertel	C: Ohne Bogen
	3. Viertel	C: Ohne 𝄾
	4. Viertel	C: Mit 𝄾𝄾
33	1. Viertel	B: Ohne Bogen
	3. Viertel	C: Ohne Bogen
	4. Viertel	B: Mit 𝄾𝄾; C: Ohne Bogen
34	1. Viertel	A, C: Ohne Bogen
	2.–4. Viertel	C: Ohne jeden Bogen
	3. Viertel	C: cis''' mit ♯
35	1. Viertel	C: Ohne Bogen; Unterstimme: cis' mit ♯
39	1.–2., 3.–4. Viertel	C: Ohne die beiden Noten d' in der Unterstimme
40	1.–4. Viertel	A, B, C: Im Französischen Violinschlüssel notiert, Beginn vor 1. Note durch Schlüsselwechsel und Vorzeichnung angegeben
41	1.–4. Viertel	A, B, C: Im Französischen Violinschlüssel notiert
42	1. Viertel	A, C: Nach der 1. Note d' Ende dieser Notation, verdeutlicht durch reguläre Schlüsselsetzung mit entsprechender Vorzeichnung; B: Ebenso, nur steht Schlüssel und Vorzeichnung irrtümlich bereits vor der 1. Note d'
	2. Viertel	B: 4. Note d'' schwer lesbar
	4. Viertel	B: 2. Note a'' undeutlich, Buchstabenzusatz *a*; C: 4. Note d'' schwer lesbar
52	1. Viertel	C: Ohne untere 𝄾; B: Akkord: Balken beginnt erst bei der 2. Note g', so daß die 1. Note d' als Viertel stehengeblieben ist
	2. Viertel	C: Ohne 𝄽
	3. Viertel	C: Ohne untere 𝄽, Akkord: Achtel f'' statt d''

Takt	Taktteil	Bemerkung
53	1. Viertel	C: Ohne Bogen; ohne ٧
	2. Viertel	C: Akkord: oberste Note f'' statt g''
54	1. Viertel	C: Stimmengemäß mit ٧٧
	3. Viertel	C: Akkord: a unbezeichnet
	4. Viertel	A: Ohne ٧
57	1. Viertel	C: f'' als Achtel mit Fähnchen
	4. Viertel	B: ♫♫♫♫ ; C: Ohne Bogen
59	1. Viertel	C: Stimmengemäß mit ٧٧
60	1. Viertel	C: Mittelstimme: es' mit ♭
	1., 2. Viertel	C: Ohne Bogen
63	1. Viertel	C: Ohne Bogen, stimmengemäß mit ٧٧
	2. Viertel	C: Ohne Bogen
	3. Viertel	B: Stimmengemäß mit ٧٧
	4. Viertel	B: Bogensetzung mehrdeutig, kann auch ab 1. Note es'' gelesen werden
65	1. Viertel	C: Bogen 1.–4. Note es'–f''
66	1. Viertel	C: 1. Note e' statt d'
	3. Viertel	C: Mit Bogen 3.–4. Note f''–as'
68	3. Viertel	C: 3. Note d'' statt c''
	4. Viertel	B: Die Noten lauten es'', d'', c'', b statt es'', c'', a', fis'
69	1., 3. Viertel	C: Bogen jeweils 1.–4. Note d'–c''
70	1. Viertel	C: Bogen 1.–4. Note d'–b'
	3. Viertel	C: Ohne Bogen
71	1. Viertel	B, C: Bogen 1.–4. Note d'–d''
72	1., 3. Viertel	C: Bogen jeweils 1.–4. Note d'–d''
73	1., 4. Viertel	C: 4. Note cis'' jeweils mit ♯
	4. Viertel	C: 4. Note cis'' statt g''
74	1. Viertel	B: Ohne 1. Bogen; C: 3. Note e'' mit ♮
	3. Viertel	C: Stimmengemäß mit ٧٧
75	3. Viertel	B, C: Stimmengemäß mit ٧٧
		B: Ohne Bogen
	4. Viertel	C: Stimmengemäß mit ٧٧
76	1.–4. Viertel	C: Ohne Bogen
	2., 4. Viertel	A: Pausensetzung mehrdeutig, beide Male möglicherweise zu lesen als ⅄ ٧, wobei die ⅄ den Eintritt der 4. Stimme auf dem 3. Viertel vorbereitet und beendet, während die zweite ٧ als zusammenfassender Wert für alle Stimmen stehen würde; vermutlich stellt jedoch die ⅄ die Korrektur der ursprünglich gesetzten ٧ dar, eine Lesart, die B übernimmt; in späteren Ausgaben wurde diese Stelle irrtümlich mehrfach mit Achtel

Takt	Taktteil	Bemerkung

g' bzw. f' und darunter gesetzter ɤ interpretiert, so daß die

Stelle dort lautet [Notenbeispiel] bzw. [Notenbeispiel] . B: Gibt ein-

deutig die Fassung der NBA; C: Gibt den Notentext wie B,
bzw. NBA, jedoch jeweils ohne ↄ; auch die übrigen Quellen
bieten eine zweistimmige Lösung

Takt	Taktteil	Bemerkung
77	2. Viertel	C: 1. Note Unterstimme g' als Achtel
	3. Viertel	A, B: Ohne ɤ; B, C: Ohne Bogen
	4. Viertel	A: Ohne ɤ
78	1., 3. Viertel	C: Unterstimmen: mit ɤ und ɤ
	3. Viertel	C: Ohne Bogen
79	1. Viertel	C: Unterstimme: a als Achtel
	1.–3. Viertel	C: Bogen verschoben, 2.–5. Note c''–d'' und 7.–9. Note a''–d'' statt 4.–6. Note es''–c'' und 8.–10. Note c''–es''
80	3. Viertel	C: Mittelstimme: d' unbezeichnet
82	1. Viertel	C: Unterstimme: e' mit ♮
83	1.–3. Viertel	C: Jeweils stimmengemäß mit ɤɤ
	3. Viertel	C: Ohne Bogen
	4. Viertel	C: Letzte Note a statt g
84	1. Viertel	C: Oberstimme: es'' mit ♭
85	1., 3. Viertel	C: Jeweils ohne Bogen
86	1. Viertel	C: Oberstimme: fis mit ♯
	2. Viertel	C: Ohne Achtel e'
	3. Viertel	C: Mittelstimme: b' ohne Verlängerungspunkt
	4. Viertel	C: Oberstimme: fis'' ohne Verlängerungspunkt, ↄ undeutlich
91	1. Viertel	C: 1. Note b statt d'
	2. Viertel	C: 3. Note as'' mit ♭ statt a'', eine Lesart, die durch 4. Viertel, 1. Note a' mit ♮ bewußt bestätigt wird
92	2. Viertel	C: 2. Note es'' ohne ♭
	4. Viertel	C: Ohne Bogen
93	3. Viertel	Balkenteilung nicht original; A: Balkt 1.–16. Note zusammen; B, C: Balken 1.–8. und 9.–16. Note zusammen
94	1. Viertel	B, C: Ohne ɤ
	2. Viertel	C: fis'' mit ♯
		C: Ohne Fermaten über Schlußstrichen.

Satz 3, *Siciliana*:

Die „lydische" Notierung des Satzes führt zur erhöhten Akzidenziensetzung in den Quellen.

Takt	Taktteil	Bemerkung
1	1.–2. Achtel	C: Mittelstimme: ⁊ ohne Verlängerungspunkt
	7. Achtel	C: Unterstimme: f′ irrtümlich mit Verlängerungspunkt
	7.–8. Achtel	C: Ohne Bogen
	8. Achtel	C: Ohne ⁊
	10.–11. Achtel	C: Ohne Bogen
2	4. Achtel	Obere ⁊ ergänzt
3	2., 3. Achtel	C: Jeweils ohne ⁊
	10.–12. Achtel	C: Ohne Bogen
4	2., 3. Achtel	B, C: Jeweils ohne Bogen
	3. Achtel	C: Unterstimme: e′ mit ♮ statt es′ mit ♭
	4. Achtel	Obere ⁊ ergänzt
	4.–6. Achtel	C: Oberstimme: 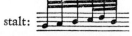 ; B, C: Ohne Bogen
	6. Achtel	C: Oberstimme: c″ statt d″; BG gibt ebenfalls c″
	10.–11. Achtel	B, C: Ohne Bogen
5	1.–2. Achtel	B: Ohne Bogen; C: Mit Bogen über Mittelstimme d″–c″
	3. Achtel	C: Ohne ⁊
	7. Achtel	C: Verlängerungspunkt nach d′ statt g
	10. Achtel	A: Stimmengemäß mit ⁊⁊
6	5. Achtel	B, C: Ohne Bogen
	6. Achtel	B: Zwischen 6. und 7. Achtel irrtümlich Taktstrich
	7., 8. Achtel	B: Jeweils ohne Bogen
7	2. Achtel	C: Ohne Bogen
	3. Achtel	C: Ohne Staccato-Punkt, der in A und B unter dem Balken steht
	4., 5. Achtel	B: Jeweils ohne Bogen
	10.–11. Achtel	B, C: Ohne Bogen
	12. Achtel	B: Oberstimme: a″ unbezeichnet statt as″ mit ♭, eine Lesart mit a″ ist in den übrigen Quellen nicht belegt
8	2., 3. Achtel	C: Jeweils ohne Bogen
	5., 6. Achtel	B: Jeweils ohne Bogen
	7.–9. Achtel	C: Ohne Bogen
	8. Achtel	A, B, C, D, E, G: Mittelstimme: f′ unbezeichnet; F: fis′ mit ♯, so auch rücktransponiert in H, ebenso BG
	8.–9. Achtel	C: Umfaßt nur sechs Noten in folgender rhythmischer Gestalt:

stalt:

	9. Achtel	B: Vorletzte Note e″ unbezeichnet statt es″ mit ♭
	11.–12. Achtel	B: Ohne Bogen

Takt	Taktteil	Bemerkung
9	1. Achtel	C: Oberstimme: g' ohne Verlängerungspunkt
	4.–5. Achtel	B, C: Ohne Bogen
	9. Achtel	C: Ohne ɤ
	10.–11. Achtel	A: Ohne ɤɤ; B, C: Ohne Bogen
	10. Achtel	B: Ohne ɤ
10	1. Achtel	C: h' ohne ♮
	4., 5., 10.–11. Achtel	B, C: Ohne Bogen
	7. Achtel	C: es'' mit ♭
11	4.–5. Achtel	C: Ohne Bogen
	7. Achtel	C: as'' ohne ♭
	7.–8. Achtel	B: Auch Mittelstimme: d''–es'' mit Bogen; C: Ohne Bogen
	10.–11. Achtel	B, C: Ohne Bogen
	12. Achtel	C: Oberstimme: f'' statt g''
12	2. Achtel	A bis E, G: Ohne ɤ; ergänzt nach F, H
	8. Achtel	C: Unterstimme: g'' unleserlich
13	4., 5. Achtel	A–E, G: Jeweils ohne ɤ, ergänzt nach F, H
	7., 8. Achtel	B: Ohne Bogen
14	1. Achtel	B: Ohne Bogen
	6. Achtel	B, C: Mit Bogen
	9. Achtel	B: Mit Bogen
15	11., 12. Achtel	A–E, G: Jeweils ohne ɤ; ergänzt nach F, H
16	4. Achtel	C: es'' mit ♭
	5., 6. Achtel	C: Ohne Bogen
	7.–8. Achtel	B, C: Ohne Bogen
17	4. Achtel	C: es' unbezeichnet
	10.–12. Achtel	C: Ohne Bogen
18	2., 3. Achtel	A, B: Jeweils ohne ɤ
	5.–6. Achtel	C: Bogen nur 5. Achtel b''–a''
	10., 11. Achtel	A, B: Jeweils ohne ɤ; C: Jeweils ohne Bogen
	11. Achtel	B: Bogen verschoben und stark vergrößert
19	4.–5. Achtel	C: Ohne Bogen
	10.–11. Achtel	B, C: Ohne Bogen
20	7.–9. Achtel	A, B, C: Pause ohne Verlängerungspunkt.

S a t z 4, *Presto*:

A faßt durch Kurztaktstriche jeweils zwei Takte zur Einheit zusammen; B, C setzen durchweg unter Zugrundelegung des ³/₈-Taktes Normaltaktstriche. Flüchtige Bogensetzung besonders in C.

Takt	Bemerkung
1	A, C: *Presto*; B: *presto*, über Taktangabe steht 𝄵
12	C: Bogen bis 6. Note c''
13	B: Ohne Bogen; C: Bogen 2.–6. Note c''–f'
15	B: Ungenaue Bogensetzung
17	A, B: 5. Note es'' ohne ♭
18	A, B: 6. Note es'' ohne ♭
22	A, B: 5. Note es'' ohne ♭
25, 26	B: Mit Bogen 4.–6. Note b''–b'' statt 1.–3. Note b'–d''
27	B: 2. Note es'' ohne ♭
29	B: Ungenaue Bogensetzung
30	B: Ohne beide Bogen
33	C: 2. Bogen beginnt erst Takt 34 mit 1. Note b'
35	C: Ohne Bogen
36	C: 6. Note d'' statt c''
46	B: Bogen bis Takt 47, 1. Note a
48	B: Ohne beide Bogen
57	A, B: 3. Note fis'' ohne ♯
70, 71	C: Ohne Bogen
72, 73	B, C: Ohne Bogen
74	B: 6. Note es' statt des'; C: Ohne Bogen
76–78	B, C: Ungenaue Bogensetzung
80	B: Ohne Bogen
93	A, B: 3. Note es'' ohne ♭
99	C: 1.–4. Note schwer lesbar
101	C: Ohne beide Bogen
102	C: Ohne Bogen
103	C: Ohne drei Bogen
105	B: Beide Bogen nach links verschoben
107, 108	B: Ohne beide Bogen
109	B: Auch 1.–2. Note c–a' mit Bogen
113	C: 1. Note f' ohne ♮
118	B: Bogen nur bis 6. Note g'
119	B: Bogen beginnt ab 2. Note d''
129	C: 1. Bogen um ein Sechzehntel nach links verschoben
133	C: Bogen 6. Note a bis Takt 134, 1. Note b'
136	A, B: Nach Schlußstrichen steht *Fine*.

PARTITA I

BWV 1002

S a t z 1, *Allemanda*:

Quelle C, die hier besonders reich das ♭ als ♮ verwendet, zeigt in der Rhythmik sowie in der Notation mitunter erhebliche Abweichungen.

Takt	Taktteil	Bemerkung
1		B: *Allemande*
	3. Viertel	A, C: fis'' ohne Verlängerungspunkt
3	1. Viertel	C: d'' ohne Verlängerungspunkt
	2. Viertel	C: Ohne Bogen
4	2. Viertel	A, B: Letzte Note h' als Sechzehntel statt Zweiunddreißigstel
	3. Viertel	C: fis'', e'' als Zweiunddreißigstel statt Vierundsechzigstel
5	2. Viertel	C: g', e' als Zweiunddreißigstel statt als Vierundsechzigstel
	3. Viertel	B: dis', h' ohne Verlängerungspunkte; A, C: Oberstimme: a'', g'', fis'' als Zweiunddreißigstel, B: Als [Notenbeispiel], wurde mit Triolenbezeichnung versehen
	4. Viertel	B: *tr* verschoben, steht über a''
6	4. Viertel	A, B: Gebalkt [Notenbeispiel]
7	2. Viertel	C: Triolengruppen ohne Ziffern
	3. Viertel	B, C: ais ohne Verlängerungspunkt
	4. Viertel	C: Rhythmisiert [Notenbeispiel], dabei 2. Note e'' mit Haltebogen statt d'' mit Bogen
8	3. Viertel	B: 1. Triolengruppe fehlt ganz
		C: 2. Triolengruppe ohne Ziffer
9	1., 2. Viertel	C: 1.–3. Triolengruppe ohne Ziffer
	3. Viertel	C: Ohne Bogen; Akkord: gis'' mit ♯
	4. Viertel	C: fis', cis'' ohne Verlängerungspunkte
10	1. Viertel	B: Akkord: Unterstimme: a statt cis'
		C: cis', eis'' ohne Verlängerungspunkte
	4. Viertel	C: 1., 2. Triolengruppe ohne Ziffern
11	2. Viertel	B: d'' irrtümlich mit Verlängerungspunkt
	3. Viertel	A, B, C: Oberstimme: [Notenbeispiel], wurde mit Triolenbezeichnung versehen
12	3. Viertel	A, B, C: Veränderte Wiederholung durch Bögen über und unter dem System verdeutlicht, in A außerdem die Ziffern 1, 2 unter dem System, in B nur 2
		B: Rhythmisiert [Notenbeispiel], ohne Bogen, ohne Ziffer
	4. Viertel	A, B: Über dem System ⸾, in C dasselbe Zeichen über und unter dem System

Takt	Taktteil	Bemerkung
13	1. Viertel	B: Balken verschoben
		C: d'', e'' als Zweiunddreißigstel
	2. Viertel	B: e' ohne Verlängerungspunkt
	3. Viertel	C: 1., 2. Triolengruppe ohne Ziffern
14	1. Viertel	C: d' irrtümlich zwei Verlängerungspunkte übereinander gesetzt
	3. Viertel	C: a ohne Verlängerungspunkte
	4. Viertel	B: d'' unbezeichnet statt dis''
15	1. Viertel	A, B, C: Akkord: g, e', h' ohne Verlängerungspunkte
	1. Viertel	C: Oberstimme: g'', fis'' als Zweiunddreißigstel
	2. Viertel	C: 2. Triolengruppe ohne Ziffer
	3. Viertel	C: 1., 2. Triolengruppe ohne Ziffern
	4. Viertel	B: h'' ohne Verlängerungspunkt
		Balkenteilung nicht original
16	1. Viertel	B: Bogen ungenau, 2.–3. Note e'–h''
17	1. Viertel	C: dis'' als Achtel ohne Verlängerungspunkt
	2. Viertel	Balkenteilung nicht original
	4. Viertel	C: 1., 2. Triolengruppe ohne Ziffern
18	1. Viertel	A, B, C: Oberstimme: , wurde mit Triolenbezeichnung versehen
		C: Akkord: c', g', c'' ohne Verlängerungspunkte
	3. Viertel	B: Akkord: ohne g, e'
		C: 1. Triolengruppe ohne Bogen, ohne Ziffer; 2. Triolengruppe ohne Ziffer
	4. Viertel	B: Ohne Bogen
20	1. Viertel	B, C: 1. Triolengruppe ohne Ziffer; C: 2. Triolengruppe ohne Ziffer
	2. Viertel	C: 1. Triolengruppe ohne Ziffer
	3. Viertel	C: 1. Triolengruppe g' ohne ♮; 2. Triolengruppe ohne Ziffer
21	1. Viertel	A, B, C: , wurde mit Triolenbezeichnung versehen
	2. Viertel	B: 1.–3. Note, 4.–6. Note jeweils mit Bogen und Triolenziffer
		C: 1. Triolengruppe ohne Ziffer
	3. Viertel	B: Ohne Bogen
		B, C: 1. Triolengruppe in B ohne Bogen, in C ohne Ziffer
	4. Viertel	A, B: Triolengruppe ohne Bogen
22	1. Viertel	B: 2. Triolengruppe ohne Bogen
	2. Viertel	B, C: 1., 2. Triolengruppe in B jeweils ohne Bogen, in C jeweils ohne Ziffer
	3. Viertel	C: Akkord: e', h' ohne Verlängerungspunkte
23	1. Viertel	C: 1., 2. Triolengruppe ohne Bogen

Takt	Taktteil	Bemerkung
23	3. Viertel	A, B, C: Unterstimme: e' als Sechzehntel, geändert in E
		B: Triolengruppe ohne Bogen
	4. Viertel	C: Nach dem 4. Viertel fehlt Taktstrich
24	1. Viertel	C: Akkord: Unterstimme: d' statt h, ferner d', fis' ohne Verlängerungspunkte
	2. Viertel	B: 2. Triolengruppe ohne Bogen, ohne Ziffer
	4. Viertel	Prima volta: A, B, C: Ohne 𝄾 𝄵 und ohne seconda volta, ergab sich notwendigerweise aus der geforderten Wiederholung; C: Ohne zwei Fermaten.

Satz 2, *Double*:

Die Abweichungen erstrecken sich fast ausschließlich auf Flüchtigkeiten und Ungenauigkeiten in der Bogensetzung, die A sehr deutlich verzeichnet.

Takt	Taktteil	Bemerkung
1		C: Taktzeichen C statt ₵
	4. Viertel	C: a' mit ♮
2	4. Viertel	B: Mit zwei Bogen 1.–2., 3.–4. Note
3	1. Viertel	B: Bogen verschoben auf 2.–4. Note; C: Mit zwei Bogen 1.–2., 3.–4. Note
4	1. Viertel	B: Ohne 2. Bogen
	3. Viertel	B: Bogen verschoben auf 2.–4. Note; C: Bogen 1.–4. Note
5	3. Viertel	B, C: Mit zwei Bogen 1.–2., 3.–4. Note
7	4. Viertel	B: Mit zwei Bogen 1.–2., 3.–4. Note; C: Mit Bogen 1.–4. Note
8	2. Viertel	C: Ohne zwei Bogen
	3. Viertel	B: Ohne zwei Bogen
9	3. Viertel	B: Ohne zwei Bogen
	4. Viertel	B: Mit zwei Bogen 1.–2., 3.–4. Note
10	1. Viertel	C: Ohne zwei Bogen
11	1. Viertel	C: 4. Note eis''
	2. Viertel	B: Mit zwei Bogen 1.–2., 3.–4. Note
12	2., 3. Viertel	C: Jeweils ohne zwei Bogen
16	1., 2. Viertel	C: Ohne zwei Bogen
17	1. Viertel	B, C: Ohne zwei Bogen
19, 20	4. Viertel	B: Mit zwei Bogen 1.–2., 3.–4. Note
21	2. Viertel	B: 3., 4. Note e'', fis'' statt fis'', g''; C: Ohne zwei Bogen
23	1. Viertel	B: Bogensetzung 1.–2., 3.–4. Note; C: Nur mit Bogen 1.–2. Note
	2. Viertel	B: Mit Bogen 1.–2. Note; C: Ohne Bogen
24	1. Viertel	B: Ohne Bogen; C: Bogen 2.–4. Note; 3., 4. Note fis', a' statt d', fis'; ohne Fermaten.

Satz 3, *Corrente*:

In B ist vielfach die Neigung spürbar, jeweils die 1.–4. Note zu phrasieren; häufig sind die Bogen flüchtig gesetzt.

Takt	Bemerkung
1	B, C: Jeder ungerade Takt des ganzen Satzes wird mit Normal-Taktstrich abgeschlossen; die Doppeltaktierung in A, der NBA folgt, deutet offenbar auf eine latente $^6/_4$taktige Auffassung hin B: *Correnta*
6	B: Bogen verschoben auf 2.–4. Note
9	C: Bogen von 2.–6. Note; Akkord: Mittelstimme: h' statt fis'
10	B: Ohne Bogen; C: 4., 5., 6. Note e', d', cis' statt g', fis', e'
12, 13	B: Ohne Bogen
15	B: Mit Bogen 1.–4. Note
16	B: Ohne Bogen
17	B: Letzte Note a'' statt cis'''
18	B: Ohne Bogen
23	C: 3. Note cis''' mit ♭ = c''' statt cis'''
25	A: Infolge Zeilenwechsels gebalkt 1.–4., 5.–6. Note
29	B: 3. Note g ohne ♯; ohne Bogen
31	B: Ohne Bogen
32	B: Ohne Bogen; C: Bogen nur 1.–2. Note A: Unter dem System steht *VS: volti*; B: Ebenso *volt.*
34	B: 1. Note g ohne ♯
35	B: Bogensetzung ungenau, verschoben auf 2.–4. Note
36	B: Bogen 3.–6. Note
38	B: Bogensetzung ungenau, 2.–5. Note
40	B: Bogen 1.–4. Note
41	A, B: Infolge Zeilenwechsels gebalkt 1.–4., 5.–6. Note
48	C: Bogen 1.–4. Note
49	B: Bogen verschoben auf 2.–4. Note
52	C: Letzte Note g' mit ♭-Auflösungszeichen
56	B: Ohne Bogen
58	A: Infolge Zeilenwechsels gebalkt 1.–4., 5.–6. Note; C: Ebenso, jedoch ohne Zeilenwechsel; B, C: Ohne Bogen
60	B: Bogen 2.–4. Note
70	B, C: Ohne Bogen
73	A: Infolge Zeilenwechsels gebalkt 1.–4., 5.–6. Note
74	B: Bogen nur 1.–6. Note
76	B: Ohne Bogen
77	A: 1. Bogen mehrdeutig, auch auf 1.–4. Note beziehbar; B: Bogen 1.–4. Note
78	B: Ohne Bogen bei 2.–4. Note
80	A, B, C: Ohne ɣ; C: Ohne Fermaten.

S a t z 4, *Double*:

Takt	Taktteil	Bemerkung
1		A, B: *presto*; C: Ohne Tempoangabe, Taktzeichen: 3 statt $\frac{3}{4}$
22	3. Viertel	B: 2. Note gis ohne ♯
24	4. Viertel	C: 3. Note gis' ohne ♯
28	3. Viertel	C: 2. Note e'' statt d''
29	1. Viertel	C: 2. Note undeutlich, Beischrift *h*
40	1. Viertel	C: 3. Note dis'' ohne ♯
47	1. Viertel	C: 3. Note cis'' mit ♯
57	2. Viertel	B: 3. Note c'' ohne ♮
71	2. Viertel	B: 3. Note g'' statt fis''
72	1. Viertel	A, B, C, E, F, G: 2. Note g'; H gibt h, zurücktransponiert fis'; BG und weitere Ausgaben setzen fis'
75	3. Viertel	C: 2. Note e' statt g'
76	1. Viertel	A, B: 3. Note dis'' ohne ♯
80		B: Nach Wiederholungszeichen steht *V. S. volti*.

S a t z 5, *Sarabanda*:

Takt	Taktteil	Bemerkung
4	3. Viertel	A, B: Letzte Note e' ohne ♮
5	3. Viertel	C: Ohne Bogen
7	1. Viertel	C: Oberstimme: 1,. 2. Note d'', cis'' statt e'', d''
8		A, B, C: Prima volta verdeutlicht durch je einen Bogen über und unter dem System
9		A, B, C: Zu Taktbeginn steht ⸘ über und unter dem System
10		B: Bogen 1.–4. Note h'–a''
13		C: Oberstimme: gebalkt 1.–6. Note
14	1. Viertel	C: Bogen 1.–3. Note c''–c''; 3. Note c'' mit ♮; B: Ohne Bogen
17	1. Viertel	C: Akkord: Mittelstimme: e' statt g'
20	3. Viertel	C: Ohne Bogen
23	1. Viertel	C: Unterstimme: h statt g
26		C: Bogen 1.–4. Note e'–d''; Oberstimme: 1. Note d als Viertel statt Achtel
27	1., 2. Viertel	C: Beide jeweils 1.–2. Note cis''–h' bzw. d''–cis''
28		B: Bogen 2.–4. Note h'–e''
29	2. Viertel	C: Oberstimme: a'' mit ♮
31	2. Viertel	C: cis'' mit +
32		C: h, fis, h' jeweils ohne Verlängerungspunkt; ohne Fermaten.

Satz 6, *Double*:

Takt	Taktteil	Bemerkung
2	1. Achtel	B: g″ statt fis″
8		A, B, C: Prima volta durch je einen Bogen über und unter dem System verdeutlicht, in A außerdem die Ziffern 1, 2, in B nur 2
9		A: Zu Taktbeginn über dem System 𝄾, in B, C das gleiche Zeichen über und unter dem System
13	2. Achtel	C: h′ statt a′
15	8. Achtel	C: e″ statt a′; BG übernimmt die Lesart
32		Prima volta: A, B, C: Wie Takt 8
		Seconda volta: A, B, C: h″ ohne Verlängerungspunkt
		C: Ohne Fermaten.

Satz 7, *Tempo di Borea*:

Takt	Taktteil	Bemerkung
1		C: *Tempo di Boree*
		A, B: Taktzeichen $\frac{2}{4}$, C: c; NBA setzt daher ¢
5	1. Viertel	C: d″ doppelt behalst
6	2. Viertel	C: cis″ doppelt behalst:
12	1. Viertel	C: Akkord: Mittelstimme: fis′ statt a′
18, 19		C: Ohne Bogen; Takt 18, 1.–4. Note Sechzehntelbalken korrigiert in Achtelbalken
22	2., 3. Viertel	C: Jeweils mit 𝄾
25	2. Viertel	C: Ohne 𝄾
	3. Viertel	C: g statt h, darunter irrtümlich drei 𝄾 statt zwei
26	2. Viertel	C: Ohne 𝄾
30	4. Viertel	C: h″ doppelt behalst
33	4. Viertel	A, B: Ohne 𝄾
34	2. Viertel	C: d″ doppelt behalst:
36	1., 2. Viertel	C: Gebalkt 1.–2., 3.–4. Note
41	3. Viertel	B, C: Mittelstimme: g′ statt e′
48	4. Viertel	C: Letzte Note fis″ statt h′
50	2. Viertel	A, B: eis″ ohne ♯
56	1. Viertel	C: Oberstimme: g″ statt fis″
	4. Viertel	B: Bogen endet bei Takt 57, 3. Note fis′
59	1. Viertel	B: Mit Bogen
	3. Viertel	B: Ohne Bogen
	4. Viertel	C: Mit Bogen
68		A, B: Unter dem System steht *VS. volti.*

Satz 8, *Double*:

Die Artikulation schwankt besonders in Quelle B, wo vielfach eine Bindung der 1.–4. Note der einzelnen Gruppen erkennbar ist; andererseits zeigt sich auch das Bestreben, die 1. Note der Gruppe zu isolieren (Takt 48 ff.).

Takt	Taktteil	Bemerkung
1		B: *Doble*; A, B, C: Taktzeichen $\frac{2}{4}$, geändert in ₵ so in Quelle H
3	3., 4. Viertel	C: Gebalkt 5.–6., 7.–8. Note
16	1., 2. Viertel	C: Bogen nur 1.–4. Note e'–h
21	2. Viertel	B: Oberstimme: e'' statt fis''; danach irrtümlich Taktstrich
28	2. Viertel	C: Möglicherweise a' statt g'
37	3. Viertel	B: Irrtümlicherweise ohne Sechzehntelbalken; Bogen 2.–4. Note a''–fis''; C: Bogen 1.–3. Note cis''–gis''
42	4. Viertel	B: Mit Bogen 7.–8. Note e''–h'
43	2. Viertel	C: Mit Bogen 3.–4. Note e''–a'
	3. Viertel	C: Ohne Bogen
	4. Viertel	C: e'' mit ♮
44	1. Viertel	C: Unter 1. Note g' steht Strich
48	1., 2. Viertel	B: Bogen 2.–4. Note e''–e''
49	1., 2. Viertel	B: Bogen 2.–3. Note e''–ais'
50	1., 2. Viertel	B: Bogen 1.–4. Note gis''–eis''; 4. Note eis'' ohne ♯
54	3., 4. Viertel	B, C: Bogen 2.–4. Note h'–h'
55	1., 2. Viertel	B: Bogen 2.–4. Note d''–h'
56	1., 2. Viertel	B: Bogen 2.–4. Note d''–h'
	3., 4. Viertel	C: Ohne zwei Bogen; B: Letzte Note g' nicht erkennbar
57	1., 2. Viertel	C: Bogen 1.–4. Note a'–a'
62	3., 4. Viertel	B: Mit Bogen 1.–4. Note cis''–fis''
64	2. Viertel	C: ais'' ohne ♯
68	1., 2. Viertel	C: Punktierte Viertel h' statt Halbe mit ↱; A, B: Nach Schlußstrichen steht *Fine*.

SONATA II

BWV 1003

Satz 1, *Grave*:

Rhythmische Varianten und Irrtümer bilden die wesentlichsten Abweichungen in diesem Satz; sie sind durch Ungenauigkeit der Balkensetzung zu erklären.

Takt	Taktteil	Bemerkung
1	2. Viertel	C: 6. Note h' als Zweiunddreißigstel gebalkt
	4. Viertel	B: Unterstimme: ↱

82

Takt	Taktteil	Bemerkung
2	3. Viertel	C: Ohne Bogen
	4. Viertel	B: Oberstimme: 1. Note c' statt d'; 6. und 7. Note d', h als Zweiunddreißigstel statt Vierundsechzigstel; C: Oberstimme: 2.–5. Note f'–c' als Vierundsechzigstel gebalkt Balkenteilung nicht original
3	2. Viertel	A: *tr* und Bogen verschmolzen, daher B: Ohne Bogen
	3. Viertel	B: Bogen ungenau, beginnt Oberstimme ab 3. Note e''; C: 1. Note g'' ohne Verlängerungspunkt; Oberstimme:

daher 6. Note h' zuviel, dabei Rhythmik verschoben, Unterstimme: ʏ

	4. Viertel	C: Bogen 2.–3. Note b'–a'
4	3. Viertel	C: 1. Note h' ohne Verlängerungspunkt Balkenteilung nicht original
5	2. Viertel	A, B, C: Ohne zwei Triolenziffern
	4. Viertel	A, B, C:
6	2. Viertel	A, B: Oberstimme: f'' mit ♮, C: Mit ♭-Auflösungszeichen, Zweiunddreißigstel-Balken nach links verschoben
7	2. Viertel	Balkenteilung nicht original
	3. Viertel	B: Ohne Bogen
	4. Viertel	B: 1. Note g statt gis, außerdem ohne Verlängerungspunkt; C: 1. Note gis als Zweiunddreißigstel gebalkt
8	3. Viertel	C: Akkord: dis', c'' jeweils ohne Verlängerungspunkt
9	1. Viertel	C: Ohne 1. Bogen; Mittelstimme: fis' ohne ♯
	3. Viertel	A, B: 2. Note f'' mit ♮, C: Mit ♭-Auflösungszeichen
	1., 4. Viertel	B: Ohne Bogen
11	1. Viertel	B: Unterstimme: 1. Note ais' als Sechzehntel gebalkt; jedoch korrigiert
	2. Viertel	C: 7. Note fis' ohne ♯
	2. Viertel	C: 7., 8. Note c'', h' als Zweiunddreißigstel gebalkt Balkenteilung nicht original
	3. Viertel	C: Ohne Unterstimme: d' als Achtel
	4. Viertel	B: 4., 5. Note d'c' eng zusammen, Beischrift *c* C: Mit Unterstimme: d' als Achtel
13	1. Viertel	B: Bogen beginnt erst ab 2. Viertel mit Note a'; C: Ohne Mittelstimme: e', ohne Unterstimme: c'
	2. Viertel	B: 8. Note h'' statt b'' Balkenteilung nicht original
	4. Viertel	B: Ohne zwei Bogen

Takt	Taktteil	Bemerkung
14	1. Viertel	C: 4. Note a" ursprünglich als Sechzehntel gebalkt, jedoch sind die Balken zusammengelaufen
	2. Viertel	B: Bogensetzung ungenau und verkürzt Balkenteilung nicht original
15	2. Viertel	C: 1. Note f" mit ♭; B: 2. Bogen beginnt ab 4. Note d"
	3. Viertel	C: Oberstimme: 6. Note e" als Sechzehntel gebalkt
	2. Viertel	Balkenteilung nicht original
	4. Viertel	B: Ohne Bogen; 1. Note b' ohne Verlängerungspunkt; C: 1. Note b' als Zweiunddreißigstel gebalkt; 6. Note g' doppelt, jedoch korrigiert Balkenteilung nicht original
16	1. Viertel	C: 5. Note fis' mit ♯ statt f', 6. Note g' statt gis'
	3. Viertel	C: 7., 8. Note g', a' als Zweiunddreißigstel gebalkt Balkenteilung nicht original
	4. Viertel	Balkenteilung nicht original
18	1. Viertel	B: Ohne Bogen
	2. Viertel	C: Ohne *tr*
	3. Viertel	C: Ohne Bogen
19	1. Viertel	C: 2. Note g' ohne ♮; Bogen 1.–5. Note cis'–a'
	2. Viertel	C: Bogen 1.–3. Note, g'–g'
	3. Viertel	B, C: Unterstimme: ohne 𝄾 Balkenteilung nicht original
	4. Viertel	C: Unterstimme: ohne 𝄾; B, C: Bogen 1.–4. Note f"–d"
20	2. Viertel	C: Nur ein Bogen 1.–3. Note d"–d"
21	1. Viertel	B: Unklar, ob Oberstimme 3. Note als Sechzehntel oder Achtel gebalkt gelten soll
	3. Viertel	C: Ohne Bogen Balkenteilung nicht original
	4. Viertel	B, C: 6., 7. Note e", dis" als Zweiunddreißigstel gebalkt Balkenteilung nicht original
22		A, B: Zwei dünne Schlußstriche; danach in A: *VS. volti,* in B: *Vol. S: volti.*

Satz 2, *Fuga*:

Quelle B und C zeigen größere Unregelmäßigkeiten in der Setzung der Restpausen; in C auch vielfach Abweichungen im Notentext, wodurch der Quellenwert gemindert wird.

Takt	Taktteil	Bemerkung
2	1., 2. Viertel	C: 1.–2., 3.–4. Achtel gebalkt
10	2. Viertel	C: Unterstimme: nur eine 𝄾

Takt	Taktteil	Bemerkung
11	2. Viertel	B: f'', eis'' mit ♯, irrtümlich eine Linie zu hoch statt d'', cis''
15	1. Viertel	B: Ohne Bogen; C: Bogen 2.–4. Note a'–c''
17	1. Viertel	B: Unterstimme: h statt a
29	1. Viertel	B: Oberstimme: 2. Note wohl irrtümlich als Doppelgriff a'', c''' notiert; C: Oberstimme: 3. Note g'' statt gis''
33	1., 2. Viertel	C: Ab 3.–7. Note lautet a'', g'', f'', e'', d''
36	2. Viertel	B: 3. Note h' statt b'
38	1. Viertel	B: Oberstimme undeutlich
39	1. Viertel	A, B: Oberstimme: ohne ɤ
	2. Viertel	B: Mittelstimme: ohne d''
40	1. Viertel	A, B, C: Oberstimme: g'' mit ♮
41	1. Viertel	B: Mittelstimme: 2., 3. Note f', e' statt g', f'
	2. Viertel	B: Akkord: cis', a', a', e'' statt cis', e', a', e''
44	2. Viertel	B: Unterstimme: d' statt e'
45	1. Viertel	C: Unterstimme: a als Achtel
46	1. Viertel	C: Ohne ɤ
47	1. Viertel	B, C: *piano*
48	1. Viertel	C: Unterstimme: ɤ, korrigiert in Bogen
49	1. Viertel	B, C: Oberstimme: Bogen beginnt mit 3. Note gis'; C: *fort:*
50	1. Viertel	B: Ohne Dynamik; C: *piano*
	2. Viertel	B: 3. Note gis' ohne ♯
51	1. Viertel	B: Mit Bogen 4.–5. Note a'–gis'
		C: *fort:*
52	1. Viertel	C: *piano*
53	1. Viertel	C: *fort:*
	2. Viertel	B: Ohne zwei Bogen
54	2. Viertel	C: Ohne zwei Bogen
55	1. Viertel	A: Akkord: e', g', h', e'', dabei jedoch die unterste Note e' stark verdickt, so daß sie möglicherweise als Korrektur für das in B und C ausfallende g' zu gelten hat
		B: p.; C: *piano*
	2. Viertel	B: 3. Note d'' unbezeichnet statt e''
56	1., 2. Viertel	B: Ohne 1., 2., 4. Bogen
57	1. Viertel	C: *fort:*
58	1. Viertel	B: p.; C: *piano*
59	1. Viertel	C: *fort:*
60	2. Viertel	B: Ohne zwei Bogen
65	1. Viertel	C: Mit Bogen 2.–3. Note a''–gis''
	2. Viertel	B: Ohne ɤ
66	1., 2. Viertel	C: Takt fehlt
67	1., 4. Viertel	C: Unterstimme: a' statt g'; ohne ɤ; ohne 2. Bogen

Takt	Taktteil	Bemerkung
68	1. Viertel	A, B: Unterstimme: 3. Note g' mit ♮; C: Dieselbe unbezeichnet, dafür irrtümlich Oberstimme mit ♭, vermutlich eine Zeile zu hoch geschrieben C: Ohne zwei Bogen
	2. Viertel	B, C: Ohne Bogen
72	1. Viertel	C: Untere Mittelstimme: g' statt e'; mit ૪
	2. Viertel	C: + statt *tr*
81	1. Viertel	B: Unterstimme: ohne ૪
82, 83	1. Viertel	C: Stimmengemäß mit ૪૪
	2. Viertel	B, C: Stimmengemäß mit ૪૪
93	1. Viertel	A: Mittelstimme: c'' stark vergrößert und Tintenflecken
	1., 2. Viertel	C: Stimmengemäß ohne ૪૪
94	1., 2. Viertel	A: Tintenflecken
101	1. Viertel	B: Unterstimme: a statt g
107	1. Viertel	B: Akkordnote e', korrigiert in d'
109	2. Viertel	C: Ohne zwei Bogen
115	1. Viertel	A, B, C: 1. Note g' mit ♮ C: 4. Note a' statt h'
120	1. Viertel	C: 3. Note gis' statt g'; 4. Note f' statt fis'
122	2. Viertel	C: 4. Note d'' statt e''
129	2. Viertel	C: Unterstimme: c'', e'' statt e'
148	1. Viertel	A, B: Oberstimme: 1. Note b' ohne ♭
151	1. Viertel	C: Unterstimme: ohne ⁊
153	1., 2. Viertel	C: Unterstimme: jeweils nur eine ૪
154	2. Viertel	B: Unterstimme: stimmengemäß mit ૪૪૪
159	2. Viertel	C: Unterstimme: unter e' steht ૪
160	1. Viertel	C: Unterstimme: 1. Note c' statt a
163	2. Viertel	B, C: Stimmengemäß mit ૪૪
164	2. Viertel	C: Oberstimme: ohne ૪
165	1., 2. Viertel	C: Unterstimme: mit ૪ und ⁊
	2. Viertel	C: Ohne *tr*
168	1., 2. Viertel	B: Unterstimme: ohne ૪, ohne ⁊
169	1. Viertel	B: Unter- und Mittelstimme: h, fis' als Achtel; Oberstimme: 3. Note dis'' ohne ♯
172	1. Viertel	C: Unterstimme: d' undeutlich
	2. Viertel	B: Stimmengemäß mit ૪૪
174	2. Viertel	B: Mittelstimme: dis'' ohne ♯ A: Unter dem System steht *V: S: volti presto*; B: *volti s* *volti p.*
177	1. Viertel	C: Ohne Bogen
178	1., 2. Viertel	C: Unterstimme: mit ૪ und ⁊
179	1. Viertel	B: Bogen 2.–3. Note dis'–e'

Takt	Taktteil	Bemerkung
181	1. Viertel	C: 1. Note f' ohne ♮; ohne Bogen
183	2. Viertel	A, B: 2. Note g', NBA folgt C mit a'
187	1., 2. Viertel	B: Bogensetzung ungenau
188	1., 2. Viertel	C: Unterstimme: drei Achtel gebalkt
190	1. Viertel	C: Ohne Bogen; Unterstimme: mit ⅄
191	1. Viertel	C: Ohne Bogen
192	1. Viertel	C: Ohne Bogen
	2. Viertel	C: Unterstimme: f' verdeutlicht, Beischrift f
193	1. Viertel	C: Ohne Bogen
194	1. Viertel	B: Ohne Bogen
198, 199	1., 2. Viertel	A, B: Unterstimme: jeweils ohne ⅄
		C: Oberstimme: jeweils ohne Bogen
199	2. Viertel	C: Oberstimme: 3. Note e'' mit ♮
201	1., 2. Viertel	C: Der ganze Takt fehlt
202	1. Viertel	C: Oberstimme: f'' statt g''; Oberstimme: ohne ⅄
205	1. Viertel	C: Ohne Bogen; Unterstimme: mit ⅄
206	1. Viertel	C: 4. Note e' statt d'
207, 209	1. Viertel	C: Ohne Bogen
210	1. Viertel	B: 4. Note undeutlich, Beischrift f; ohne Bogen
216	2. Viertel	C: 4. Note f'' schwer lesbar
217, 218	1. Viertel	B, C: Ohne Bogen
218	1. Viertel	B: 2. Note cis' ohne ♯
	2. Viertel	A, B, C: 4. Note c mit ♮
219	1. Viertel	C: Ohne Bogen
226	1. Viertel	B: Ohne Bogen
	2. Viertel	B: Ohne Bogen; C: Bogen 1.–3. Note f''–d''
227	1. Viertel	C: Bogen 1.–3. Note es''–cis''
228	1. Viertel	B: Ohne Bogen
	2. Viertel	B: Mit Bogen
229	1. Viertel	B: Ohne Bogen
230	1. Viertel	C: Unterstimme: ohne ⅄
231	1., 2. Viertel	C: Unterstimme: jeweils mit ⅄
232	2. Viertel	C: Unterstimme: d' als Achtel
238	2. Viertel	A, B: Unterstimme: h ohne ♮
239	2. Viertel	C: Ohne Oberstimme es'
249	1., 2. Viertel	B: Ohne zwei Bogen
251	1. Viertel	B: Ohne Bogen
258	1. Viertel	B: Ohne Bogen
	1., 2. Viertel	C: Stimmengemäß mit ⅄⅄
	2. Viertel	B: Ohne ⅄
260	1. Viertel	C: + statt *tr*
263	1. Viertel	B: Bogen 2.–4. Note b''–gis''; C: Ohne Bogen

Takt	Taktteil	Bemerkung
264	1. Viertel	C: Unterstimme: Achtel e' mit 𝄾
265	1. Viertel	𝄾 𝄾 ergänzt
268	1. Viertel	C: Unterstimme: ohne 𝄾
270	1. Viertel	B, C: Unterstimme: ohne Bogen
	2. Viertel	B: Unterstimme, Oberstimme: ohne Bogen
271	1. Viertel	C: Nur eine 𝄾; B: Oberstimme: ohne Bogen
	2. Viertel	B: Ohne Bogen
275	1., 2. Viertel	B: Ohne vier Bogen
277	1. Viertel	B: Bogen 1.–4. Note b'–e''
280	1. Viertel	B: Ohne 𝄾
281	1. Viertel	C: Stimmengemäß mit 𝄾𝄾
284	1. Viertel	B: Oberstimme: ohne 𝄾
285	1. Viertel	C: Ohne 𝄾𝄾𝄾
288	1. Viertel	C: Nur eine 𝄾
289		C: Ohne zwei Fermaten.

S a t z 3, *Andante*:

Takt	Taktteil	Bemerkung
2	2., 3. Viertel	C: Unterstimme: gebalkt 1.–2., 3.–4. Note
3	3. Viertel	C: Oberstimme: 2. Note a' undeutlich, Beischrift *a*
4	2., 3. Viertel	C: Unterstimme: gebalkt 1.–2., 3.–4. Note
5	1., 2., 3. Viertel	C: Unterstimme: gebalkt 1.–2., 3.–4., 5.–6. Note
	1., 2. Viertel	B: Unterstimme: gebalkt 1.–2., 3.–4. Note, bedingt durch Ende des Systems
6	2. Viertel	C: Oberstimme: g'' als Viertel
8	1. Viertel	C: Ohne 𝄾
10	2., 3. Viertel	B: Ohne Unterstimme: d'
	3. Viertel	C: + statt ***tr***
11		B, C: Ohne Ziffer 1 für Wiederholung
		Seconda volta: C: Ohne Ziffer 2 für Wiederholung
12		A, B: Mit Wiederholungszeichen, außerdem ab 2. Viertel für jede Stimme das Dal-segno-Zeichen 𝄋
	1., 2. Viertel	C: Unterstimme: gebalkt 1.–2., 3.–4. Note
13	2. Viertel	C: Ohne Mittelstimme d''
14	2., 3. Viertel	C: Unterstimme: gebalkt 1.–2., 3.–4. Note
15	1. Viertel	C: Oberstimme: g'' ohne ♯
	2., 3. Viertel	B, C: Oberstimme: ohne drei Bogen
		B: Oberstimme: 6. Achtel gis'', e'' fehlt
16	1. Viertel	B: Ohne Haltebogen
	1., 2. Viertel	C: Unterstimme: gebalkt 1.–2., 3.–4. Note
17	3. Viertel	C: Oberstimme: h'' statt a''

Takt	Taktteil	Bemerkung
18	2. Viertel	C: Oberstimme: a'' mit Haltebogen
19	1. Viertel	B: Ohne Bogen
23	1., 2. Viertel	C: Unterstimme: gebalkt 1.–2., 3.–4. Note
24	1., 2. Viertel	C: Bogen beginnt mit 1. Note f'
	3. Viertel	C: Unterstimme: a ohne ♮
25	1. Viertel	C: Oberstimme: 4., 5. Note als Zweiunddreißigstel statt 5., 6. Note
	2. Viertel	A, B, C: Ohne Triolenziffer
	3. Viertel	C: + statt *tr*
26	1., 2. Viertel	A, B: Unterstimme: gebalkt 1.–4. Note
27		Prima volta: A, B, C: Nur 1. Viertel notiert, dann 𝄍, ohne Ziffer 1 für Wiederholung
		C: Ab Takt 27 doppelte Bogen zur Kennzeichnung der Wiederholung
		Seconda volta: A, B, C: Ohne Ziffer 2 für Wiederholung.

S a t z 4, *Allegro*:

B zeigt, abweichend von meist eindeutiger Formulierung in A, den Willen, die Noten-gruppen meist von der 2.–5. Note zu phrasieren, wobei die erste Note isoliert wird. Mitunter werden auch die 1.–5. Note unter einem Bogen zusammengefaßt. C setzt die Bogen oft in Übereinstimmung mit B.

Takt	Taktteil	Bemerkung
1		C: Taktzeichen C statt ¢
	3. Viertel	C: *piano*
2	1. Viertel	C: *forte*; ohne Bogen
	3. Viertel	B: Ohne p; C: *piano*, ohne Bogen
3	1. Viertel	C: *forte*
4	1. Viertel	C: *piano*
5	1. Viertel	C: *forte*, etwas nach rechts verschoben
6	1. Viertel	B: Ohne p, C: *piano*, etwas nach rechts verschoben
7	1. Viertel	C: *fort:*, 4. Note a'' statt g''
9	1. Viertel	C: 4. Note g' mit ♭-Auflösungszeichen
13	2. Viertel	C: 4. Note c'' ohne ♮
14	1. Viertel	B: Bogensetzung ungenau; C: Bogen 1.–5. Note g''–fis''
	3. Viertel	B: Bogensetzung ungenau
15	1.–3. Viertel	B: Bogen jeweils 2.–4. Note
	1., 3. Viertel	C: Bogen jeweils 1.–5. Note
	4. Viertel	C: 4. Note dis'' mit ♯ statt d'' mit ♮
16	1. Viertel	B: Bogen 1.–5. Note e'–f'; C: Bogen 2.–5. Note d''–f'
	3. Viertel	B, C: Bogen 1.–5. Note c'–d'

Takt	Taktteil	Bemerkung
18	3. Viertel	B: Oberstimme: fis' ohne ♯
19	1.–4. Viertel	B: Bogen jeweils 2.–4. Note
	4. Viertel	C: Bogen 1.–5. Note a'–d''
20	4. Viertel	C: 1. Note verdeutlicht, Beischrift *f*
21	4. Viertel	B, C: Bogen 1.–4. Note fis''–cis''
22	2. Viertel	B, C: Bogen 1.–4. Note e''–h'
	4. Viertel	C: Bogen 1.–4. Note c''–g'
23	4. Viertel	C: 4. Note fis' ohne ♯
24	1. Viertel	C: 3., 4. Note lauten a', g' statt g', e'
25	3. Viertel	B: Ohne Dynamik; C: *piano*
26	1. Viertel	B, C: Bogen 2.–4. Note g'–h'; C: *fort:*
	3. Viertel	B: Bogen 2.–4. Note g'–h'; C: *piano*
27	1. Viertel	C: *fort:*
28	1. Viertel	B: Ohne Dynamik; C: *piano*
	2. Viertel	C: Mit Bogen 2.–3. Note a'–h'
	4. Viertel	B: Bogen 1.–5. Note e''–fis''
29	1. Viertel	C: *fort:*
	3. Viertel	C: 3. Note dis'' ohne ♯
30	1. Viertel	C: *piano*
31	1. Viertel	C: *fort:*
33	1. Viertel	B: Bogen 2.–5. Note e'–h'
	3. Viertel	B: Bogen 2.–5. Note e''–h'; C: Bogen 1.–5. Note c''–h'
34	1. Viertel	B: Bogensetzung ungenau
	3. Viertel	B, C: Bogen 1.–5. Note h'–d''
35	2. Viertel	C: 3. Note a' statt g'
	3. Viertel	C: 2. Note a'' statt g''
39	1., 3. Viertel	B: Ohne zwei Bogen
40	2. Viertel	C: 2. Note c'' statt d''
43	3. Viertel	B: Bogen 2.–4. Note f'–d''
44	3. Viertel	C: Bogen 1.–5. Note c''–f'
46	1. Viertel	B: Ohne Bogen
	3. Viertel	B: Bogensetzung ungenau
47	1., 2. Viertel	B: Bogensetzung ungenau
48	1. Viertel	B: Bogen 2.–5. Note f''–c''; C: Bogen 1.–5. Note d'–c''
	2., 3. Viertel	B: Bogensetzung ungenau
49	1. Viertel	B: Bogen 2.–5. Note d''–a'
	4. Viertel	B: Bogen 2.–5. Note g'–e''
50	2. Viertel	B: Bogen 2.–5. Note h'–d''
	3. Viertel	C: Ohne Bogen
	4. Viertel	B: Bogensetzung ungenau
51	1. Viertel	B: Ohne Bogen
	3. Viertel	B: Bogensetzung ungenau; C: Ohne Bogen

Takt	Taktteil	Bemerkung
52	1., 4. Viertel	B: Bogen jeweils 2.–5. Note
53	2. Viertel	B: 5. Note gis' ohne ♯
54	3. Viertel	C: Bogen 1.–4. Note h–e'
56	1. Viertel	A: *pia.*; B: Ohne Dynamik
	4. Viertel	B: Ohne zwei Bogen
57	3. Viertel	B: Bogensetzung ungenau
	4. Viertel	B: 2. Note fis'' ohne ♯
58	1. Viertel	B: Bogen 2.–5. Note e''–e'; C: Ohne Bogen
	3., 4. Viertel	C: Ohne Fermate
		A: Nach Schlußstrichen steht *Fine*; B: Ebenda *Il fine*.

PARTITA II

BWV 1004

Satz 1, *Allemanda*:

In der Bogensetzung zeigen die Quellen B und C das Bestreben, entweder

oder ![Notenbeispiel] zu artikulieren, beides erklärbar aus einer gewissen Flüchtigkeit in der Bogensetzung. A begrenzt die Bogen weitgehend genau.

Takt	Taktteil	Bemerkung
1		B: *Allemande*
	4. Viertel	C: 1. Note e'' ohne Verlängerungspunkt
2	4. Viertel	B: 2. Notengruppe ohne Bogen und ohne Triolenbezeichnung
4	4. Viertel	A: ![Notenbeispiel] , wohl Schreibversehen
7	3. Viertel	B: 1. Note g statt gis mit ♯
	4. Viertel	B: Mit Bogen 2.–4. Note d''–h'
8	1. Viertel	B: Bogensetzung ungenau
	2. Viertel	B: Bogen 2.–5. Note f''–c''; C: Bogen 1.–9. Note c''–e''
	3. Viertel	B: Bogen 2.–4. Note a'–a'; C: Ohne Bogen
	4. Viertel	B: Bogen 2.–5. Note e''–h'
9	1. Viertel	B: Bogen 1.–5. Note a'–a'; C: Ebenso; dann Zusatzbogen bis d'
11	1. Viertel	C: Bogensetzung ungenau
	2. Viertel	C: Bogen 1.–5. Note h'–g''
	3., 4. Viertel	B, C: Bogen jeweils 1.–5. Note

Takt	Taktteil	Bemerkung
12	1. Viertel	B, C: Bogen 1.–5. Note f'–d''
	3. Viertel	B, C: Bogen 2.–4. Note cis'–f'
	4. Viertel	B: Mit Bogen 1.–4. Note b'–b'
		A, B, C: 1. Note b' mit ♭
		C: 4. Note b' mit ♭
13	3. Viertel	A: 1. Note b' mit ♭
		C: 3. Note b' mit ♭
14	1. Viertel	B: Nur ein Bogen 2.–6. Note h''–e''
	2. Viertel	B, C: 2. Bogen 5.–6. Note h'–a'
15	1. Viertel	B: Bogen 2.–3. Note h''–a''
	2. Viertel	B: 6. Note h' ohne ♮
		C: 2. Notengruppe ohne Bogen und ohne Triolenbezeichnung
	3. Viertel	B: 2. Note h' schlecht lesbar
16	1. Viertel	B: Bogen 2.–4. Note d'–a''
	3. Viertel	A, B, C: Ohne ⅞
17	3. Viertel	B: Bogen 2.–5. Note g'–a'
18	3. Viertel	B: Bogensetzung ungenau; C: Ohne Bogen
19	1. Viertel	B: Bogen 1.–4. Note d''–d''
	4. Viertel	C: Jeweils ohne Bogen und ohne Triolenbezeichnung
20	2. Viertel	A: Bogen 2.–5. Note c''–d''
		B, C: Bogensetzung ungenau
21	2. Viertel	B: Bogensetzung ungenau
	3. Viertel	C: Bogen 1.–3. Note es'–f'' und 4.–6. Note es''–b'
		B: Bogensetzung verschoben
22	1. Viertel	B, C: Bogen 2.–4. Note fis'–c''
		C: 2., 3. Note fis', a' als Zweiunddreißigstel gebalkt
	2., 4. Viertel	C: Jeweils ohne Triolenbezeichnung
	3. Viertel	B: Bogensetzung ungenau
26	4. Viertel	B: Mit Bogen 1.–3. Note d''–b'
27	1. Viertel	C: Bogen 1.–4. Note a'–e'
28	1. Viertel	C: Bogen 1.–4. Note h'–a''
	3. Viertel	B, C: Bogen 1.–4. Note d'–g''
29	3. Viertel	B, C: Bogen 1.–4. Note b–es''
30	1. Viertel	B, C: Bogen 1.–4. Note e'–d''
31	1. Viertel	B: Ohne Bogen
	4. Viertel	C: 2. Bogen auf letzte Note begrenzt, nachträglich zur folgenden Note verlängert; ebenso Takt 32, 1. Viertel
32	3. Viertel	A, B, C: Ohne ⅞
		A, B: Unter dem System steht *Seque la Courante*
		C: Ohne Fermaten über Schlußstrichen.

Satz 2, *Corrente*:

Quelle B artikuliert vielfach ungenau; insbesondere wird die Bogensetzung, beispiels-

weise in Takt 5, interpretiert als ♪♪♪ ♪♪♪ ♪♪♪ , während Quelle A deut-

lich die 1. Note isoliert, vgl. Takt 7, 8, 9.

Takt	Taktteil	Bemerkung
1		C: Taktziffer *3* statt $\frac{3}{4}$
2	2., 3. Viertel	C: Jeweils ohne Triolenbezeichnung
5	1. Viertel	B: Bogenbeginn ab 1. Note f'
7	1. Viertel	B: Bogenbeginn ab 1. Note d'
	1.–3. Viertel	A, B: Jeweils mit Triolenbezeichnung
	2. Viertel	C: 2. Note e' mit ♮
8	1.–3. Viertel	C: Gebalkt 1.–6., 7.–9. Note; Bogen 1.–6. Note a'–c''
		A, B: Jeweils mit Triolenbezeichnung
9	1.–3. Viertel	B, C: Bogen 1.–9. Note d'–b''
		A, B: Jeweils mit Triolenbezeichnung
11	1. Viertel	A, B: Mit Triolenbezeichnung; B: Ohne Bogen
12	1. Viertel	A, B: Mit Triolenbezeichnung
13	2., 3. Viertel	C: Balkt alle vier Noten zusammen
14	1. Viertel	B: Mit Triolenbezeichnung
16	3. Viertel	B: Ohne Bogen, jedoch mit Triolenbezeichnung; C: 1. Note cis mit ♯, eine Lesart, die im Vergleich mit Takt 14 nicht berechtigt ist, vermutlich Schreibfehler (♮)
17	1. Viertel	A, B: Mit Triolenbezeichnung; B: Mit Bogen
	2. Viertel	A, B: Mit Triolenbezeichnung
	3. Viertel	B: Mit Triolenbezeichnung
18	1. Viertel	A: Mit Triolenbezeichnung; B: Mit Bogen
19	3. Viertel	B: Ohne Bogen
20	2. Viertel	B, C: Ohne Bogen
21	2. Viertel	A, B, C: b' unbezeichnet, in A trägt Kustos vorher ♭, so daß h' ausgeschlossen erscheint
22	1. Viertel	B: 1. Note g statt gis mit ♯
	3. Viertel	C: 3. Note b' mit ♭ statt h' mit ♮
23	1. Viertel	B: Bogen ab 1. Note c''
25	1., 2. Viertel	A, B: Mit Triolenbezeichnung
26	1. Viertel	A, B: Mit Triolenbezeichnung
27	2., 3. Viertel	C: Balkt alle vier Noten zusammen
29	1. Viertel	A, B: Mit Triolenbezeichnung; C: Mit Bogen
	2. Viertel	A: Mit Triolenbezeichnung
	3. Viertel	A, B: Mit Triolenbezeichnung; C: Ohne Bogen

Takt	Taktteil	Bemerkung
31	1. Viertel	A, C: Bogen beginnt erst ab 3. Note b''
	1.–3. Viertel	B: Bogenteilung 2.–5., 6.–9. Note, möglicherweise bedingt durch Ende des Systems; C: Bogen 2.–9. Note c''–c'; vgl. zur Bogensetzung Takt 29
32	3. Viertel	A, B: 3. Note es'' ohne ♭
33	3. Viertel	B: Mit Triolenbezeichnung; ohne Bogen
34	1. Viertel	C: 1. Note es' ohne Verlängerungspunkt
36	1. Viertel	B: 3. Note g' verdickt und verdeutlicht
37	1.–3. Viertel	B: Bogen 2.–5. Note d''–g'
39	1. Viertel	A: Nur Triolenbezeichnung
41	1.–3. Viertel	B: Bogen 1.–6. Note f''–c''
	3. Viertel	C: 1. Note h' mit ♮ statt ♭; BG und weitere Ausgaben folgen dieser irrtümlichen Lesart
43	3. Viertel	B: 2. Note b' statt d''
		C: 1. Note g' mit ♮ statt gis' mit ♯
44	1. Viertel	C: + statt *tr*
46	2., 3. Viertel	B: Bogenteilung 2.–3., 4.–6. Note, bedingt durch Ende des Systems
47	2. Viertel	B: Bogen ab 1. Note fis'
49	1. Viertel	A, B, C: Jede Akkordnote mit Verlängerungspunkt
50	1. Viertel	A: Mit Triolenbezeichnung
51	1. Viertel	A, B, C: 2. Note b' unbezeichnet; die in BG vorgeschlagene Lösung durch h' mit ♮ widerspricht Takt 21
52	1. Viertel	C: Ohne Bogen; 2. Note g' ohne ♮
53	1. Viertel	C: 2. Note ais' mit ♯ statt a'
	2. Viertel	A: Mit Triolenbezeichnung; B: Ohne Bogen; C: Ohne zwei Fermaten über Wiederholungszeichen; B, C: *VS: volti.*

S a t z 3, *Sarabanda*:

Takt	Taktteil	Bemerkung
1		B: *Sarabande*; C: Taktzeichen *3* statt $\frac{3}{4}$
	2. Viertel	C: Oberstimme: b' ohne Verlängerungspunkt
2	2. Viertel	C: Oberstimme: a' ohne Verlängerungspunkt
4	3. Viertel	C: Ohne Bogen; 1. Note fis' ohne Verlängerungspunkt; 4. Note fis' ohne ♯
		Balkenteilung nicht original
6	1. Viertel	B: Bogen 1.–3. Note g–cis''
9	1. Viertel	C: Ohne Bogen
	2. Viertel	A, B, C: Über und unter dem System steht jeweils Dal-segno-Zeichen; C: Ohne *tr*
10	1. Viertel	B: Unterstimme: fis' mit Verlängerungspunkt
		C: 2. Note c'' ohne ♮

Takt	Taktteil	Bemerkung
13	1. Viertel	C: + statt *tr*
	3. Viertel	B, C: Ohne Bogen
15	2. Viertel	A: 3., 4. Note a'', g'' undeutlich, Beischrift *a, g*
		B: Ohne zwei Bogen
16	3. Viertel	B: Bogen 2.–6. Note g'–d''
		Balkenteilung nicht original
17	2. Viertel	C: Ohne Bogen
	3. Viertel	C: + statt *tr*
18	1., 2. Viertel	C: Unterstimme: mit ⅄; Oberstimme: ohne Bogen
	2. Viertel	1. Note h' mit ♮
20	2. Viertel	B: Ohne Bogen
22	2., 3. Viertel	Balkenteilung nicht original
24	1. Viertel	B: 1. Note d'' ohne Verlängerungspunkt
		A, B: Veränderte Wiederholung durch Ziffern mit Bogen an- gedeutet, in C: Ohne Ziffern mit Bogen
25	1. Viertel	Prima volta: C: Ohne Bogen
	1., 2. Viertel	Seconda volta: B: Bogen ab 4. Note a'; C: Bogen ab 2. Note d'
	2., 3. Viertel	B, C: Bogen bis 12. Note a
26	2. Viertel	B: Bogen 2.–4. Note fis'–b'
27	2. Viertel	B, C: Bogen bis 4. Note e''
	3. Viertel	B: Ohne Bogen 2.–3. Note cis''–d''
28	1. Viertel	C: Bogen bis 4. Note g'
29		C: Ohne zwei Fermaten; unter dem System *Giga si volti*.

S a t z 4, *Giga*:

Der nachfolgend als „Notengruppe" bezeichnete Taktteil umfaßt jeweils drei Achtel-werte. A führt die Artikulierung streng durch; B und C vielfach flüchtige Bogen-setzung; C gibt dynamische Angaben.

Takt	Notengruppe	Bemerkung
1, 2	1., 2., 4. Gr.	B: Bogen jeweils 1.–3. Note
5	1. Gruppe	B: Bogen 1.–6. Note f'–d'
6	4. Gruppe	B: Ohne den anschließenden Taktstrich
7	1. Gruppe	B: Ohne Bogen
	2. Gruppe	C: 5. Note d'' undeutlich, Beischrift *d*
8	2. Gruppe	C: Mit Bogen
	4. Gruppe	B: Ohne Bogen
9	1. Gruppe	B: Ohne Bogen
10	1., 3. Gruppe	B: Jeweils Bogen 1.–4. Note
11	1. Gruppe	B: Ohne Dynamik, Bogensetzung ungenau; C: *piano*
	2. Gruppe	B: Ohne Bogen
	3. Gruppe	B: Bogen 1.–4. Note f'–e''

Takt	Notengruppe	Bemerkung
12	1. Gruppe	C: *fort:*
	4. Gruppe	B: Ohne Bogen
13	1., 3. Gruppe	B: Jeweils Bogen 1.–4. Note
15	2. Gruppe	A, B: 6. Note e' stark verdickt
	4. Gruppe	C: 2. Note h' mit ♮ statt a'
17	4. Gruppe	A, B: Ohne Bogen
18	1., 2. Gruppe	B: Ohne Bogen
	1. Gruppe	B: 4. Note ursprünglich mit ♮ h', Korrektur in c'', Vorzeichen blieb stehen
21	2. Gruppe	B: Bogen 1.–3. Note g'–b'
	3. Gruppe	B, C: Ohne Bogen
	4. Gruppe	A, B: Ohne Bogen
22	3. Gruppe	C: 1., 2. Note a', g' statt f', e'
	4. Gruppe	C: Letzte Note b mit übergeschriebenem ♭
23	3. Gruppe	B: Bogen ungenau
24	3. Gruppe	B, C: Ohne Bogen; C: 6. Note fis'' mit ♯ statt f'' mit ♮
25	2. Gruppe	B: Ohne Bogen
	4. Gruppe	C: Ohne Bogen
26	1. Gruppe	B: Ohne Dynamik; C: *piano*
27	1. Gruppe	B: Ohne Bogen
	2. Gruppe	A, B: 6. Note es'' ohne ♭
28	1. Gruppe	B: 6. Note b' statt c''
	2. Gruppe	C: 4., 6. Note jeweils b' statt c''
	3. Gruppe	B: Bogen etwas nach rechts verschoben
30	1. Gruppe	B: Ohne Bogen
	3. Gruppe	B: Bogen 2.–4. Note es''–c''; C: Ohne Bogen
31	1. Gruppe	C: 1. Note e'' ohne ♭
	2. Gruppe	B: Bogen 1.–6. Note c–g'; C: 6. Note f' statt g'
	3. Gruppe	B: Bogen 1.–3. Note f'–a'
32	1. Gruppe	A, B: 6. Note cis'' ohne ♯
	3. Gruppe	C: Mit Bogen 1.–3. Note f'–f'
35	3., 4. Gruppe	B: Bogensetzung ungenau
37	3. Gruppe	B: Ohne Bogen
	4. Gruppe	C: 6. Note b' statt g'
38	2. Gruppe	B: Bogen 1.–4. Note g'–g'
	4. Gruppe	A, B: Ohne Bogen
39	1. Gruppe	C: 4. Note c'' statt cis'' mit ♯
40	4. Gruppe	C: d' mit Verlängerungspunkt
		A: *V. S. volti;* C: Ohne zwei Fermaten
		C: Unter dem System steht *Ciacona si volti.*

S a t z 5, *Ciaccona*:

Takt	Taktteil	Bemerkung
5	1. Viertel	C: Ohne Bogen
10	2. Viertel	C: Oberstimme: e'' mit Verlängerungspunkt
11	1. Viertel	C: Ober- und Unterstimme: jeweils ohne ᛉ
12	2. Viertel	A: Unterstimme: ᛉ, Korrektur in ᛉ
13	1. Viertel	A, B, C: Unterstimme: notiert als
14	1. Viertel	C: Unterstimme: mit ᛉ
15	1. Viertel	B, C: Oberstimme: ohne ᛉ
18	3. Viertel	C: Oberstimme: a'' ohne Verlängerungspunkt
20	3. Viertel	B: Unterstimme: cis'' als Achtel gebalkt
23	1. Viertel	C: Oberstimme: f'' mit ♭-Auflösungszeichen
27	1. Viertel	C: Ohne Bogen
28	2. Viertel	B, C: Ohne Bogen
30	2. Viertel	B: Bogen 1.–4. Note cis'–b'
31	2. Viertel	B: Bogen 2.–4. Note d'–a'
32	1. Viertel	C: Bogen 1.–4. Note gis'–f''
35	2. Viertel	B: f'', e'' statt g'', f''
37	3. Viertel	A, B: 3. Note gis' ohne ♯
38	1. Viertel	B: Ohne Bogen
40	2. Viertel	B, C: Bogen 1.–4. Note b'–a'
42	1. Viertel	B: Bogen 1.–4. Note a–cis''
	2. Viertel	C: Bogen 1.–4. Note d'–c''
43	3. Viertel	B: Bogen 1.–4. Note g–d''
45	2., 3. Viertel	B: Bogen endet 6. Note f'
47	3. Viertel	C: Bogen endet 2. Note a'
48	2. Viertel	B: Ohne zwei Bogen; C: Ohne 2. Bogen
49, 50	2. Viertel	B: Bogen endet auf 4. Note c' bzw. b'
51	3. Viertel	B: Bogen endet auf 2. Note b'
52	1. Viertel	A, B: 3. Note cis'' ohne ♯
55	3. Viertel	B: Ohne Bogen
57	3. Viertel	C: Bogen 1.–4. Note b'–g'
59	2. Viertel	C: Oberstimme: mit ᛉ
	3. Viertel	C: Ohne Bogen
60	3. Viertel	C: Ohne zwei Bogen
63	2. Viertel	C: Ohne zwei Bogen
65	1. Viertel	B, C: Bogen 2.–5. Note a'–d'
66	1. Viertel	B: Bogensetzung ungenau
67	1. Viertel	B: Bogen 2.–5. Note f'–c'; C: Ohne Bogen
69	1. Viertel	B, C: Bogen 2.–4. Note d'–f'
70	1. Viertel	C: Bogen 2.–4. Note c'–e'
73	1. Viertel	C: Mit Bogen 1.–8. Note f–cis''

Takt	Taktteil	Bemerkung
73	2. Viertel	B, C: Mit Bogen 1.–8. Note d''–a''
75	2. Viertel	C:
79	3. Viertel	B: Bogensetzung ungenau
82	2. Viertel	C: Ohne zwei Bogen
83	1. Viertel	B: Ohne 2. Bogen
86	2. Viertel	B, C: Ab 2. Notengruppe bis Takt 88 Notation im Französischen Violinschlüssel; C: 2. Notengruppe ohne Bogen
87	2. Viertel	B: 2. Notengruppe ohne Bogen
	3. Viertel	C: Gebalkt 1.–4., 5.–8. Note mit entsprechender Bogensetzung
88	3. Viertel	C: Gebalkt 1.–4., 5.–8. Note mit entsprechender Bogensetzung
89	1. Viertel	A: 2. Notengruppe ohne 2. Bogen; C: Ohne vier Bogen
	2., 3. Viertel	C: *arpege.*
96	1.–3. Viertel	C: d'' irrtümlich mit Verlängerungspunkt
103	1. Viertel	C: Schlecht lesbar
104	2., 3. Viertel	B: Unterstimme: c' statt a'
105	3. Viertel	A: Unterstimme: ursprünglich a, Korrektur in d
107	1. Viertel	C: Oberstimme: es'' mit ♭
113	1.–3. Viertel	B: Oberstimme: ohne Verlängerungspunkt
116		A: Unter dem System steht *VS: volti presto*; B: *volti*
121	2. Viertel	B: 5., 6. Note h', c'' doppelt, dadurch zwei Noten wertmäßig zuviel
122, 123	1. Viertel	C: 1. Note c' als Sechzehntel gebalkt
123	1.–3. Viertel	B: Bogen 1.–2. Viertel und 3. Viertel
124	3. Viertel	B: Bogen 2.–5. Note d''–cis''
125	2. Viertel	B: Mit Bogen
130		A, B, C: Am Taktende (A: Ohne Taktstrich): Violinschlüssel mit neuer Vorzeichnung
134	2., 3. Viertel	B: Unterstimme g statt a; C: cis' statt a; B, C: Bogen nur über den beiden letzten Noten
135	1.–3. Viertel	B: Der ganze Takt fehlt; C: Ohne Bogen
138	2. Viertel	B: Unterstimme: ohne Verlängerungspunkt
139	2. Viertel	C: Unterstimme: ohne Verlängerungspunkt
142	1. Viertel	B: Unterstimme a statt cis'
	3. Viertel	B: Mittelstimme: g' fehlt
143	2. Viertel	B: Beide Mittelstimmen g', h' fehlen
144	2. Viertel	C: Unterstimme: cis'
145	2., 3. Viertel	C: Unterstimme: 1.–2., 3.–4. Note gebalkt
146	3. Viertel	C: Letzte Note a'' statt g''

Takt	Taktteil	Bemerkung
147	1.–3. Viertel	C: Oberstimme: 1.–6. Note gebalkt
149	2. Viertel	B, C: Bogen 2.–4. Note h'–fis''
150	1., 2. Viertel	B, C: Ohne 𝄾, ohne 𝄽
	3. Viertel	B: Unterstimme: a statt ais mit ♯
151	1., 2. Viertel	C: Ohne 𝄾, ohne 𝄽
	2. Viertel	B: Ohne Bogen
152	2. Viertel	B: Bogen 1.–4. Note cis''–h''
158	3. Viertel	C: 4. Note cis''' verdickt, Beischrift *c*
159	1. Viertel	C: 1.–4. Note fis''', a''', fis''', d''' statt d''', fis ''', d''', h''
161	1. Viertel	B: 1. Note a' statt fis'
170	1. Viertel	C: Oberstimme: ohne 𝄿, ohne 𝄾
	2. Viertel	C: 
171, 172	1. Viertel	C: Oberstimme: ohne 𝄿, ohne 𝄾
172	3. Viertel	C: Oberstimme: 2. Note a'' statt g''
174	2. Viertel	B: Danach irrtümlich Taktstrich, der nach 3. Viertel fehlt
176	2. Viertel	B: Unterstimme fehlt; ohne 𝄿, ohne drei Noten fis'
178	1. Viertel	B: Ohne Bogen
	2., 3. Viertel	C: Ohne Bogen
179	1. Viertel	C: Ohne Bogen
180	1. Viertel	C: Über beiden Stimmen steht 𝄽
182	2. Viertel	B: Ohne zwei Verlängerungspunkte; C: Ohne Mittelstimme cis''
189	1., 2. Viertel	C: Mittelstimme 1.–2., 3.–4. Note gebalkt
195–199		A, B: Im Französischen Violinschlüssel notiert
198	1. Viertel	C: Oberstimme: d''' statt cis''', 2. Viertel d' ohne Verlängerungspunkt
200	1. Viertel	C: e'' als Viertel, d'' als Achtel
201	1. Viertel	C: *arp:* steht erst auf 3. Viertel
208		A, B: Am Taktende (ohne Taktstrich): Violinschlüssel mit neuer Vorzeichnung
209	1. Viertel	C: Erst nach 1. Viertel Violinschlüssel ohne neue Vorzeichnung
	2. Viertel	C: Oberstimme: b' mit ♭
210	1. Viertel	C: c', e' jeweils ohne Verlängerungspunkt
211	2. Viertel	C: 4. Note verdeutlicht in d', Beischrift *d*
214	1. Viertel	A, B: Die beiden Mittelstimmen d', h' ohne Verlängerungspunkt
215	3. Viertel	B: Bogen 2.–4. Note d'–g'
217	1., 3. Viertel	B: Bogensetzung ungenau

Takt	Taktteil	Bemerkung
218	1. Viertel	B: Bogen 1.–4. Note e'–a''
	3. Viertel	B: Bogen 2.–4. Note d''–d''
220	1. Viertel	B: Bogen 1.–4. Note, g'–b''
		C: 1.–3. Note g', a', b' statt g', b', d'
221	2. Viertel	B: Bogen verschoben, ebenso Takt 222, 1. Viertel
222	3. Viertel	B: Mit Bogen 2.–4. Note f'–es''
223	1. Viertel	B: Ohne Bogen
226	3. Viertel	C: Ohne Bogen
227	1.–3. Viertel	B, C: Bogensetzung ungenau
228	1., 2. Viertel	C:
230	1. Viertel	C: 3. Note a' statt b'
231	1. Viertel	C: Ober- und Mittelstimme: f', d' statt d' b'
233	1. Viertel	C: Ohne 2. Bogen
234	1. Viertel	C: 3. Note a' statt g'
236	1. Viertel	B: Unterstimme: g mit ♮ statt h mit ♮
		C: Ohne 1. und 2. Bogen
	1., 2. Viertel	A, B: Als drei einzelne Stimmen gebalkt; NBA faßt Unter- und Mittelstimme zusammen
236–240		C: 2.–4. Viertel von Takt 236 bis 1. Viertel von Takt 240 fehlen; der Sprung ist offensichtlich durch Übersehen eines Systems in der Vorlage bedingt, so daß der Takt folgende Gestalt hat:

Die Vorlage muß dieselbe Raumanordnung wie A gehabt haben, bei der das 1. Viertel von Takt 236 am Schluß des Systems, das 2. und 3. Viertel von Takt 240 vorn auf dem übernächsten System tiefer steht

Takt	Taktteil	Bemerkung
237	1. Viertel	B: 2. Bogen verschoben
	2. Viertel	B: Ohne zwei Bogen
238	1. Viertel	B: Bogen verschoben
	4. Viertel	B: 2. Bogen irrtümlich in der Unterstimme gesetzt
239	1. Viertel	B: Über dem System steht *volti cito*
	3. Viertel	A, B: Als drei einzelne Stimmen gebalkt, vgl. Takt 236
240	1., 2. Viertel	A, B: Als drei einzelne Stimmen gebalkt, vgl. Takt 236
	1. Viertel	B: Ohne 1. Bogen

Takt	Taktteil	Bemerkung
241	2. Viertel	A, B: 1. Notengruppe ohne Triolenziffer; B, C: 2. Notengruppe ohne Triolenziffer
	3. Viertel	B, C: 1. Notengruppe ohne Triolenziffer
243	1., 2. Viertel	A: Unter dem System steht *V S: volti presto*
	3. Viertel	C: 2. Notengruppe lautet b′, es″ mit ♭, g′ statt es′ mit ♭, b′, g″
245	1., 2. Viertel	A, B: Stark gegliederte Bogen, die abweichende Artikulierung andeutend
	3. Viertel	B: Bogen getrennt; phrasiert wird 2.–3., 4.–6. Note
246–257		C: Von anderer Hand notiert
246	1., 2. Viertel	B: Bogensetzung ungenau
	1.–3. Viertel	C: Ohne Artikulationsbogen
247	1.–3. Viertel	B: Bogensetzung ungenau und verschoben; C: Ohne Artikulationsbogen
248	1., 3. Viertel	C: Gebalkt 1.–3., 4.–7. Note
249	2., 3. Viertel	C: d′, f′ als Viertelnoten statt Halbe
253	1. Viertel	C: Ohne Bogen
	2. Viertel	C: Oberstimme: a′ statt b′
255	1., 2. Viertel	B: Gebalkt 1.–8. Note
	3. Viertel	C: Oberstimme: f′ mit ♭
257		C: Ohne zwei Fermaten; B: Mit *Fine.*

SONATA III

BWV 1005

S a t z 1, *Adagio*:

Takt	Taktteil	Bemerkung
1		C: Taktzeichen 3 statt $\frac{3}{4}$
	3. Viertel	B: 2. Note d′ statt e′
7, 8	2., 3. Viertel	C: Oberstimme: fis″ jeweils mit ♯
7	2. Viertel	C: Mittelstimme: es″ mit ♭
9	1., 3. Viertel	B: Jeweils ohne Bogen
10	3. Viertel	A: Rasur, doch Text erkennbar
12	1. Viertel	C: 1. Note b′ als Sechzehntel gebalkt
13	2. Viertel	C: g′ ohne Verlängerungspunkt
14	3. Viertel	C: Mit + über a′
15	1.–3. Viertel	B: Jeweils ohne Bogen
	3. Viertel	B: 2. Note a statt h, vgl. Takt 1
17	2., 3. Viertel	B: Jeweils ohne Bogen

Takt	Taktteil	Bemerkung
18	1.–3. Viertel	B: Jeweils ohne Bogen
	3. Viertel	B: 2. Note h statt a, vgl. Takt 1, 15
19	2., 3. Viertel	B: Jeweils ohne Bogen
20	2. Viertel	A, B: Ohne Bogen
	3. Viertel	B: Ohne Bogen
21	1.–3. Viertel	C: Jeweils ohne Bogen
	2., 3. Viertel	C: Unterstimme: jeweils b mit ♭
24	2. Viertel	B: Ohne Bogen; C: Nur ⁊⁊; NBA folgt dieser Lesart
25	3. Viertel	C: f″ mit Haltebogen; ohne ⁊
27	2. Viertel	B: Oberstimme: ohne ⁊
28	2. Viertel	C: Ohne ⁊
29	3. Viertel	B, C: c″, e″ jeweils ohne Verlängerungspunkt
30	2. Viertel	C: fis′ mit ♯
33	2. Viertel	C: Oberstimme: fis mit ♯
38	3. Viertel	B, C: Ohne Bogen
39	1. Viertel	C: Oberstimme: e″ als Achtel gebalkt, Unterstimme: ohne ⁊
	2. Viertel	A, B, C: Oberstimme: [Notenbeispiel] ; da der Verlängerungspunkt nur ein Viertel des Wertes gilt, wurde die Notengruppe als Triole aufgefaßt und durch Ziffer bezeichnet
40	1. Viertel	B: Mittelstimme: d′ ohne Haltebogen
	2., 3. Viertel	A, B: Bogen 1.–4., 5.–10. Note, in A bedingt durch neues System
41	2., 3. Viertel	B: Bogen ab 1. Viertel a; C: Oberstimme: ohne Pausen
42	2., 3. Viertel	Balkenteilung nicht original; A, B, C: Balken 1.–11. Note als Sechzehntel zusammen
43	3. Viertel	C: Oberstimme: es′ ohne Verlängerungspunkt
44	3. Viertel	B, C: Ohne *tr*
46	1. Viertel	B: Ohne Bogen
	2., 3. Viertel	B: Bogensetzung ungenau
47		A: Nach zwei dünnen Schlußstrichen steht ₵
		C: Unter dem mit Noten beschriebenen System steht *Si volti*.

S a t z 2, *Fuga*:

Takt	Taktteil	Bemerkung
1		C: *Allabreve*; Taktzeichen: c
4	1., 2. Viertel	C: Ohne halbe Pause
14	1., 2. Viertel	C: Mittelstimme: g′ statt e′; vgl. hierzu Takt 302
18	3., 4. Viertel	C: Oberstimme: Akzidens undeutlich, vermutlich ♯, in ♭ korrigiert
20	3., 4. Viertel	C: Ohne halbe Pause; vgl. Takt 308

Takt	Taktteil	Bemerkung
27	1.–4. Viertel	Ohne ganze Pause
	3., 4. Viertel	C: Oberstimme: es mit ♭, A, B: unbezeichnet
28, 29	1.–4. Viertel	C: Mit ganzer Pause
30	3., 4. Viertel	B: Unterstimme: ♮ statt ♭; Mittelstimme: h' statt g'
34	3., 4. Viertel	Ohne halbe Pause
36	3., 4. Viertel	A, B, C: Ohne halbe Pause
43	3., 4. Viertel	C: Bogen jeweils 2.–3. Note, vgl. Takt 331
44	1. Viertel	C: Unterstimme: g' statt f'
45	4. Viertel	C: fis'' doppelt behalst
47	1. Viertel	C: Oberstimme: 1. Note f'' statt e''
52	2.–4. Viertel	C: Ohne Pausen
55	4. Viertel	C: Mittelstimme: d'' statt c''
62	1. Viertel	B: Unterstimme: a statt as
63		B: Unter dem System steht *volti cito*
66	1. Viertel	B: Bogen 1.–3. Note c''–f''; C: Ohne Bogen
70	1., 2. Viertel	C: Bogen 1.–5. Note c''–a''
71	3. Viertel	C: 2. Note d'' statt c''
74	1., 2. Viertel	C: Gebalkt 1.–2., 3.–4. Note
79	3. Viertel	C: Bogen 2.–3. Note d'–e'
	4. Viertel	B, C: Bogen 2.–3. Note h–cis'
80	3., 4. Viertel	C: Gebalkt 1.–5. Note
		A: Unter dem System bis **Takt 81, 2. Viertel** steht *VS: volti presto*
81	3. Viertel	B: Ohne Bogen
	4. Viertel	C: Bogen 2.–3. Note a–h
82	3., 4. Viertel	C: Bogen 2.–4. Note g''–e''
85	2. Viertel	C: 1. Note mit ♭ statt ♯, daher ges' statt gis'
87	1., 2. Viertel	B, C: Ohne Bogen
	3., 4. Viertel	C: Gebalkt 1.–4. Note; 3. Note b'' ohne ♭
88, 91	1., 2. Viertel	B: Bogensetzung ungenau
96	2. Viertel	C: Unterstimme: g' ohne ♮
97	2.–4. Viertel	B: Irrtümlich die 1. Note g'' ist zuviel
98	1., 2. Viertel	A: Unterstimme: Notenkopf stark verdickt und mit Tinte ausgefüllt, stellt Korrektur a' in g' dar; C: a' statt g'
102, 104	3., 4. Viertel	C: Oberstimme: b'' bzw. g'' mit Haltebogen
105	1., 2. Viertel	B: Mittelstimme: c'' korrigiert in a'
114	2. Viertel	C: Oberstimme: fis' mit ♯ statt f' unbezeichnet
125	3., 4. Viertel	C: Unterstimme: d' statt e'
130	1., 2. Viertel	C: Unterstimme: a statt g
145	3., 4. Viertel	A: Unterstimme: b doppelt behalst

Takt	Taktteil	Bemerkung
146		B: Nach Takt 146 werden Takt 144 und 145 wiederholt, jedoch bei Takt 144 unter Weglassung von a' und a (1., 2. Viertel, Unter- und Mittelstimme)
148	1., 2. Viertel	C: Mit halber Pause
156	1., 2. Viertel	C: Mittelstimme: g' statt e'
163	3. Viertel	C: Ohne 2. 𝄽
164	3. Viertel	C: + statt *tr*
165	2. Viertel	B: 2. Note e'' statt f''
167	1., 2. Viertel	C: Gebalkt 1.–2., 3.–4. Note
168	2. Viertel	B: 1. Note g', korrigiert in f'
173	3. Viertel	C: 2. Note b mit ♭
189	1., 2. Viertel	C: Unterstimme: gebalkt 1.–2., 3.–4. Note
192	2. Viertel	C: Unterstimme: fis'' mit ♯
194	4. Viertel	B: Oberstimme: his'' statt cis'''
196	3. Viertel	B: Unterstimme: e'' statt es'', ♭ vergessen
201	3., 4. Viertel	B: Ohne *al riverso*
205	1., 2. Viertel	A, B: Ohne halbe Pause; vgl. jedoch Takt 4
207		B: Unter dem System steht *volti*
214	1., 2. Viertel	C: Mit halber Pause
218	3., 4. Viertel	C: Unterstimme: ohne b', a', g
223	1., 2. Viertel	C: Mit halber Pause
236	3., 4. Viertel	A: Unterstimme: ursprünglich g, Korrektur in a
238	3. Viertel	C: Ohne 𝄾𝄾
240	2. Viertel	C: Ohne 𝄽
	3., 4. Viertel	C:
241	3., 4. Viertel	C: Mit zwei halben Pausen
244	3. Viertel	C: Ohne *tr*
250	1., 2. Viertel	C: Gebalkt 1.–2., 3.–4. Note
252	2. Viertel	B: 2. Note c'' mit übergeschriebenem ♯, Beweis für Abschrift von A, da dort das ♯ als Kustos steht
	4. Viertel	C: 2. Note fis'' ohne ♯
254	2. Viertel	C: 1. Note d'' statt c''; 2. Note fis'' ohne ♯
257	4. Viertel	A, B: 2. Note b'' ohne ♭
261	4. Viertel	B: 2. Note mit ♮ statt ♭, daher h'' statt b''
274	2. Viertel	C: 1. Note e'' statt d''
275	1., 2. Viertel	A: Halbe Note zusammengelaufen
277	3., 4. Viertel	A, B: Unterstimme: gebalkt 1.–4. Note
278	3., 4. Viertel	B: Unterstimme: gebalkt 1.–4. Note
	4. Viertel	C: Unterstimme: 1. Note a' verdickt, Beischrift *a*

104

Takt	Taktteil	Bemerkung
281	3., 4. Viertel	A, B: Unterstimme: gebalkt 1.–4. Note
282	1., 2., 3., 4. V.	B: Jeweils gebalkt 1.–4. Note
	2. Viertel	B: Unterstimme: 1. Note d'' statt h'
	4. Viertel	A, B, C: 1. Note b' ohne ♭
284	4. Viertel	A, B, C: Unterstimme: as' mit ♭
287	1. Viertel	C: Ohne ⅄
291	4. Viertel	C: Unterstimme: h mit ♭
302	1., 2. Viertel	C: Mittelstimme: g' statt e', Unterstimme: c' statt a; damit wird die tonartliche Funktion nach T statt nach Tp geändert; eine Lesart, die sonst nirgends belegt ist, vgl. dazu Takt 14
308	3., 4. Viertel	C: Mit zwei halben Pausen; vgl. Takt 20
318	1., 2. Viertel	C: Ohne halbe Pause
323	2., 3. Viertel	C: Unterstimme: ohne ⅄⅄
325	2., 3. Viertel	C: Unterstimme: ohne ⅄⅄
329	1. Viertel	C: Oberstimme: 1., 2. Note a', c'' statt f', a'
330	1., 2. Viertel	C: Bogen 2.–5. Note a'–d''
331	3., 4. Viertel	C: Bogen jeweils 2.–3. Note, vgl. Takt 43
334	3. Viertel	C: ♭ vor g' statt vor h
335	1. Viertel	C: Oberstimme: 1. Note f'' statt e''; vgl. Takt 47
341	2., 3. Viertel	A, B: Ohne ⅄
342	3., 4. Viertel	C: Ohne halbe Pause
343	4. Viertel	C: Mittelstimme: d'' statt c'', vgl. Takt 55
347	4. Viertel	C: 2. Note a' statt c''
348	1.–4. Viertel	A: Unterteilter Bogen infolge Systemwechsels: 2.–4., 5.–7. Note; B: Übernimmt die Bogensetzung ohne Zwang zu Systemwechsel
350	1. Viertel	C: Unterstimme: g statt as mit ♭
	3. Viertel	C: 2. Note a'' mit ♮
354		B: Nur mit einer Fermate unter den Noten
		C: Ohne Fermaten.

Satz 3, *Largo*:

Bogensetzung in den Quellen stark uneinheitlich. A artikuliert vielfach ganz bewußt

, während B und C die Bogensetzung verunklaren und verwischen.

Takt	Taktteil	Bemerkung
1	1., 3. Viertel	C: Ohne Bogen
	2. Viertel	C: Ohne Bogen
2	1. Viertel	C: Unterstimme: d' als Sechzehntel
	2. Viertel	B: Bogensetzung ungenau und nur ein Bogen
		C: Ohne ⅄
	3. Viertel	C: Ohne *tr*

Takt	Taktteil	Bemerkung
3	2. Viertel	B: Ohne 𝄾
	3. Viertel	B, C: Bogen 1.–4. Note f''–c'', in B: Gewellt
4	1. Viertel	B: Gewellter Bogen 1.–4. Note g'–d''; C: Ohne 𝄾
	3. Viertel	B: Bogen verschoben; C: Ohne Bogen
6	1. Viertel	B: Ohne Bogen
	3. Viertel	C: Ohne *tr*
7	3. Viertel	C: Ohne 𝄾
8	1. Viertel	B: Bogen 2.–4. Note g'–c''
	3., 4. Viertel	C: Ohne Bogen
	4. Viertel	B: Ohne 𝄾
9	1. Viertel	C: Ohne zwei Bogen
	2. Viertel	B: Oberstimme: 1. Note g' als Sechzehntel gebalkt; ohne Bogen
	3. Viertel	B, C: Ohne Bogen 𝄾 ergänzt
10	1. Viertel	C: Ohne Bogen
	3. Viertel	B: Bogensetzung ungenau
11	1., 3. Viertel	B: Ohne Bogen
	3. Viertel	C: Ohne 𝄾
12	4. Viertel	A: Ohne 𝄾
		A: *tr* sehr klein aus Platzmangel unter der Note g''; B: Übernimmt undeutlich das Zeichen, auch als gewellter Bogen lesbar
		B: Oberstimme:
13	1. Viertel	B: Ohne Bogen
		C: Mittelstimme: b' mit ♭, möglicherweise von einer Quelle übernommen, die wie A das ♭ als Vorzeichnung mit nachfolgendem 1. Viertel bringt; Oberstimme:
	2. Viertel	C: Bogen ab 1. Note f'
	3. Viertel	B: Bogen 2.–4. Viertel h'–d''
	4. Viertel	C: Ohne 𝄾
15	1. Viertel	B: Bogen 3.–4. Note a'–c''; C: Ohne 𝄾
	3. Viertel	B: Bogen 2.–4. Note h'–f''
	4. Viertel	B: Bogen 2.–5. Note g''–f''; C: Bogen 1.–5. Note a''–f''
16	1. Viertel	B, C: Bogen 2.–5. Note f''–c'', in A: So deutbar
	2. Viertel	B, C: Ohne Bogen
16	3., 4. Viertel	C: Ohne Bogen
	4. Viertel	C: Ohne 𝄾
17	1. Viertel	C: Ohne Bogen
	2. Viertel	B: Ohne Bogen
	3. Viertel	B, C: Ohne Bogen

Takt	Taktteil	Bemerkung
18	2. Viertel	B: 3. Note es' ohne ♭
		C: Ohne zwei Bogen
	3. Viertel	B: Bogen 1.–6. Note d'–d''
20	2. Viertel	C: Unterstimme: c' als Achtel
	3. Viertel	A, B: Ohne 𝄽; B, C: Bogen 2.–4. Note as''–as''
	4. Viertel	C: Nach 4. Viertel ohne Taktstrich
21	1. Viertel	C: Ohne 𝄾
	3., 4. Viertel	C: Unterstimme: ursprünglich e', verdeutlicht in f', Beischrift *f*

A: Zwei dünne Striche, danach $\frac{3}{4}$ *VS. volti*

B: Zwei dünne Striche mit darübergesetzter Fermate, danach $\frac{3}{4}$ ♮ *allegro assai*

C: Dünne Schlußstriche, danach 10 Systeme frei; der Attacca-Charakter kommt in allen drei Quellen zum Ausdruck.

S a t z 4, *Allegro assai*:

Bogensetzung in B, C ungenau; B läßt vielfach den Willen erkennen, die 2.–4. Note in der Gruppe zu binden, entgegen der Auffassung von A.

Takt	Taktteil	Bemerkung
1		B: Ohne nochmalige Tempobezeichnung; C: Taktzeichen *3*
4	1. Viertel	B, C: Bogen 1.–4. Note g'–d'', vgl. Takt 46
5	2., 3. Viertel	B: Durch Systemwechsel geteilter Bogen, beginnt ab 2. Note c''
		C: Die Wiederholung der Takte 5–8 wird durch ‖: bei Beginn in Takt 5 und durch :‖ bei Schluß von Takt 8 verlangt
11	1., 2. Viertel	B: Geteilter Bogen 1.–4., 5.–8. Note
13, 14	1.–3. Viertel	C: Bogen jeweils 1.–4. Note
14	1. Viertel	C: 1. Note e' statt d'
	2. Viertel	C: 1. Note g'' statt f''
15	1. Viertel	B: Bogen 1.–4. Note c'–f'
17	3. Viertel	A, B: 3. Note b' ohne ♭
18	1. Viertel	A, C: 2. Note h' mit ♮
19, 20	1. Viertel	B: Bogen 1.–4. Note f'–e'
21, 23	1.–3. Viertel	B: Bogen jeweils 2.–4. Note
	3. Viertel	C: Bogen 2.–4. Note g'–e'
25, 27	1.–3. Viertel	B: Bogen jeweils 2.–4. Note
28	1.–3. Viertel	A, B, C: Jeweils 4. Note fis' ohne ♯
29	1., 3. Viertel	B: Bogen 2.–4. Note c''–c''
	2. Viertel	B: Ohne Bogen

Takt	Taktteil	Bemerkung
30	1. Viertel	B: Mit Bogen 2.–4. Note c''–c''
31	1., 2. Viertel	B, C: Bogen ab 2. Note h'
	3. Viertel	C: Ohne Bogen
33	1.–3. Viertel	B: Bogen jeweils 2.–4. Note
	3. Viertel	C: Bogen 2.–4. Note
34	1. Viertel	A, B: 4. Note cis'' ohne ♯
37, 38,		
39	1.–3. Viertel	B: Bogen jeweils 2.–4. Note
40	2. Viertel	B, C: Bogen 2.–4. Note fis'–d'
42	2. Viertel	B: Ohne Bogen
43		A, B: |: mit Dal-Segno, in A über, in B über und unter dem System
	1. Viertel	B: Bogen 1.–4. Note g'–d''
45	3. Viertel	B: 3. Note f ohne ♯
47, 51,		
53	1., 2. Viertel	B: Gewellter und geteilter Bogen
50–53		C: Die Takte fehlen
57	1.–3. Viertel	B: Bogen jeweils 2.–4. Note; C: Bogen für 1.–2. Viertel ab 2. Note a'
59, 61	1., 2. Viertel	B, C: Bogen ab 2. Note a'
61	3. Viertel	C: Bogen ab 2.–4. Note a'–a'
63, 65	1. Viertel	B: Bogen 1.–4. Note g'–d''
64	1., 2. Viertel	B: Bogen 1.–4., 5.–8. Note
68	1., 2. Viertel	B: Bogen bis 8. Note c'
69, 71	1.–3. Viertel	B, C: Bogen jeweils 2.–4. Note
71	1. Viertel	C: *pian:*
73	2., 3. Viertel	B, C: Bogen jeweils 2.–4. Note
	2. Viertel	C: *fort:*
74		B: Unter dem System: *volti cito*
75, 76		C: Über dem System: kleine Noten als Federproben
75	1. Viertel	B, C: Bogen ab 2. Note f'
	3. Viertel	B, C: Bogen 2.–4. Note f'–f'
77	1. Viertel	B: Mit Bogen 2.–4. Note e'–g'
80	1. Viertel	A, B, C: Bogen 2.–4. Note d''–h', in A: Offensichtlich durch Platzmangel bedingt; E: Bogen 1.–4. Note
81	3. Viertel	B, C: Bogen 2.–4. Note e''–c''
82	1. Viertel	B, C: Bogen 2.–4. Note c''–a''
84	1., 2. Viertel	B: Durch Systemwechsel Bogen geteilt; in B und C ab 2. Note f'' beginnend
96	1. Viertel	C: 4. Note g' statt a'

108

Takt	Taktteil	Bemerkung
97, 98	1.–3. Viertel	B: Bogen jeweils 2.–4. Note
99	1.–3. Viertel	C: Bogen jeweils 2.–4. Note
101	1. Viertel	A, B: 3. Note e″ mit ♮
		B: Bogen 1.–4. Note c″–g″
		A, B, C: Über und unter Schlußstrich jeweils eine Fermate
		A: *Fine.* B: *Fine.* Danach von fremder Hand *Partia 3.*

PARTITA III

BWV 1006

S a t z 1, *Preludio*:

Zur Notation: Quelle A und B geben in allen Sätzen die geforderte Doppelerhöhung stets durch Zusatz eines einfachen Kreuzes; nur C schreibt das Doppelkreuz.

Takt	Taktteil	Bemerkung
5	1. Viertel	B: Ohne Dynamik
7	1. Viertel	B: Ohne Dynamik; C: *for*
11	1. Viertel	B, C: Ohne Dynamik
13	1. Viertel	C: Unter der 1. Note gis″ steht *for*
14	1.–3. Viertel	B: Gebalkt 1.–8., 9.–12. Note, bedingt durch neues System
15	1. Viertel	B: Ohne Dynamik; C: *p* unter der 1. Note gis″
16	1.–3. Viertel	A: Gebalkt 1.–4., 5.–12. Note, bedingt durch neues System; B: übernimmt ohne Zwang die Balkung; C: Gebalkt 1.–4., 5.–8., 9.–12. Note
17	1. Viertel	C: *for*
19	2., 3. Viertel	C: 4. Note d″ jeweils ohne ♮
	3. Viertel	A: 3. Note a″, wird von B übernommen; wahrscheinlich ein Schreibfehler, vgl. hierzu Takt 69; C, D: gis″; E: a″; NBA folgt C, D
31	3. Viertel	C: 1. Note d″ ohne ♮
32	2. Viertel	C: 1. Note d″ ohne ♮
33	1. Viertel	A, B, C: 2. Note dis′ mit ♯; B: Überdies 4. Note dis′ mit unter die Note geschriebenem ♯
	3. Viertel	C: 1. Note eis′ ohne ♯
34	1.–3. Viertel	C: 3., 7., 11. Note eis′ ohne ♯
35	3. Viertel	C: 2. Note eis″ ohne ♯
36	2. Viertel	A: 2. Note gis″ durch Korrektur verdickt
39	2. Viertel	A: 1. Note gis″ stark verdickt; A, B: 2., 4. Note fis″ nur mit Kreuz statt Doppelkreuz bezeichnet
40	1. Viertel	C: 3. Note his′ ohne ♯
	2. Viertel	C: 4. Note eis″ ohne ♯

Takt	Taktteil	Bemerkung
41	1. Viertel	A, B: Mit Bogen 1.–2., 3.–4. Note; NBA folgt C, D, E
		C: 3. Note his' ohne ♯
43, 45	3. Viertel	C: 1. Note his' ohne ♯
45	1. Viertel	B: Ohne Dynamik; C: *p*
47	1.–3. Viertel	C: *for*; A, B: 2., 6., 10. Note fis' nur mit Kreuz statt Doppel-kreuz bezeichnet; 4., 8., 12. Note fis' ohne ♯; C: Nur die 2. Note fis' ist mit Doppelkreuz bezeichnet
48	1.–3. Viertel	A, B, C: Akzidenziensetzung wie Takt 47
49	1. Viertel	C: *for*
50	2., 3. Viertel	C: 3., 7. Note his' ohne ♯
51	1. Viertel	C: *for*
57, 58	1.–3. Viertel	A, B: 12. Note d'' ohne ♮; C: 4., 6., 8., 10., 12. Note d'' ohne ♮
61	1. Viertel	B, C: *p*
	3. Viertel	B: Unter der 1. Note *f.*; bezieht sich nach A auf das dar-unterliegende System, Takt 67, 1. Viertel; der Irrtum erklärt sich aus der Notationspraxis von A, die dynamische An-gaben vielfach über das System setzt
63	1. Viertel	C: *for*
	2. Viertel	C: Bis Takt 66 stets vier Noten gebalkt
64	3. Viertel	B: Statt 1. Note d' ist notiert
65	1. Viertel	B: Ohne Dynamik; C: *p*
	2. Viertel	B: 1. Note a' in gis' korrigiert
67	1. Viertel	C: *for*
69, 70, 71	2., 3. Viertel	C: Jeweils 4. Note g' bzw. 1. Note d'' ohne ♮
73	2., 3. Viertel	C: Jeweils 4. Note d' ohne ♮
74	1.–3. Viertel	C: Jeweils 4. Note d' ohne ♮
75	1. Viertel	B: 2. Note h' statt a'; unter dem System steht *volti cito*
80	1.–3. Viertel	C: 4., 8., 12. Note d' ohne ♮
81	3. Viertel	C: 1. Note g' ohne ♮
82	3. Viertel	C: 2. Note ais' ohne ♮
83	2., 3. Viertel	C: Jeweils 1. Note d' ohne ♮
84	2. Viertel	A: 4. Note e' mit ♮ statt 3. Note d' mit ♮; B übernimmt den Fehler
	2., 3. Viertel	C: Jeweils 3. Note d' ohne ♮
85	1. Viertel	C: 2. Note gis' ohne ♯
86, 87	3. Viertel	C: 2. Note his' bzw. eis'' ohne ♯
89	1. Viertel	C: 3., 4. Note cis'', h'' statt h'', cis'''
	2. Viertel	C: 1. Note d''' ohne ♮
90	3. Viertel	C: 1. Note eis'' ohne ♯

Takt	Taktteil	Bemerkung
91	1.–3. Viertel	C: 3., 11. Note eis" ohne ♯
92	3. Viertel	C: 2. Note d'" ohne ♮
93	1. Viertel	C: 2. Note d'" ohne ♮
	2. Viertel	C: 4. Note eis" ohne ♯
95	1., 2. Viertel	C: Jeweils 4. Note d" ohne ♮
96	1. Viertel	B: 3. Note d" ohne ♮
	2. Viertel	C: 2. Note d" ohne ♮
97	3. Viertel	A: 1. Note fis' in gis' verdeutlicht
98	2., 3. Viertel	A, B: Jeweils 4. Note eis' ohne ♯; C: 2., 4., 6., 8. Note eis' ohne ♯
100	1., 2. Viertel	C: 3., 5. Note eis' ohne ♯
102	1., 2. Viertel	C: 3. Note eis" bzw. 4. Note his" ohne ♯
	2. Viertel	B: Ohne zwei Bogen
103	1., 2. Viertel	C: 3. Note eis" bzw. 4. Note ais" ohne ♯
104	1. Viertel	A, B, C: 3. Note eis" ohne ♯
	2., 3. Viertel	C: 3., 5. Note d" ohne ♮; ohne zwei Bogen
105	1. Viertel	B, C: Bogen 1.–4. Note eis'–h"
106	2. Viertel	C: Ohne zwei Bogen
109	2. Viertel	C: , ebenso Takt 110, 3. Viertel, Takt 112, 3. Viertel:
111	2., 3. Viertel	A: Unter dem System: *VS: volti presto.* C: Ohne vier Bogen; 3. Note dis" mit ♯
112	1.–3. Viertel	C: Ohne sechs Bogen
114	2. Viertel	C: Ohne zwei Bogen
	3. Viertel	B, C: Ohne zwei Bogen
116	3. Viertel	C: Ohne zwei Bogen
	4. Viertel	C: 1. Note dis' mit ♯
118	2., 3. Viertel	C: Ohne vier Bogen
119, 120	1. Viertel	B: Jeweils Bogen 1.–4. Note a–h'; B: Jeweils 4. Note h' mit Keil
120	1. Viertel	C: 3. Note dis" mit ♯
121, 122	1. Viertel	B, C: Jeweils Bogen 1.–4. Note
122	3. Viertel	C: 1. Note ais" ohne ♯
129	3. Viertel	B: Bogen 1.–2., 3.–4. Note
130	3. Viertel	C: 1. Note d" ohne ♮
131, 132	2., 3. Viertel	C: Ohne vier Bogen
132	2. Viertel	C: 2. Note dis" statt e"
135	2. Viertel	C: Oberstimme: fis" mit *tr*
138	1., 2. Viertel	C: Bogen jeweils 1.–4. Note; ohne zwei Fermaten.

S a t z 2, *Loure*:

Takt	Taktteil	Bemerkung
4	1., 2. Viertel	C: Ohne Bogen
5	6. Viertel	C: Ohne Bogen
7	1., 2. Viertel	C: Ohne Bogen
	4., 5. Viertel	C: Unterstimme: ohne h'
8	1., 2. Viertel	B: Doppelt, durch Striche getilgt
	2. Viertel	C: Ohne Bogen
	4. Viertel	C: Oberstimme: ais'' ohne ♯
	5. Viertel	C: Ohne Bogen
9	4. Viertel	B: Ohne Bogen; C: Bogen 1.–2. Note e''–dis''
10	1., 2. Viertel	C: Ohne zwei Bogen

B:

	5. Viertel	B: Unterstimmen: stimmengemäß mit ♪♪; Oberstimme: mit Bogen dis''–fis''
11	1. Viertel	C: Oberstimme: ohne Triolenziffer; Unterstimme: ohne ♪
	3. Viertel	C: Ohne Triolenziffer
13	2., 3. Viertel	C: Oberstimme: Bogen fis''–gis''
14	1. Viertel	C: eis', cis'' ohne Verlängerungspunkt
	2., 3. Viertel	C: Ohne ↗, ohne ♪
15	1., 2. Viertel	C: Ohne Bogen
	2. Viertel	B: Ohne *tr*
	6. Viertel	C: Danach ohne Taktstrich
16	1. Viertel	B, C: Ohne *tr*
17	4., 5. Viertel	C: h' statt his' mit ♯
19	1., 2. Viertel	B: Unterstimme: cis' fehlt
	3. Viertel	A, B: fisis'' nur mit ♯
	4., 5. Viertel	C: Unterstimme:

	5. Viertel	B: Ohne ↗
20	2. Viertel	B: 2. Note ais'' ohne ♯
	3. Viertel	A, B: Letzte Note fisis'' nur mit ♯
	2., 3. Viertel	B: Ein Bogen zuviel
22	1., 2. Viertel	B: Ohne Bogen; C: Bogen 1.–4. Note h'–h''
	1.–3. Viertel	C: Oberstimme: gebalkt 1.–6. Note h'–g''
23	5., 6. Viertel	C: Oberstimme: Bogen 1.–2., 3.–4. Note
24	2. Viertel	C: Ohne *tr*
		C: Ohne zwei Fermaten; B: Unter dem System steht *Volti*.

S a t z 3, *Gavotte en Rondeau*:

Takt	Taktteil	Bemerkung
1		A: *Gavotte en Rondeaux*
		B: Von fremder Hand; *Gavotte en Rondeau*
		C: *Gavotta*
3	3., 4. Viertel	C: Die vier Noten irrtümlich als Sechzehntel gebalkt
4	1., 2. Viertel	B: Bogen 2.–4. Note h'–e'; C: Bogen 1.–4. Note e''–e'
	3., 4. Viertel	C: Mit Bogen 1.–4. Note gis'–gis''
5	1., 2. Viertel	B: Bogen 2.–4. Note gis''–e''
8	1., 2. Viertel	A, B: Mit zwei Fermaten unter und über den Noten
		C: Eine Fermate über der Note
10	1., 2. Viertel	B: Ohne Bogen
	3., 4. Viertel	C: Bogen 1.–4. Note cis''–gis''
11	1., 2. Viertel	B, C: Bogen 1.–4. Note cis''–a''
12	3., 4. Viertel	C: Mit zwei Bogen
14	3., 4. Viertel	C: Bogen 1.–2., 3.–4. Note
16	4. Viertel	C: gis'' fehlt
17	1. Viertel	C: + statt *tr*
19	3., 4. Viertel	C: Ohne zwei Bogen
20	1., 2. Viertel	B: Bogensetzung ungenau; C: 4. Note e' mit Keil
	3., 4. Viertel	C: Mit Bogen 1.–3. Note gis'–e''
21	1., 2. Viertel	B: Bogen 2.–4. Note gis''–e''
	1.–4. Viertel	C: Sämtliche Noten ohne Balken
25	2. Viertel	C: Ohne Bogen
28	1., 2. Viertel	C: Bogen 2.–4. Note fis'–fis'
29	1. Viertel	C: Ohne ⅃
	2. Viertel	C: Ohne Bogen
	3. Viertel	B, C: Ohne Bogen
31	4. Viertel	C: 1. Note ais'' ohne ♯
34	1., 2. Viertel	A, B: Mit Angabe des Fingersatzes 3 über e'', 1 unter fis'
		C: Fingersatzangabe ohne Ziffer 1 neben fis'
35	1.–4. Viertel	C: Ohne drei Bogen
	3. Viertel	C: ais'' ohne ♯
38	3., 4. Viertel	C: Bogen 1.–4. Note dis''–dis''
39	3., 4. Viertel	C: Oberstimme: cis'' mit *tr*
44	1.–4. Viertel	B: Ohne Bogen
	3., 4. Viertel	C: Mit Bogen 1.–4. Note gis'–gis''
45	1., 2. Viertel	B, C: Bogen 2.–4. Note ais''–e''; vgl. Takt 5
49, 51, 52	1., 2. Viertel	B: Bogen 2.–4. Note e''–cis''; C: Bogen 1.–4. Note fis'–cis''
49	3., 4. Viertel	C: 1., 4. Note d'' jeweils ohne ♮

Takt	Taktteil	Bemerkung
51	3., 4. Viertel	A: Gebalkt 1.–2. Note, bedingt durch Systemwechsel
53	1., 2. Viertel	B, C: Bogen 2.–4. Note cis''–fis'
	4. Viertel	B: 4. Note Korrektur dis'' in e'' mit unleserlicher Beischrift
54	1., 2. Viertel	B: Bogen 1.–4. Note d''–cis'; C: Ohne Bogen
55, 56	1.–2. Viertel	B, C: Bogen 1.–4. Note gis'–fis'
55	3., 4. Viertel	C: Mit Bogen 1.–4. Note e'–d'
57	3., 4. Viertel	A: Gebalkt 1.–2., 3.–4. Note, bedingt durch Systemwechsel C: Mit Bogen 1.–4. Note fis''–cis'
58	1., 2. Viertel	C: Bogen 1.–4. Note d''–fis''
59	1., 2. Viertel	C: Ohne Bogen
60	1., 2. Viertel	C: Bogen 2.–4. Note gis''–a''
63	3., 4. Viertel	C: Oberstimme: gis'' mit *tr*
66	3., 4. Viertel	C: Ohne zwei Bogen
68	1., 2. Viertel	B: Bogen verschoben und ungenau; C: Bogen 1.–4. Note e''–e'
	3., 4. Viertel	C: Mit Bogen 1.–4. Note gis'–gis''; 3. Note ursprünglich dis'', korrigiert in e''
69	1., 2. Viertel	B, C: Bogen 2.–4. Note gis''–e''
74	3., 4. Viertel	B: Bogen 1.–4. Note e'–e''
76	3., 4. Viertel	C: Bogen 1.–3. Note e''–e'', 4. Note cis'' mit Keil
78	1., 2. Viertel	C: Bogen 2.–4. Note dis''–h'
	3. Viertel	C: Mittel-, Unterstimme: fis', h als Viertel
79	1. Viertel	C: 2. Note fisis'' mit Doppelkreuz; Mittelstimme: dis'' als Viertel
80	3. Viertel	C: 2. Note fisis'' mit Doppelkreuz
81	1., 2. Viertel	B: Bogen 2.–4. Note gis''–h''; C: Bogen 2.–4. Note fisis''–h; 2. Note fisis mit Doppelkreuz
	3., 4. Viertel	B: Fehlt; C: 2. Note fisis'' mit Doppelkreuz
86	1.–4. Viertel	B: Bogensetzung ungenau; C: Unterstimme: ohne zwei Bogen
87	1., 2. Viertel	B: Bogen verschoben; C: Ohne Bogen; B, C: 3. Note ais' ohne ♯
	4. Viertel	B, C: 3. Note ais' ohne ♯; C: 1. Note fisis' mit Doppelkreuz
88	1.–4. Viertel	C: 3. Note fisis' mit Doppelkreuz; Bogen 1.–8. Note dis'–dis'
89	1.–4. Viertel	C: 2. Note cisis'' mit Doppelkreuz; Bogen 1.–8. Note e''–dis''; 7. Note cisis'' ohne Doppelkreuz
90	1.–4. Viertel	C: Bogen 1.–8. Note fisis'–cis'''; 1., 6. Note fisis' bzw. fisis'' mit Doppelkreuz
91	1., 2. Viertel	A, B: Gewellter Bogen; C: 1.–3., 4.–5. Note gebalkt, so auch die Bogensetzung; 4. Note fisis'' mit Doppelkreuz
	3., 4. Viertel	C: Jeweils ohne Triolenziffer

114

Takt	Taktteil	Bemerkung
92		A, B, C: Nach 2. Viertel stehen Kustoden, ein bzw. zwei Dal-segno-Zeichen, ferner in A, B: *Da Capo*, in C: *Da Capo*; da-nach Schlußstriche; in B, C: Ohne zwei Fermaten; danach in A: *VS: volti*; NBA schreibt das Da capo aus.

S a t z 4, *Menuet I*:

Takt	Taktteil	Bemerkung
1		A: *Menuet 1re*; B: Von fremder Hand: Menuett 1; C: *Minuetto*
4	1.–3. Viertel	B: Unterstimme: mit ↱ und ↱↱
5	3. Viertel	B: Bogen 2.–3. Note gis''–a''
6	1.–3. Viertel	C:
8	1.–3. Viertel	C:
12	1.–3. Viertel	C: Vorschlag als halbe Note cis'' mit anschließendem Bogen Bogen vor Vorschlag ergänzt
13	2.–3. Viertel	C: Bogen ohne ↱↱
19	1.–3. Viertel	B: Bogen 1.–4. Note gis'–cis''; C: Bogen 1.–5. Note gis'–d''
20	1.–3. Viertel	B: Bogen 2.–5. Note e'–cis''
21	1.–3. Viertel	B: Bogen 1.–4. Note fis'–h'; C: Bogen 1.–6. Note fis'–a'
22	1.–3. Viertel	C: Bogen 2.–6. Note fis'–gis'
23	1.–3. Viertel	B: Unterstimme: ; ohne Bogen; C: Bogen 2.–6. Note fis'–gis'
24, 25	1., 2. Viertel	B: Bogen 1.–4. Note
26	1., 2. Viertel	B: Ohne Bogen
28	2. Viertel	A, B: Ohne Bogen
29	2., 3. Viertel	C: Bogen 1.–4. Note e'–d''
31, 32	2., 3. Viertel	C: Ohne Bogen
32–34		C: Auf nachgetragenem System notiert; Schlußstriche ohne Fermaten, B: Anschließend von fremder Hand: *Menuett. 2*
33	3. Viertel	A: Oberstimme: ursprünglich e'', Korrektur in gis''

S a t z 5, *Menuet II*:

Takt	Taktteil	Bemerkung
1		A: *Menuet 2de*; B: Vgl. Satz 4, **Takt 33**; C: *minuetto 2da*; Taktzeichen 3
2, 10	2., 3. Viertel	C: Vorschlag als Viertel ohne Bogen

Takt	Taktteil	Bemerkung
6	1.–3. Viertel	B: Flüchtige Bogensetzung
8	1.–3. Viertel	C: Ohne drei Bogen
14	1., 2. Viertel	C: Bogen 1.–4. Note cis''–gis''
15	1., 2. Viertel	C: Ohne zwei Bogen
16		B: Nach Wiederholungszeichen steht *volti cito*
19	2. Viertel	C: e'' mit ♮ statt eis'' mit ♯
20	1., 2. Viertel	B: Ohne Bogen; C:
22	3. Viertel	C: Bogen beginnt erst ab 2. Note cis''
24	1., 2. Viertel	B: Bogensetzung ungenau
26	1. Viertel	C: Ohne Unterstimme: e''; ohne Bogen
29	1. Viertel	C: Unterstimme: gis' statt e'; Oberstimme: e'' statt gis''
32		C: Nur eine Fermate über e''

S a t z 6, *Bourée*:

Takt	Taktteil	Bemerkung
1		B: Ohne Satzüberschrift; C: *Boure*; Taktzeichen: 2
	2., 3. Viertel	C: Gebalkt 1.–4. Note
2	1., 2. Viertel	B: Ohne Bogen
	3., 4. Viertel	C: Bogensetzung ungenau
7, 11	1. Viertel	B: Ohne Dynamik
9	1. Viertel	C: *for*
12	1.–4. Viertel	B: Bogen 1.–4., 5.–8. Note, bedingt durch Systemwechsel
13	1., 2. Viertel	C: *for*; Bogen 1.–4. Note dis''–cis''
14	3. Viertel	B: Die Note a'' mit ♮ statt ais'' mit ♯; ohne Bogen
	4. Viertel	C: 2. Note a' statt cis''
15	1., 2. Viertel	B: Bogen 2.–4. Note dis''–h'; C: Bogensetzung ungenau
17	2., 3. Viertel	B, C: Bogen 1.–4. Note e'–ais''
21	4. Viertel	C: 2. Note d'' ohne ♮
22	1.–4. Viertel	B: Bogen 1.–7. Note cis''–a''
23	1. Viertel	B, C: *pi*
	1.–4. Viertel	B, C: Bogen 1.–7. Note gis'–h''
	4. Viertel	C: 2. Note d'' ohne ♮
24	1.–3. Viertel	B: Bogensetzung ungenau
25	1. Viertel	A, B: Ohne Dynamik
	3., 4. Viertel	C: Ohne Bogen
26	4. Viertel	C: 1. Note d' ohne ♮
27	1., 2., 3., 4. V.	B, C: Bogen jeweils 2.–4. Note
29	2.–4. Viertel	B: Bogensetzung ungenau; C: Bogen endet auf a''
33	2.–4. Viertel	B: 1.–6. Note gebalkt
35	3., 4. Viertel	B: Ohne Bogen

116

S a t z 7, *Gigue*:

Takt	Taktteil	Bemerkung
1		C: *Giga*
	1., 2. Achtel	B: Ohne Bogen
2	1., 2., 4., 5. A.	C: Bogen nur dis''–e'' bzw. a'–gis'
6	1. Achtel	B: Ohne Dynamik; C: Irrtümlich *for*
7	1. Achtel	B: Ohne Dynamik; C: *for*
8, 9, 10	1., 2. Achtel	B: Bogen jeweils bis zur 3. Note; C: Bogen jeweils bis zur
13, 14, 18		2. Note
12	3. Achtel	C: Irrtümlich danach Taktstrich
14	6. Achtel	C: ais ohne ♯
15, 31	5., 6. Achtel	C: Mit Bogen
16, 32	2., 3. Achtel	C: Mit Bogen
17	1.–3. Achtel	C: Gebalkt 1.–2., 3.–4. Note
18, 21	5. Achtel	C: d'' ohne ♮
23	5., 6. Achtel	C: Mit Bogen
28	4.–6. Achtel	C: Ohne Bogen
29	1., 2. Achtel	B: Ohne Bogen; C: Bogen nur 1.–2. Note, vgl. Takt 8 ff.
30	1., 2. Achtel	C: Ohne Bogen
32	1.–3. Achtel	C: Gebalkt 1., 2.–5. Note; ohne zwei Fermaten
		A: Nach Schlußstrichen steht *Fine*.

B. SONATE FÜR VIOLINE UND CONTINUO

BWV 1021

I. QUELLE

Partiturabschrift in der Sammlung Manfred Gorke, in Verwahrung des Bach-Archivs Leipzig. Signatur: *Go. S. 3.*

Die einzige Quelle[1] befindet sich als Hs. in einer Laschenmappe mit der Aufschrift *J. S. Bach | Sonate in G-Dur f. Violine | um 1720* und mit dem Besitzervermerk *Leipziger Stadtbibliothek 35/1433* und umfaßt einen braun-blau-marmorierten Pappband mit herzförmig ausgeschnittenem Titelbild, beschriftet *Sonate et Praeludium | et Gigue v. | Joh: Sebast. Bach.* Der Inhalt beträgt insgesamt sechs nicht paginierte Bll., von denen die Bll. 1–4 ineinandergelegt und geheftet eine Binio bilden, Format (beschnitten) ca. 33,7 × 21,6 cm, während die Bll. 5 und 6 eine Unio ausmachen, Format (beschnitten) ca. 34,7 × 22 cm – diese nur durch Klebestreifen mit der Binio künstlich verbunden (nicht fadengeheftet!). Blume vermutet, daß diese drei Bogen erst um 1800 in den Pappband eingeklebt worden sind. Die erste und letzte Seite sind mit dem Deckel fest verbunden.

Das Papier weist eine leicht gelbliche Farbe auf und zeigt das für Bach charakteristische Wasserzeichen MA auf Stegen (große Buchstaben). Der Kopftitel der Sonate lautet:

> *Sonata per il Violino e Cembalo di J. S. Bach*

Einrichtung und Inhalt der Hs.:

Sechs beschriebene Seiten, stets zwei Systeme zur Akkolade geklammert; Schlüssel und Vorzeichnung, bei der nach zeitgenössischem Brauch die Tonart G-Dur durch je ein Kreuz im Violinschlüssel vor f″ und f′, im Baßschlüssel vor f und F bezeichnet wird, werden bei jeder Akkolade wiederholt. Jede Seite ist 12zeilig rastriert. Taktstriche und Gliederungszeichen laufen nur über ein System. Gelegentlich stehen Kustoden.

Bl. 1[r]: Vorderseite des Einbandes, auf dessen Rückseite die 1. Seite des 1. Bogens aufgeklebt wurde.

Bl. 1[v]: Kopftitel (s. o.); darunter Beginn des 1. Satzes, Takt 1–16[a] (1. Viertel); Tempoangabe unter dem 1. System *Adagio*.

Bl. 2[r]: Fortsetzung und Schluß des 1. Satzes mit Takt 16[b] (2.–4. Viertel); unmittelbar anschließend 2. Satz vollständig; Tempoangabe über 1. System *Vivace*; die letzten beiden Takte des Satzes stehen auf behelfsmäßigem Raster in der Mitte unter der 7. Akkolade, um günstige Wendestelle zu erzielen; zwei dünne Schlußstriche, danach *volti.*

Bl. 2[v]: 3. Satz vollständig; Tempoangabe unter dem 1. System *Largo*; zwei dünne Schlußstriche.

---

[1] Vgl. Fr. Blume, *Eine unbekannte Violinsonate von J. S. Bach*; in: BJ 1928, S. 96 ff.

Bl. 3^r: Beginn des 4. Satzes, Takt 1–16; Tempoangabe unter dem 1. System *Presto*; der ganze Satz ist Alla-breve (¢) notiert, die Taktstriche werden jedoch im Sinne eines Doppeltaktes ($\frac{4}{2}$) gesetzt; Unterteilung nach je zwei halben Notenwerten meist durch kürzere Taktstriche verdeutlicht; rechts unten steht *volti cito*.

Bl. 3^v: Fortsetzung des 4. Satzes, Takt 17–32^a (1. Viertel).

Bl. 4^r: Fortsetzung und Schluß des 4. Satzes, Takt 32^b (2. Viertel) bis 34; nur eine Akkolade; Schlußstriche; darunter *Fine*; 10 Systeme leer; ganz unten Stempel: *Sammlung Manfred Gorke*.

Bl. 4^v: Leer.

Bl. 5^r: Leer, mit Stempel *Sammlung Manfred Gorke*.

Bll. 5^v–6^r: *Praeludium* [aus dem Wohltemperierten Klavier, BWV 848], mit Beginn des Notentextes von Takt 1–47, dessen Fortsetzung von Takt 48 bis zum Schluß auf Bl. 6^r steht.

Bl. 6^v: Rückseite des Einbands, auf dessen Vorderseite die 4. Seite des 3. Bogens aufgeklebt wurde.

Untersuchungen zur Geschichte der Hs. führen auf die Sammlung Manfred Gorke in Eisenach, zu deren Bestand sie gehörte. Sie wurde dort 1928 aufgefunden. Die Hs. befand sich nach Blumes Angaben seit 1819 im Besitz der Familie und wurde wahrscheinlich aus dem Nachlaß Forkel (1818 †) erworben; denn im Versteigerungskatalog, Göttingen 1819, sind unter Nr. *124b* hs. Violinsonaten erwähnt, deren Angabe sich vermutlich auf unsere Quelle bezieht. Eine genaue Provenienz läßt sich nicht ermitteln. Papiersorte und Papierqualität sowie das Wasserzeichen MA[2] deuten zunächst auf eine Entstehung der Hs. etwa zwischen 1727 und 1736.

Bisher galt die Hs. als Autograph. Den Nachweis in diesem Sinne führte vor allem 1928 Fr. Blume und 1934 W. Danckert[3]. Erst neuere schriftkundliche Untersuchungen ermöglichten eine abweichende Bewertung. So hat von Dadelsen[4] erstmals die Schriftzüge von Anna Magdalena Bach klar in ihrer Eigenheit erkannt und deutlich von denjenigen Johann Sebastian Bachs abgesetzt. Zugleich vermag er eine chronologische Wandlung des Schriftbildes festzustellen, sichtbar am geöffneten oder geschlossenen Mittelfeld des Auflösungszeichens, an der Stellung des Baßschlüssels, der neben der Akkoladenklammer steht oder diese schneidet. Als zeitliche Grenze für die Wandlung wird 1733 bis 1734 angegeben. Ein Vergleich unserer Hs. mit gesicherten Quellen von der Hand Anna Magdalena Bachs ergibt zwingend die Übereinstimmung im Schriftbild. Das Vergleichsmaterial bilden Quelle P 224 und P 225 der Klavierbüchlein von 1722 und 1725, Quelle P 268 als Abschrift der Sonaten und Partiten für Violine allein (BWV 1001–1006), Quelle P 269 als Abschrift der Violoncellosuiten (BWV 1007–1012). Als Beweis für die Übereinstimmung sei als besonders charakteristisch der Buchstabe c in der Hs. Anna Magdalenas angeführt, der einen *fühlerartig*

---

[2] Vgl. Spitta Bd. II, S. 796.

[3] W. Danckert, *Beiträge zur Bach-Kritik I*, Jenaer Studien zur Mw. Bd. I, Kassel 1934.

[4] *Kritischer Bericht* zur NBA V, Bd. 4, Kassel und Basel 1957.

in einen Punkt auslaufenden Zierstrich (Dadelsen) aufweist und als Taktzeichen für den Viervierteltakt in unserer Sonate Verwendung findet. Auch die Schlüsselgestaltung, die Akzidenzien in Form von Kreuzen, die typisch ausgezogenen Achtelpausen, die vorn mit einer Nase versehene Ziffer 3, die offene 8 zeugen von unbedingter Kongruenz. Siegele[5], der das Werk einer exakten stilkritischen Untersuchung unterzogen hat, setzt daher auf Grund der schriftkundlichen Belege zur Entwicklung der Hs. von Anna Magdalena Bach die Entstehung der Quelle zwischen 1730 und 1733/34 an.

Da der Baß der Sonate sich in ähnlicher Gestalt in der Triosonate, G-Dur, für Querflöte, Violine und Basso continuo (BWV 1038) sowie in der Sonate, F-Dur, für Violine und Cembalo (BWV 1022) findet, sind heranzuziehen:

1. Ein ohne Autornamen überliefertes Autograph im Besitz des Germanischen Museums in Nürnberg, *Musiker Kapsel 27.* Die Eigenschrift wurde 1901 erworben und befand sich vorher im Besitz von Julius Rietz in Dresden. Vor ihm verwahrte sie Ferdinand David in Leipzig. Alle drei Stimmen mit dem Wasserzeichen MA tragen die Aufschrift *Sonata,* ferner einzeln die Bezeichnung *Continuo, Traversa, Violino discordato.* Die Scordatur betrifft nur eine Saite, die von a' auf g' laut notiertem *accord* herabgestimmt wird:

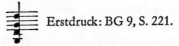 Erstdruck: BG 9, S. 221.

2. Eine Hs. in einem Sammelband aus dem Nachlaß von Fr. K. Griepenkerl im Besitz der Musikbibliothek Leipzig, Signatur: *Ms. 10, 1.* Der Titel von der Hand Griepenkerls lautet:

III Sonaten für das Klavier mit Begleitung, die erste der Violine, die zweite der Viola da Gamba, die dritte der Flöte von Johann Sebastian Bach.

Es handelt sich um eine Kopistenhs. an der Wende vom 18. zum 19. Jh., bei der eine Uminstrumentierung und Transposition von Quelle 1 vorliegt[6]. Der Cembalopart steht in F-Dur, der Part der *Violino discordato* in G-Dur mit um einen Ton herabgestimmter Scordatur, gültig für sämtliche Saiten:

Die Besetzung sieht Cembalo mit Violine vor, wobei der ursprüngliche Flötenpart der Triosonate in den Klavierpart eingearbeitet ist. Erstdruck: Leipzig 1939, Edition Peters Nr. 4460, hrsg. von Landshoff.

II. AUSGABE

Als einzige Ausgabe ist zu verzeichnen: *Sonate in G-Dur für Violine und bezifferten Baß;* kritische Revision und Generalbaßbearbeitung von Friedrich Blume; Violin-

[5] U. Siegele, *Kompositionsweise und Bearbeitungstechnik in der Instrumentalmusik Johann Sebastian Bachs,* Diss. Tübingen 1956.
[6] Vgl. R. Schwartz, *Die Handschriften der Musikbibliothek Peters,* in: JP 1919, S. 56.

stimme bezeichnet von Adolf Busch; Veröffentlichung der Neuen Bachgesellschaft, Jg. XXX, Heft 1; Leipzig 1929, Breitkopf und Härtel; Neudruck Leipzig 1948, ebenda und Wiesbaden 1950, Edition Breitkopf Nr. 5936. Der Erstdruck mit ausgesetztem Generalbaß und sparsam bezeichneter Violinstimme schließt sich der Quelle getreu an. Abweichungen von NBA: 1. Satz, Takt 13, Viol., 4. Viertel, 6. Note f'' statt fis''; 2. Satz, Takt 45, Cont., 1. Zifferngruppe $\frac{6}{4}$ statt $\frac{6}{4}$; 4. Satz, Takt 12, Cont., 2. Ziffern-gruppe $\frac{6}{4}$ statt $\frac{6}{4}$; Takt 20, Viol., 9. bzw. 12. Note f'' statt fis''; Takt 23, Cont., 15. Note c statt cis.

III. ALLGEMEINES

Der Tatbestand, daß der Baß in der Sonate gleichzeitig die Basis für drei verschiedene Werke bildet, die bisher für Bach in Anspruch genommen wurden, wirft die Frage nach der Echtheit auf. In Zusammenhang damit stehen Erörterungen nach Entstehung, Vorbild und Einfluß.

Für die Sonate BWV 1021 ist die Echtheit nirgends seit der Auffindung des Werkes im Prinzip bestritten worden[7]. Die paläographisch gesicherte Autorangabe *J. S. Bach* erfährt auch durch die Korrektur hinsichtlich des Schreibers keine Erschütterung. Stil-kritische Untersuchungen haben schon Blume veranlaßt, in der Sonate ein authen-tisches Werk Bachs zu sehen, bei dem vor allem durch die Behandlung der Oberstimme eine eindeutige Klärung etwaiger Zweifel erzielt wird. Hinsichtlich des Basses blieben Fragen offen, die in jüngerer Forschung weiter geklärt werden konnten. So weist Siegele nach, daß eine *partielle Echtheit erhärtet* wird. Er verweist dabei auf den Fortspin-nungscharakter der Oberstimme, der stets auf organische Entwicklung und Entfaltung gerichtet ist, während der Baß mehr eine konstruktive Reihungstechnik verkörpert. Da er aber, offensichtlich unter Einfluß der Oberstimme, verschiedentlich Veränderungen bei Vergleich des dreifach überlieferten Basses erfahren hat, dürfte ein Urmodell anzu-nehmen sein, das Siegele *unter den Übungsbeispielen der deutschen Generalbaßschulen der Zeit* sucht, während er mit Recht *die Oberstimme und alle im Sinne der Ober-stimmengestaltung vorgenommenen Änderungen des Basses, dazu auch noch die Aus-gestaltung der Bezifferung für Johann Sebastian Bach in Anspruch* nimmt. Ob dabei die Oberstimme die wirkende Kraft gewesen ist, bleibe dahingestellt. Näherliegend wäre, einen Primat eines bereits umgestalteten und geformten Basses anzunehmen, der dann diese Oberstimme auslöst. Daß diese selbst „Bachisch" ist, kann im Hinblick auf ihre melodische Struktur nicht bezweifelt werden.

Hinsichtlich der Entstehung des Werkes verweist schon Blume entgegen dem Befund des Wasserzeichens aus der Leipziger Zeit auf die Köthener Schaffensperiode um 1720, gestützt auf Spittas zeitliche Einordnung der obligaten Violinsonaten (BWV 1014 bis 1019), sowie durch den Hinweis auf die mögliche Verwandtschaft des Fugato-themas mit dem Schlußsatz des 4. Brandenburgischen Konzerts (BWV 1049). Siegele

---

[7] Vgl. Anonym: *A new Violin Sonata by Bach*, in: The Musical Times 1929, S. 788 f.; dazu die Stellungnahme von William Lovelock, ebenda, S. 923 f.

setzt die Entstehung nicht wesentlich früher als die Bearbeitungen aus dem „Hortus musicus" (BWV 965, 966) an. Aus der Kenntnis des Urmodells des Basses würde sich möglicherweise ein weiteres Kriterium zur Entstehungsgeschichte ergeben. Wie Mackerness[8] mitteilt, hat Hubert Parry vermutet, daß dieser Baß italienischen Ursprungs ist. Wenn er aber möglicherweise in den Kreis um Albinoni gehört, so dürfte eine ältere Verwurzelung der Sonate erwogen werden, die in der späten Weimarer oder frühen Köthener Zeit zu suchen ist, in jener italienischen Zeit Bachs, die für seine Instrumentalmusik Bedeutung gewann. Insbesondere erinnern auch der 1. und 3. Satz der Sonate in der Oberstimme an Vivaldische Züge, während der Schluß des 2. Satzes mit seiner rhythmisch melodischen Formel an Corelli gemahnt. Rückschlüsse ergeben sich ferner aus der ungewöhnlichen Stellung der Generalbaßziffern, die jeweils die Lage des zu greifenden Akkords verdeutlichen und deren schriftliche Fixierung wohl kaum eine Eigenmächtigkeit Anna Magdalenas darstellt. Es liegt auch nahe zu vermuten, daß die Entstehung der Generalbaß-Sonaten, von denen Spitta[9] sagt, daß sie *weniger nach Bachs Geschmack* gewesen seien, vor den obligaten Violinsonaten zu suchen ist. Vielleicht wird man die Sonate aus stilkritischen Erwägungen gerade an Hand des verwandten und umgestalteten Baß-Modells entwicklungsmäßig als eine organisch bedingte und notwendige Durchgangsform in seinem Schaffen aufzufassen haben. Es ist schwer vorstellbar, daß die Sonate bei der inneren Geschlossenheit von Bachs Entfaltung etwa nach den Solissimo-Sonaten (BWV 1001–1006), deren Datierung 1720 liegt, entstanden ist. Sie besitzt auch nicht die Organik der obligaten Violinsonaten (BWV 1014–1019); denn der modellartige Baßtyp mit einer gewissen konventionellen Starrheit spricht auch in seiner umgebildeten Gestalt für eine frühere Entstehung.

Für die Triosonate BWV 1038 ist die Autorschaft Johann Sebastian Bachs weitgehend zu bezweifeln. Blume hält die Sonate für eine Fassung, die vielleicht von einem der Söhne oder Schüler Bachs stammt, wobei er stilistisch auf die norddeutsche Schule nach Bach aufmerksam macht. Siegele konkretisiert die Vermutung auf Philipp Emanuel Bach, mit dessen Trios sie die Besetzung teilt. Als Argumente gegen Johann Sebastian führt er die Art der Motivverkettung, Reihungstechnik, überhaupt eine gewisse Formelhaftigkeit, nicht zuletzt insgesamt *die Behandlung des Baßaufbaues durch die Oberstimme und die Durchgestaltung des Bewegungsablaufes* an. Dagegen hat Smend[10] auf die überraschende Ähnlichkeit des 3. Satzes mit der Arie *Gute Nacht, o Wesen* in der Motette *Jesu meine Freude* (BWV 227,9) aufmerksam gemacht, die eingangs den Terzengesang der Oberstimme samt Baßführung wörtlich aufweist. Auch Heuß[11] hat auf die nahe Verwandtschaft des 2. Satzes mit der Arie der Matthäus-Passion *Ich will dir mein Herze schenken* (BWV 244, 19) verwiesen. Selbst wenn man für die Triosonate den Gedanken enttexteter Arien erwägt, so bleiben doch die Kriterien, die gegen Bachs Autorschaft sprechen, bestehen. Sie werden vermehrt durch den Hinweis auf eine relative Kleingliedrigkeit des motivischen Materials, die einem

[8] E. D. Mackerness, *Bach's F Major Violin Sonata*, in: The Music Review, 1950, S. 175–179.
[9] Spitta Bd. I, S. 732.
[10] F. Smend, *Bachs Matthäus-Passion*, in: BJ 1928, S. 39.
[11] A. Heuß, Einführung im BFB 1929.

organischen Bogen wenig nahekommt, nicht zuletzt durch eine gewisse zäsurhaft gegliederte Geschmeidigkeit des Oberstimmenablaufs, die schon auf einen jüngeren Meister deutet. Infolgedessen dürfte auch für das Trio eine spätere Entstehungszeit als für die Solosonate BWV 1021 anzunehmen sein. Die Heußsche These[12] der umgekehrten Reihenfolge, die zwar paläographisch möglich wäre, besitzt daher aus stilkritischen Erwägungen wenig Wahrscheinlichkeit. Gegen den Gedanken, die Triosonate als eine früher entstandene Fassung zu bezeichnen, die dann unter Übernahme des Basses zur Violinsonate umgearbeitet wurde, spricht vor allem eine gewisse stilistische Schwäche, die auch Heuß betont. Ihr konstruktiver Charakter, insbesondere die Verkettung des Oberstimmenablaufs, rückt sie in eine spätere Zeit, wobei trotz autographer Überlieferung Johann Sebastian Bach kaum mehr als Autor in Anspruch genommen werden kann.

Die Kongruenz in der Baßführung mit der Sonate BWV 1021 ist nicht überall gegeben. So erfährt der 1. Satz eine Erweiterung durch auskomponierte Wiederholungen, wobei aber der Baß völlig in eine schematisch gehende Achtelbewegung gepreßt wird, so daß die ursprüngliche Eigenstruktur stark erschüttert wird. Eine Gegenüberstellung verdeutliche die Zusammenhänge:

BWV 1021
Takt 1–5

BWV 1038
Takt 1–5

BWV 1038
Takt 9–13

Damit wird der „Einheitsablauf"[13] des Satzes entschieden unterbrochen, bestätigt auch durch das Oberstimmenduett, das überraschend eine rhythmische Punktierung aufweist, die den Ablauf erheblich in seiner inneren Geschlossenheit gefährdet. Dasselbe Bild wiederholt sich im 2. Teil des 1. Satzes. Es liegt demnach offensichtlich eine Über-

---

[12] Vgl. hierzu: W. Schütte, *Eine neuentdeckte Violinsonate Joh. Seb. Bachs*, in: Nachrichten für Stadt und Land Oldenburg, 15. 9. 1929, der die Ansicht von Heuß stützt.

[13] Vgl. H. Besseler, *Bach und das Mittelalter*, in: Bericht über die Wissenschaftliche Bach-Tagung, Leipzig 1950, S. 108 ff.

nahme des Basses von BWV 1021 nach BWV 1038 vor und nicht umgekehrt. Hingegen dürfte sich für den Baß der Violinsonate trotz seines modellartigen Charakters der Nachweis ergeben, daß er in seiner ohne Zweifel charakteristischen Prägung personal-stilistische Züge Bachs trägt.

Für die Sonate BWV 1022 sind noch stärkere Echtheitszweifel anzumelden. Sie stellt offensichtlich eine Umarbeitung der Triosonate dar, wobei sich Erweiterungen, insbesondere 30 neue Takte im 2. Satz, sowie kleinere Änderungen nötig machten. Die Flötenpartie wird von der rechten Hand des Cembalos übernommen. Dieses gewinnt dabei eine grundsätzliche Dominanz gegenüber dem Violinpart, der in seiner Individualität weit weniger Bachsche Züge trägt, als es etwa bei BWV 1021 der Fall ist. Das Cembalo hingegen, vielfach stark ornamental belastet, drängt sich gewichtig in den Vordergrund. Dabei liegt weder der Typ der obligaten Violinsonate noch der Typ der Basso-continuo-Sonate vor, sondern nach Art und Struktur der Cembalobehandlung ist der Typ der Klaviersonate mit Violine spürbar, der durch seine Umakzentuierung in der Bewertung der Instrumente zugunsten des Cembalos unter Zurückdrängung der Violine eindeutig in einer späteren Zeit, zumindest bei den Söhnen Bachs, heimisch ist. Mackerness[14] spricht zwar noch von einer Vorwegnahme dieses Stils bei Johann Sebastian Bach und führt aus diesem Grund die Suite A-Dur (BWV 1025) an, bei der aber aus gleichen Gründen berechtigte Echtheitszweifel bestehen. Landshoff[15] betont zwar auch die Entstehung der Sonate zu einem späteren Zeitpunkt, beispielsweise belegt durch die veränderte Notation des letzten Satzes mit vier statt acht Vierteln, verbleibt aber bei der Autorschaft Johann Sebastian Bachs, die auch Büttner[16] noch bestätigt. Zu den stilistischen Kriterien, die dieser Klaviersonate mit Begleitung der Violine in Gestalt von überladener Ornamentik und ausgesprochen klavieristisch entwickelter Klanggestalt eigen sind, tritt die Notation des Violinparts in Scordatur. Bleibt diese bei BWV 1038 auf eine Saite, auf die Herabstimmung des a' auf g' beschränkt, so umfaßt sie hier alle vier Saiten mit f, c', g', d'' statt g, d', a', e''. Noch Rust hält die Scordatur in BG 9 für unverständlich. Shanet[17] führt Transpositionen um einen Ton nach unten vorwiegend auf den Einfluß des Instruments zurück, bedingt durch dessen Umfang, der in BWV 1022 mit c''' gegeben ist, also die Grenzen des Instruments keinesfalls überschreitet. Vielleicht sind es daher stärker klangliche Gründe gewesen, die zur Transposition führten, wobei das Cembalo dazu den Anlaß gegeben haben mag, nicht die Violine. Die Tieftransposition der Sonate aus cembalobedingten Gründen entspräche durchaus der offensichtlichen Überbewertung des Instruments und zieht mit Notwendigkeit eine Scordatur der Violine nach sich. Sie verliert dadurch ohne Zweifel an klanglicher Intensität und Spannung, ein Mangel, der aber angesichts der Bevorzugung des Cembalos in Kauf genommen wird. Die Violine wird auch sonst in ihrer mehr oder minder mageren melodischen Führung vom Komponisten als eine

[14] Vgl. auch: E. Mackerness, *Less-known Violin Works of Bach,* in: The musical Times, 1947.
[15] Vorwort zum Erstdruck der Sonate, Leipzig 1936, Peters.
[16] H. Büttner, *Johann Sebastian Bach, Sonate F-Dur für Violine und Cembalo*, in: ZfM 1937, S. 1255.
[17] H. Shanet, *Why did J. S. Bach transpose bis arrangements?* In: The Musical Quarterly, 1950, S. 180 ff.

Beigabe zum kolorierten, als wichtig empfundenen Cembalopart behandelt, worauf schon Griepenkerls Titel in der Quelle deutet. Damit tritt aber die Sonate weitgehend aus der Bach-Überlieferung heraus. Man wird sie einem der Söhne Bachs, nicht unbedingt Carl Philipp Emanuel, zuzuweisen haben, der sie nach der Triosonate im Sinne klavieristischer Überbewertung, stilkritisch und notationsmäßig in völliger Konsequenz seiner Anschauung, gestaltete. Siegele setzt ihre Entstehung *kaum früher als einige Jahre vor 1750* an, eine Angabe, die durchaus das bisherige Bild ergänzt.

Im Hinblick auf die Baßführung ergibt sich beispielsweise im 1. Satz folgendes Bild:

BWV 1021
Takt 1–5

BWV 1038
Takt 1–5

BWV 1022
Takt 1–5
(zurück-
transponiert)

Der Baß, von BWV 1038 übernommen, hat offensichtlich weitgehend barocke Charakteristika seines Vorbildes verloren, dafür ist seine Gestaltung auf Bereicherung ornamentaler melodischer Auszierung, auf eine mehr oder minder eigenwillige Gestaltung gerichtet, die freilich einer späteren Zeit anzugehören scheint. Das von Bach in BWV 1021 aufgegriffene Modell des Basses, das er kraft seiner Persönlichkeit in seinem Sinne umgebildet hat, ist hier zu neuer Gestalt weiterentwickelt worden, die bereits die Schwelle des Spätbarocks überschritten hat, so daß die Bachsche Faktur noch transparent in Erscheinung tritt.

IV. SPEZIELLE ANMERKUNGEN

S a t z 1, *Adagio*:

Takt	System	Bemerkung
2	Violine	6. Note d″ irrtümlich als Achtel statt Sechzehntel
	Continuo	3. Viertel, 2. Ziffergruppe ursprünglich $\frac{4}{3}$, korrigiert in $\frac{5}{3}$
7	Violine	Jeweils Bogen vor Vorschlägen ergänzt
11	Continuo	1. Ziffergruppe ursprünglich $\frac{3}{6}_{3}$, korrigiert in $\frac{3}{5}_{3}$

Takt	System	Bemerkung
13	Violine	Bogen vor Vorschlag ergänzt
14	Continuo	2. Viertel, 2. Ziffergruppe undeutlich, als oberste Ziffer steht vermutlich noch eine 8
15	Violine	Jeweils Bogen vor Vorschlägen ergänzt.

Satz 2, *Vivace*:

Takt	System	Bemerkung
9	Violine	*tr* nur flüchtig geschrieben
16	Continuo	In der 2. Ziffergruppe undeutliche *5*
30	Continuo	4. und 5. Note mit 2 Strichen, welche die Stellung der dazugehörigen Bezifferung klären
37	Continuo	2. Achtel wohl irrtümlich G; NBA setzt A
41	Violine	Über 5. Note g″ Ornament ausgestrichen, *tr* dafür unter der Bezifferung, jedoch nach der motivischen Struktur für Violine gültig
52	Continuo	Ohne Verlängerungspunkt.

Satz 3, *Largo*:

Takt	System	Bemerkung
3	Continuo	3. Viertel, 2. Ziffergruppe undeutlich; auch als $\frac{7}{4}$ zu lesen
4	Continuo	2. Viertel, 1. Ziffergruppe, untere Ziffer undeutlich
6	Violine	3. Viertel, Bogen mehrdeutig; auch fis″ bis e″ lesbar; NBA setzt Bogen nach Takt 5, 3. Viertel
12	Violine	2. Viertel, 5. Note, ursprünglich a′, korrigiert in e′ 3. Viertel, Bogen vor Vorschlag ergänzt
16	Violine	4. Viertel, Bogen mehrdeutig; auch von ais″ bis h″ lesbar
	Continuo	3. Viertel, 1. Ziffer undeutlich, korrigiert in *5*
	Continuo	4. Viertel, 1. Ziffergruppe, *8* undeutlich
17	Violine	2. Viertel, 3. Note ais″ undeutlich
	Continuo	Ohne Fermate.

Satz 4, *Presto*:

Der Satz ist Alla-breve mit ¢ notiert. Die Taktstrichsetzung läßt überall den Willen zu einer metrischen Ordnung als $\frac{4}{2}$-Takt, bzw. Doppel-Alla-breve erkennen. Das beweisen die Takte 1 (Viol., Cont.), 2 (Viol.), 10 (Cont.), 11 (Viol.), 12 (Cont.), 16 (Cont.), 24 (Cont.), wo stets der Taktstrich, über das volle System laufend, einen solchen Großtakt begrenzt, bedingt durch die motivische Struktur. In allen übrigen Fällen wird der $\frac{4}{2}$-Takt durch Kurztaktstriche bestätigt, die, nur einen Teil des Systems markierend, zwar den Großtakt in zwei Hälften gliedern, aber doch die metrische Zusammenfassung zu Doppeltakten betonen. Abweichungen hiervon wurden nachstehend vermerkt. Bei der Edition wurde auf die Kurztaktstriche verzichtet, um eine einheitliche Notation zu ermöglichen. Sinngemäß dazu wurde auch die stillschweigende Hinzufügung der Akzidenzien behandelt.

Takt	System	Bemerkung
7	Violine	16. Note wohl irrtümlich d″; NBA setzt c″
8	Continuo	3. Viertel, 2. und 3. Ziffer verblaßt
11	Continuo	3. Zifferngruppe undeutlich
12	Continuo	2. Zifferngruppe lautet irrtümlich $\begin{smallmatrix}6\\4\\2\end{smallmatrix}$ statt $\begin{smallmatrix}6\\4\\2\end{smallmatrix}$
13	Violine	Nach 4. Viertel normalgroßer Taktstrich statt Kurztaktstrich, ebenso Takt 15, 18, 23, 25, 26, 28, 30
	Continuo	Nach 4. Viertel normalgroßer Taktstrich statt Kurztaktstrich, ebenso Takt 18, 25, 26
	Continuo	3. Ziffer undeutlich
	Violine	3. Viertel, Bogen vor Vorschlag ergänzt
25	Violine	Die den $\frac{4}{2}$-Takt abschließenden Taktstriche als Kurztaktstriche notiert, ebenso im Continuo
28	Violine	10. Note ursprünglich a′, korrigiert in g′.

C. SONATE FÜR VIOLINE UND CONTINUO

BWV 1023

I. QUELLE

Partiturabschrift im Besitz der Sächsischen Landesbibliothek Dresden. Signatur: *Mus. 2405 R/1.*

Die einzige nachweisbare Quelle befindet sich als Einzelhs. lose in einem grauen, vierseitigen Umschlag im Hochfolio, der auf einem aufgeklebten, rechteckigen Schild folgende Angaben aufweist: *Schranck No: II* | *2. Fach 33. Lage* | [in verblaßter Schrift:] *No. 1 Solo* | [darunter ursprünglich:] *Clavicin solo* [von fremder Hand das erste Wort durchstrichen und darüber gesetzt:] *Violino* [ergänzt durch:] *col Basso* | *del Sigr. Bach.* [Von der gleichen Hand steht links:] *J. S. Bach.* Darunter befindet sich ein altes, einzeiliges Incipit der Violinstimme bis zur 12. Note. Ferner trägt die Quelle von weiterer Hand Bleistiftangaben, die auf die Ausgabe in Ferdinand Davids „Hoher Schule" verweisen: *s. David: H:* | *Schule no 9.*

Die Hs. umfaßt zwei ineinandergelegte, nicht geheftete Bogen (Binio) im Format 31×23 cm. Das handgeschöpfte Papier ohne Wasserzeichen ist kräftig, fast kartonartig und stark gebräunt. Die unbeschnittenen Bll. sind in der Mitte unten bibliothekarisch von 1–4 numeriert. Die ersten beiden davon tragen die durchstrichene alte Signatur *Cx 82.* Alle acht Seiten sind 12zeilig rastriert, die letzte ist leer. Die Noten sind mit dunkelbrauner bis schwarzer Tinte in kräftigem, klarem Duktus geschrieben. Ein besonderes Titelbl. fehlt. Als Kopftitel findet sich die Angabe: *Solo Bach.*

Anschließend sieben voll beschriebene Seiten. Der Satzbeginn ist jeweilig zur zweizeiligen Akkolade geklammert. Schlüssel und Vorzeichnung, bei der nach altem Brauch beim Violinschlüssel das Kreuz vor fis' bzw. beim Baßschlüssel vor Fis ebenfalls gesetzt wird, werden vor jedem System wiederholt. Taktstriche und Gliederungszeichen laufen stets nur über ein System. Gelegentlich finden sich am Zeilenende genau gesetzte Kustoden. Fermaten nur am Schluß des 1. Satzes, dem sich unmittelbar ohne Akkoladenklammer und Gliederungszeichen der 2. Satz anschließt.

Einrichtung und Inhalt der Hs.:

Bl. 1ʳ: Kopftitel (s. o.); darunter Beginn des 1. Satzes auf 12 Systemen ohne Tempovorschrift, wobei nur Takt 1–2ª (2. Viertel) zur zweizeiligen Akkolade geklammert sind. Der Baß lautet hierbei:

Ab Takt 2ᵇ (3. Viertel) erfolgt nur einzeilige Notation der Violinstimme bis Takt 29; dort steht ohne vorherigen Taktstrich $\frac{3}{4}$, darunter *Volti Presto.*

Bl. 1ᵛ: Von hier ab stets sechs zweizeilige Akkoladen auf 12 Systemen. Schluß des 1. Satzes, verdeutlicht durch zwei Fermaten über Takt 30ª (1. Viertel); ohne

Gliederungszeichen. Beginn des 2. Satzes mit Takt 30^b (2. Viertel) = Takt 1 (da der Schlußtakt 53 volltaktig ist) bis Takt 30; Tempoangabe zwischen den ersten beiden Systemen *Adagio ma non tanto*.

Bl. 2^r: Fortsetzung und Schluß des 2. Satzes, Takt 31–53; unter zwei dünnen Schlußstrichen steht *Voltate*.

Bl. 2^v: Beginn des 3. Satzes, Takt 1–18^a (2. Viertel); Satzbezeichnung vor der Akkoladenklammer *Allemanda*.

Bl. 3^r: Fortsetzung und Schluß des 3. Satzes, Takt 18^b (3. Viertel) bis 32; nach dem Wiederholungszeichen steht *Voltate*.

Bl. 3^v: Beginn des 4. Satzes, Takt 1–21; Satzbezeichnung vor der Akkoladenklammer *Gigue*.

Bl. 4^r: Fortsetzung und Schluß des 4. Satzes, Takt 22–40.

Die Schriftzüge des unbekannten Schreibers tragen in Wort- und Notengestaltung typische Merkmale einer ganz bewußt geformten Abschrift. Die Notenköpfe wirken groß und dick und sind leicht lesbar. Der Notenhals ist jeweils aus der Mitte des Notenkopfes exakt herausgezogen. Behalsung wie Balkensetzung, nicht minder das Gleichmaß der charakteristischen Schlüsselgestaltung verraten gewissenhafte Sorgfalt. Die Bezifferung ist reich, dabei sehr deutlich durchgeführt worden. Keinesfalls liegt eine flüchtige Gebrauchsabschrift vor. Die Hs. geht daher möglicherweise auf einen mit der Materie wohl vertrauten Kopisten zurück. Ob dieser zu der übrigen Bach-Überlieferung in Beziehung steht, ist noch ungeklärt. Nach Papierqualität, Schriftbild, Vorzeichnung, Akzidenziensetzung und Generalbaßnotation dürfte die Hs. in der ersten Hälfte des 18. Jh. entstanden sein.

Ihrer Herkunft nach gehört sie sicherlich zu den Beständen der ehemaligen Dresdner Hofkirche, wie aus dem Lagerungsort des Umschlags zu schließen ist. Sie findet sich dann in der Privatmusikaliensammlung des Königs Albert von Sachsen (1828–1902). Darauf deutet die alte Cx-Signatur. Die genannte Sammlung war ursprünglich unter der Bezeichnung *musica c* zusammengefaßt und wurde von Moritz Fürstenau (1824 bis 1889) als Bibliothekar des Königs nach 1852 in die Abteilungen A bis Da aufgegliedert, wobei die Unterabteilung C (Instrumentalmusik) wiederum von Ca bis Cx aufgespalten wurde[1]. Die Hs. verzeichnet Dörffel in seinem Thematischen Katalog der Instrumentalwerke, Leipzig 1867 als Nr. 696–699 unter Johann Sebastian Bach. Auch Kretzschmar nennt sie 1899 in seinem Verzeichnis sämtlicher Werke Bachs in BG 46. Die königlichen Bestände wurden bereits 1896 der Landesbibliothek Dresden übereignet und 1926 neu katalogisiert. Von da an datiert die Signatur 2405 R/1, welche die Hs. in die Bach-Bestände der Bibliothek eingliedert.

Paläographische Zweifel an der Echtheit des Werkes könnten durch die nicht eindeutigen Angaben auf Umschlag und Hs. erhoben werden. Doch dem ist zunächst entgegenzuhalten, daß sich das Incipit des Umschlags mit dem Inhalt deckt. Es liegt demnach kein Grund vor, den Vermerk des Umschlags *del. Sgr. Bach* zu bezweifeln. Er

---

[1] Vgl. M. Bollert, *Landesbibliothek*, in: Berichte über die Verwaltung der Staatlichen Sammlungen für Kunst und Wissenschaft zu Dresden auf das Jahr 1926.

stammt von alter Hand und wird durch den Kopftitel der Hs. *Solo Bach* bestätigt. Damit dürfte zunächst quellenmäßig die Autorschaft für den Namen Bach gesichert sein. Daß die Besetzungsangabe auf dem Umschlag irrtümlich mit *Clavecin solo* erfolgte, mag durch Eigenart der Quelle, insonderheit durch ihre abweichende Notation bedingt sein, die für den 1. Satz nur das klavieristisch anmutende Laufwerk verzeichnet und den Orgelpunkt summarisch behandelt. Die gleiche Hand, welche die Korrektur nach altem Sprachgebrauch in *Violino* vollzog und auch *col Basso* hinzufügte, ergänzte auch den Namen *J. S. Bach*. Die Inanspruchnahme der Komposition für Johann Sebastian Bach erfolgte demnach zugleich mit der Besetzungskorrektur auf dem Umschlag, möglicherweise hervorgerufen durch die Bezeichnung *Solo Bach* auf der Hs., die autographen Charakter zu tragen scheint. In der schriftmäßigen Gestaltung des Wortes Solo mit dem weitausgezogenen Bogen des ersten Buchstabens, nicht minder im Namenszug selbst mit dem charakteristischen B, dem schräg gestellten a sowie mit dem aus dem c angesetzten Buchstaben h könnte man auf eine Eigenschrift schließen, da sie eine auffallende Ähnlichkeit mit der Prägung aufweist, wie sie das Autograph der Sonaten und Partiten (BWV 1001–1006) zeigt. Damit würde der Nachweis für die paläographische Echtheit der Quelle erbracht sein. Der Hinweis des Umschlags auf Davids Ausgabe stammt aus dem 19. Jh. von dritter Hand. Die Korrekturen und Ergänzungen des Umschlags gehen jedoch auf eine zweite, ältere Hand zurück und resultieren offenbar aus der Beschäftigung mit der Quelle, wobei Erkenntnis der Besetzung und des mutmaßlich autographen Namenszuges zur Veränderung des Originalumschlags geführt haben mögen. Die dortigen Angaben von erster Hand decken sich genau, abgesehen von der Besetzung, durch die Überschrift *Solo*, durch die Autorenangabe *del Sig.ʳ Bach* wie durch das Incipit mit Inhalt und Gestalt der Hs. Es besteht demnach kaum ein zureichender Grund, die Echtheit der Quelle zu bezweifeln und das Werk nicht für Johann Sebastian Bach in Anspruch zu nehmen.

Bestreitet man aber den autographen Charakter des hs. Vermerks *Solo Bach* und betrachtet ihn als einen zeitgenössischen Zusatz, für den dann am ehesten Anna Magdalena Bach in Frage kommen dürfte, so müßte auch hierin ein Zeugnis für die Echtheit des Werkes gesehen werden. Sieht man aber in den Angaben auf der Hs. und in den Änderungen auf dem Umschlag grundsätzlich eine Hinzufügung aus jüngerer Zeit, etwa von der Hand des ersten Herausgebers Ferdinand David, so erscheint, abgesehen von schriftkundlichen Bedenken, wenig einleuchtend, warum dieser dafür die zumindest altertümlich wirkende Fassung *Violino* und *col Basso* gewählt haben sollte.

Aus den dargelegten Gründen dürfte paläographisch die Echtheit des Werkes hinreichend gesichert sein, so daß ein Verweis der Sonate in die Werkgruppe mit zweifelhafter Echtheit im Rahmen der NBA nicht möglich ist.

II. AUSGABEN

Die Sonate erschien 1867 als Erstdruck in dem Sammelwerk *Die hohe Schule des Violinspiels*, herausgegeben von Ferdinand David in Leipzig bei Breitkopf und Härtel. Der Charakter einer Bearbeitung mindert den Wert der Veröffentlichung beträchtlich. Eine Revision dieser Ausgabe, die an gleicher Stelle erschien, besorgte Henri Petri.

130

Die erste wissenschaftliche Ausgabe stammt von Paul Graf Waldersee im Rahmen der BG als Bd. 43, Leipzig 1894. Sie schließt sich weitgehend der Quelle an. Abweichungen von der NBA ergeben sich namentlich im Hinblick auf die Phrasierung. So interpretiert BG im 4. Satz stets alle Bogen als ♩♩♩ , obwohl die Quelle genau bezeichnete Unterschiede aufweist. Eine ähnliche Einebnung charakteristischer Bogensetzung ist, wenn auch in geringem Grade, im 3. Satz spürbar, wo vielfach vier statt drei Noten unter einem Bogen zusammengefaßt werden. Notationsmäßig wird im 1. Satz e'' der Violine isoliert, die synkopische Notierung im 4. Satz konserviert. Abweichende Akzidenziensetzung und Generalbaßbezifferung sind durch die Grundsätze der NBA bedingt. An wesentlichen Einzelheiten seien vermerkt: 2. Satz, Takt 24 mit Haltebogen; Takt 42 ohne +; 3. Satz, Takt 3 $\frac{3}{8}$ statt $\frac{3}{2}$; *Allemande* statt *Allemanda*.

Einen weiteren Neudruck besorgte Friedrich Hermann, 1907 erschienen in Leipzig bei Peters mit der Stichnummer 7996 und der Editionsnummer 236. Diese Ausgabe bringt den Notentext in geigerischer oder klavieristischer Interpretation. Vielfach entbehrliche Zusatzakzidenzien verunklaren merklich das Bild. Phrasierung und Dynamik wurden weitgehend ergänzt. Die Bezifferung des Generalbasses erfuhr mancherlei Varianten, so daß neue, nicht quellenmäßig begründete Lesarten entstanden. An wesentlichen Einzelheiten seien vermerkt: 1. Satz: *Allegro* hinzugefügt; klavieristische Auflösung des Orgelpunkts durch Oktavierung und meist zweitaktigen Wiederanschlag; Satz 2: Viol.: Takt 30, 5. Note gis'' statt g'; Takt 37, 2. Note fis' statt f'; Takt 51, drittletzte Note cis'' statt c''; Cont.: Takt 34, 3. Viertel d statt dis; 3. Satz: Viol.: Takt 28, 1. Note c' statt a; 4. Satz: die Viertelwerte des Basses fast durchweg durch Achtelnote mit Achtelpause ersetzt.

Eine weitere Ausgabe, betreut von T. Nachez, erschien 1920 bei Schott in Mainz.

III. ALLGEMEINES

Bei der wenig gesicherten Quellenlage kommt stilkritischer Erörterung erhöhte Bedeutung zu, um so mehr, da in der Literatur die Sonate bisher kaum eine Darstellung erfahren hat. Von Spitta abgesehen, verbleibt es meist bei summarischen Angaben. Nur Kaiserfeld[2] gibt einige Charakteristika; Steglich[3] bespricht sie erstmals ausführlicher.

Die Quelle bietet verschiedene Ansatzpunkte zur Untersuchung. Formal gesehen, handelt es sich um eine viersätzige Sonate, die in klarer Zweiteilung Elemente der Sonata da chiesa mit denen der Sonata da camera verbindet, belegt durch zwei freie und zwei tanzmäßig gebundene Sätze. Dabei bilden, wie die Notation in der Quelle beweist, Einleitungssatz und folgendes Adagio ein eng miteinander verkoppeltes Satzpaar, während die beiden Tanzsätze Allemanda und Gigue deutlich voneinander abgehoben sind. Man kann sie als locker gefügtes Satzpaar, gleichsam als verkürzte Suite

---

[2] M. Kaiserfeld, *Zur Wiederbelebung der J. S. Bachschen Violinmusik*, in: NMZ, 1899, S. 216.
[3] R. Steglich, in: BFB 1935, S. 103.

unter Ausfall von Courante und Sarabande auffassen. In jedem Falle spiegelt die Quelle eine satzverschmelzende und eine satzreihende Tendenz. Das formale Element der Sonate scheint daher aus verschiedenen Schichten zu stammen. Man wird in dem ersten Satzpaar, das im Sinne eines frei improvisierenden Präludiums mit anschließendem konstruktiv gebautem Adagio entworfen wurde, die Nähe zu jenen Kompositionsformen vermuten dürfen, die auf paarige Koppelung von Haus aus gerichtet sind. Bach kennt sie vorwiegend als Präludium, Tokkata oder Fantasie mit Fuge im Bereich der Klavier- und Orgelmusik. Von daher ist das Satzpaar ohne Zweifel beeinflußt. Aus dieser Nähe erklärt sich wohl auch die in der Quelle erfolgte Verwechslung der Sonate mit dem Klavierwerk, durch den Vermerk *Clavecin solo* bestätigt. Eine Bindung an die Orgel scheint aber doch vorzuliegen. Darauf weist vor allem der 30 Takte lang währende Orgelpunkt des 1. Satzes hin, über den sich das Improvisationsspiel der Violine erhebt. Besetzungsmäßig ist gewiß an eine Ausführung mit Orgel gedacht, worauf in der Quelle die zusammenfassende Notierung des Orgelpunkts durch Breves deutet. Eine cembalogerechte Interpretation scheint weder beabsichtigt noch erwünscht zu sein. Man wird demnach einen Basso continuo mit Orgel anzunehmen haben, eine Beobachtung, die sich mit der reichen Bezifferung des Basses deckt, die durchaus organistischer Praxis entsprach. Hinzu kommt, daß das kleingliedrige Motivspiel des 1. Satzes durch sein beständiges Festhalten des Tones e'' den Orgelpunkt des Basses gewissermaßen violingerecht unterstreicht und damit bewußt eine Koppelung von Baß und melodischer Entwicklung erstrebt. Die Linie der Oberstimme bezieht als ein *hochgewölbter, flammender Melodiebogen* (Steglich) ihre stärksten Impulse aus einem tokkatenartigen Bauprinzip, wie das laufende Figurenwerk bestätigt. Es besitzt ausgesprochen tokkatisches Gepräge[4], wird aber durch taktweise Motivwiederholung unter Festhaltung der leeren E-Saite des Instruments violingerecht geformt und durch Vorhaltsbildungen und Spitzentöne zu latenter Mehrstimmigkeit erweitert und erinnert an das Praeludio der E-Dur Partita für Violine allein (BWV 1006). Im übrigen ergibt sich bei der pausenlos abrollenden Thematik durch Anhub, Umschwung und Auslauf deutlich eine bogenförmige Anordnung der Motive.

Es liegt demnach eine Gesetzmäßigkeit zugrunde, die in verkleinertem Maßstab an die Exposition von Bachs Tokkata und Fuge, F-Dur, für Orgel (BWV 540) erinnert, wo auch derartige Bogenbildungen zu beobachten sind. Als charakteristisch dürfte auch die quellenmäßig begründete Attacca-Notation beim Übergang des 1. in den 2. Satz zu bewerten sein, bei der aus dem Stillstand, bedingt durch die Fermate, aus der gleichen tonartlichen Basis e-Moll heraus die rhythmischen Werte neu geordnet werden, so daß das vorhergehende gleichmäßig bewegte Motivspiel nunmehr im Adagio in eine sehr differenzierte Rhythmik umspringt. Zwei in sich geschlossene Sätze von stark kontrastierendem Charakter werden dabei zu einem Organismus gefügt, der an Stelle satzmäßiger Isolierung eine zwingende Verknüpfung bei innerer Gegensätzlichkeit darstellt. Besseler erklärt dieses Verfahren als eine Folge des von Bach insbesondere in Weimar erstrebten *Einheitsablaufes*[5], ein Gestaltungsprinzip, das ein-

---

[4] H. Hering, *Das Tokkatische*, in: Mf VII, 1954, S. 277.

heitliche Affektverläufe gewissermaßen auf höher gelagerter Ebene zu kontrastierenden Satzpaaren zusammenschließt. Ähnliche Verhältnisse der gegensätzlichen, doch unmittelbaren Satzverklammerung liegen beispielsweise in der Fantasie und Fuge, c-Moll, für Orgel (BWV 537) vor, die, in Weimar etwa 1716 entstanden, allerdings unter dominantischer Satzöffnung die innige Verzahnung der Komponenten vollzieht. In der Violinsonate steht das Adagio an Stelle einer Fuge, erfüllt aber dennoch deren Funktion, nicht im Hinblick auf thematisch-polyphone Entwicklung, wohl aber durch den Kontrast einer geigerisch versponnenen Motivik, ferner durch harmonische Ausweitung sowie durch eine Kantilene, die an alte deutsche Geigentradition unmittelbar anknüpft. Man vergleiche hierzu die 1694 erschienenen Sonaten für Violine mit Basso continuo von Johann Paul Westhoff[6], um Verwurzelung und Neuformung des Bachschen Melos zu erkennen. Hingewiesen sei ferner auf eine Continuo-Sonate von Johann Georg Pisendel[7], deren einleitendes Largo nicht in der rhythmischen Gestalt, wohl aber im geigerischen Fluß, in der Entwicklung der Bogen, im melodischen Duktus des Violinparts in die Nähe zu Bach gehört, so daß eine Beeinflussung wohl erwogen werden kann. Nach neuester Forschung ist die Entstehung der Pisendelschen Sonate „kurz nach 1717" anzusetzen[8]. Sie fällt demnach etwa in Bachs letzte Weimarer oder frühe Köthener Zeit, so daß Rückschlüsse auf die Entstehungszeit der Bachschen Sonate möglich wären. Diese entstand sicher *vor* 1719, wenn man sie mit den ausgereiften Werken Bachs von 1718 und 1719 vergleicht. Als Beweis dient die tokkatenmäßige Einleitung. Ein solches Prinzip beobachtet Besseler[9] in dieser Zeit, das 1719 seinen Höhepunkt erreicht. Personalistisch gesehen, spielen im Bachschen Adagio harmonisch vor allem der verminderte Septakkord (z. B. Takt 32, 34) sowie der neapolitanische Sextakkord (z. B. Takt 19, 21, 44, 46) eine Rolle. Was hier vorgebildet erscheint, wiederholt sich auf anderer Ebene beispielsweise im 1. Satz der Sonate für Violine und obligates Cembalo, c-Moll (BWV 1017), wie sich dort auch absteigende Spitzenbässe finden, die unsere Quelle ebenfalls kennt. Der langsame Satz dürfte daher am ehesten die Autorschaft Johann Sebastian Bachs, sofern sie überhaupt in Frage gestellt wird, bekräftigen.

Die beiden abschließenden Tonsätze als charakteristische Eckpfeiler des Suitenprinzips vermögen nicht den chiesa-Stil der Sonate zu trüben. Tanzsätze in der Kirche bedeuten für Bach nichts Ungewöhnliches. Wie weit dabei die Beeinflussung zu gehen vermag, haben jüngst Smends[10] Forschungen zur Köthener Schaffensperiode nachgewiesen, wobei die Vertauschbarkeit des klanglichen Gewands, die wechselseitige Durchdringung von vokaler und instrumentaler Aussage bei erhaltener musikalischer

[5] H. Besseler, *Die Meisterzeit Bachs in Weimar*, in: Johann Sebastian Bach in Thüringen, Festgabe zum Gedenkjahr 1950, Weimar 1950, 111; ders., *Bach als Wegbereiter*, AfMw 1955. Besseler datiert hier den Einheitsablauf mit „1716" (S. 4–7) und behandelt an gleicher Stelle auch die letzten Weimarer Orgelfugen.

[6] Exemplar in B. Dresd.

[7] Autograph in B. Dresd., Signatur: Mus 2421 R/1; Erstdruck in Slg. Antiqua, London 1954, Schott.

[8] H. R. Jung, *Johann Georg Pisendel*, Jenaer Diss. 1956, S. 266 (ms.).

[9] H. Besseler in der *Schneider-Fs.* 1955, S. 119 ff. und 125.

[10] F. Smend, *Bach in Köthen*, Berlin [1952].

Substanz auffällt. Man wird daher in der Verwendung von Allemande und Gigue kein Gegenargument für den orgelgebundenen Kirchenstil des Werkes zu sehen haben. Schon Spitta[11] hebt die Sätze hervor, daß dies *der ältere Corellische Zuschnitt* sei. Damit verweist er treffend auf die italienische Wurzel der Tänze und zugleich auf eine neue Schicht der Entstehung. In der Stilistik scheinen die Sätze weniger die Nähe zu Köthener Klaviermusik zu verraten, wie sie etwa die Englischen oder Französischen Suiten verkörpern. Immerhin bleibt die Übernahme verwandtschaftlicher oder gleichartiger Formelemente, wie sie sich in der Allemande der Französischen Suite (BWV 813) im rhythmischen Figurenwerk äußert, charakteristisch. Doch deuten motivische Kettenbildungen auf gleichsam stehender, über eine gewisse Strecke sich ausdehnender Akkordbasis (z. B. Takt 28) eher auf italienischen Einfluß. Die Gigue scheint erst recht aus einer Beschäftigung mit Corelli hervorgegangen zu sein, wie auch ihre melodische Konsequenz an Vivaldi erinnert.

Aus den dargelegten Gründen dürfte in Verbindung mit dem paläographischen Befund der Quelle auch aus stilistischen Erwägungen heraus die Autorschaft Johann Sebastian Bachs als gesichert zu gelten haben. Die Sonate gehört entstehungsgeschichtlich vermutlich in die späte Weimarer Zeit von etwa 1714–1717. Die geistige Nähe der ersten beiden Sätze zu den gleichzeitig entstandenen Orgelwerken, die italienische Bindung der letzten beiden Sätze, beides Kriterien, die für Bachs Weimarer Zeit Gültigkeit besitzen, dürften es bestätigen.

IV. SPEZIELLE ANMERKUNGEN

S a t z 1 :

Die beständige Wiederkehr des e″ im Violinpart führt zu drei verschiedenen Formen der Balkensetzung, die für die Interpretation wichtig sein kann. Es ist notiert Takt 8–16, 2. Viertel: , wobei möglicherweise „Griff" und „leere Saite" gemeint sein kann, Takt 16, 3. Viertel, bis 20: , eindeutig als Anstrich der „leeren Saite" aufzufassen, Takt 21–22: , eindeutig als „Griff" zu spielen.

Takt	System	Bemerkung	
1	Continuo		BA löst die Breven im Sinne eines Orgelpunkts bis Takt 29 auf
4	Violine	5. Note a″; darunter Zusatz von fremder Hand *h*.	

S a t z 2 , *Adagio ma non tanto* :

In der Violinstimme ist in den Takten 10, 1. Viertel, 12, 1. Viertel, 51, 1.–3. Viertel die Notation der Gruppe entweder als oder als auf-

---

[11] Spitta, Bd. I, S. 372.

zufassen; NBA entschied sich für die 1. Notierungsmöglichkeit. Solche Stellen bringt die Hs. in Takt 2, 1. Viertel, 20, 1. Viertel, 30, 1. und 2. Viertel, 40, 1. und 2. Viertel, 44, 2. Viertel, 45, 1. Viertel, 48, 1. und 2. Viertel.

Takt	System	Bemerkung
4	Violine	3. Viertel, Bogen möglicherweise nur für dis'', e'' gültig
5	Continuo	4. Note lautet g mit ♮; darunter von fremder Hand gis; Schreibfehler, sonst wäre originale Bezifferung nicht verständlich; NBA letzt g mit ♯
7	Violine	4. Note c'' mit ♮
8	Violine	5. Note d'' mit ♮, von fremder Hand durchstrichen, darunter dis; vermutlich Schreibfehler; NBA setzt daher d'' mit ♯
11	Violine	1. Viertel, Bogen nur bis a''
22	Continuo	2. Ziffergruppe lautet $\begin{smallmatrix}6\\6\\3-5\end{smallmatrix}$, zur Verdeutlichung der Stimmenfortschreitung
25	Violine	1. Viertel, Bogen nur bis h''
30	Continuo	2. Ziffer lautet 6♭⌒ ; NBA setzt dafür 6♭–
31	Continuo	1. Ziffergruppe $\begin{smallmatrix}♭7\\5\end{smallmatrix}$; das ♭ von fremder Hand irrtümlich gestrichen
32	Continuo	2. Ziffergruppe $\begin{smallmatrix}7\\5\\♭\end{smallmatrix}$; das ♭ von fremder Hand irrtümlich eingeklammert
37	Continuo	2. Ziffer, Stellung strittig; steht genau unter 3. Note des Violinparts, zugleich über 7
39	Violine	2. Viertel ohne Haltebogen
41	Continuo	1. Ziffergruppe lautet $\begin{smallmatrix}6\\4\\2\end{smallmatrix}$ statt $\begin{smallmatrix}6\\4\\3\end{smallmatrix}$
47	Violine	2. Viertel mit sehr dünnem Bogen von fremder Hand.

S a t z 3, *Allemanda*:

Takt	System	Bemerkung
Auftakt	Continuo	7 statt ♯7
3	Violine	2. Viertel, Rhythmik unklar, ob Doppeltrio gemeint ist oder nur die Sechzehntelbalken vergessen wurden; NBA ändert im letzteren Sinne analog Takt 6, 2. und 4. Viertel
8	Continuo	3. Ziffergruppe irrtümlich $♭\begin{smallmatrix}6\\5\end{smallmatrix}$ statt $\begin{smallmatrix}6\\5\end{smallmatrix}$
11	Violine	5.–7. Note als Sechzehntel; NBA folgt 8.–10. Note und versieht 7. Note mit Zweiunddreißigstelbalken
13	Violine	1. Viertel, Balkenteilung nicht original
16	Violine	Ohne ♯7, ebenso Continuo
	Continuo	1. Note A, darunter von fremder Hand h; NBA gibt H
19	Continuo	2. Viertel, 1. Ziffergruppe ursprünglich $\begin{smallmatrix}6\\7\\5\end{smallmatrix}$, Korrektur in $♭\begin{smallmatrix}7\\5\end{smallmatrix}$

Takt	System	Bemerkung
20	Violine	4. Viertel, Bogensetzung ♪♪♪♪♪ ; NBA folgt jedoch sinngemäß 3. Viertel
24	Violine	3. Viertel fehlt, von fremder Hand durch **Verweismarke mit** Bleistift am oberen Blattrand nachgetragen
26	Continuo	3. Viertel, Zifferngruppe irrtümlich $\frac{6}{4}_{2\flat}$ statt $\frac{6}{4}_{\natural}$
27	Violine	5., 6. und 11., 12. Note als Sechzehntel; NBA setzt in beiden Fällen Zweiunddreißigstelbalken nach Takt 3 und 11
27, 28	Violine	2.–4. Viertel bzw. 1.–2. Viertel ungenaue Bogensetzung, aus der sich eine eindeutige Formulierung nicht ergibt; doch ist der Wille spürbar, die Gruppen mutmaßlich im Sinne von Takt 27, 1.–2. Viertel zu phrasieren, so daß diese Bezeichnung für NBA gewählt wurde
32	Violine	Ohne ⁊, ebenso Continuo
	Continuo	3. Viertel E ohne Verlängerungspunkt.

S a t z 4, *Gigue*:

Takt	System	Bemerkung
3	Violine	4.–6. und 10.–12. Achtel nach altem Brauch notiert als ♪. ♪ , bedingt durch Auffassung des $\frac{12}{8}$-Taktes als C-Takt; ebenso Takt 7, 7.–9. Achtel, Takt 8, 1.–3. und 7.–9. Achtel, Takt 21, 4.–6. und 10.–12. Achtel; NBA setzt dafür die Umschrift ♩ ♪
6	Violine	Ohne Haltebogen; NBA folgt Takt 24, 25
9, 28	Violine	Notiert als ♫♩ ♪♩ ♪♩ ♫, wobei nach altem Brauch durch rhythmische Zusammenfassung der Achtelwerte zu Vierteln der synkopische Charakter unterstrichen wird; NBA gibt die moderne Umschrift
22	Continuo	1. Zifferngruppe irrtümlich $\frac{6\flat}{5\flat}$ statt $\frac{6\natural}{5}$
25	Violine	Die letzten drei Noten als Zweiunddreißigstel statt Sechzehntel
40	Continuo	Ohne Haltebogen.

D. SECHS SONATEN FÜR VIOLINE UND CEMBALO

BWV 1014–1019a

I. QUELLEN

Von Bachs Sonaten für Violine und obligates Cembalo existiert weder ein vollständiges Autograph, noch ein von Bach überwachter Erstdruck. Unter den nachstehend genannten Quellen befindet sich lediglich ein kurzes bruchstückhaftes Teilautograph: der Cembalopart von drei singulären Mittelsätzen der 6. Sonate in einer Zwischenfassung (Hs. E). Die zugehörige Violinstimme fehlt jedoch, so daß diese Fassung nicht mehr rekonstruiert werden kann. Die übrigen Quellen sind teils Partituren, teils Stimmen (in Hs. G nur Cembalo), sämtliche handgeschrieben, die sich (abgesehen von Hs. A) hinsichtlich ihrer Entstehung zeitlich und örtlich nicht näher bestimmen lassen. Doch mögen sie alle ins 18. Jh. gehören. Im einzelnen handelt es sich um die in folgender Zusammenstellung beschriebenen Handschriften[1].

A. Sammelhandschrift (Partitur), angelegt von J. Ch. Altnikol (1719–1759), gehört unter der Signatur *Mus. ms. Bach P 229* zu den Beständen der BB und befindet sich z. Z. in treuhänderischer Verwahrung der Westdeutschen Bibliothek Marburg.

Die Hs. ist undatiert, dürfte jedoch kaum vor 1748 (als Altnikol Organist in Naumburg wurde) geschrieben worden sein. Da Altnikol schon 1759 starb, kommt für die Entstehungszeit der Hs. nur ein verhältnismäßig enger Zeitraum, etwa das Jahrzehnt von 1748 bis 1758 in Betracht. Zu Altnikol vgl. MGG (F. Blume).

Es handelt sich um einen Pappband, der mit grünem Glanzpapier überzogen ist; die Blattgröße (Hochformat) beträgt 37,6 × 24,4 cm. Die Hs. enthält die sechs Sonaten in unmittelbarer Aufeinanderfolge, außerdem die Flötensonate in h-Moll (BWV 1030) und ein Trio in F-Dur (BWV Anh. 186) von Ph. E. Bach. Die Hs. besitzt eine Blatt- und eine Seitenzählung. Jene stammt von Altnikol; sie bezieht das Titelblatt mit ein, kennzeichnet jedoch erst Blatt 2 als solches. Diese Foliierung erstreckt sich bis Fol. 44'. Die Seitenzählung ist von jüngerer Hand, sie bezeichnet bereits die Titelseite mit 1 und beschriftet weiterhin nur die ungeraden Seiten; sie reicht von 1–90. Die Violinsonaten (BWV 1014–1019) sind auf Fol. [1]–33ᵛ (= Seite 1–[68]) niedergeschrieben. Nicht von Altnikol, sondern von jüngerer Hand ist das Titelblatt, das folgenden Wortlaut hat: *Sechs Trios | für Clavier und die Violine | Hm. Ad. Ed. Cm. Fm. Gd. | von | Johann Sebastian Bach | nebst einem wenig bekannten Trio aus | Hm für das Clavier und die Violine oder Flöte | und einem aus Fd für zwei Violinen | und Bass*[2], *von*

---

[1] Für Bereitstellung der Fotokopien, wie auch für die Namhaftmachung der Quellen dankt der Herausgeber dem „Johann-Sebastian-Bach-Institut" in Göttingen, insbesondere Herrn Dr. A. Dürr, desgleichen für Auskünfte den Bibliotheken, die z. Z. im Besitz der Quellen sind: Berlin, Deutsche Staatsbibliothek, Kopenhagen, Kgl. Bibliothek, Marburg (Lahn), Westdeutsche Bibliothek, Tübingen, Univ.-Bibliothek.

[2] An Stelle von *Baß* ursprünglich (dann getilgt) *Clavier*. Eine Bemerkung von noch jüngerer Hand (im unteren Teil der Seite) identifiziert: *Fdur von C. Ph. E. Bach.*

demselben Meister. | Von der Hand seines Schwiegersohnes und Schülers | des Naumburgischen Organisten Altnicol. Auf der Rückseite des Titelblatts beginnt die Niederschrift der 1. Sonate. Die Überschrift lautet hier: *Sonata 1 a Violino Solo e Cembalo Concertato* (von der Hand Altnikols). Die Instrumente selbst sind nicht bezeichnet. Dies trifft auch für die übrigen Sonaten zu, die nur den einfachen Hinweis *Sonata II* usw. als Überschrift tragen (stets von Altnikols Hand). Die Schlüsselakzidenzien werden grundsätzlich (wo das Notensystem ausreicht) in zwei Oktaven notiert, in der 3. Sonate z. B. in folgender Stilisierung:

B. Partiturhandschrift, Kopist unbekannt, gehört unter der Signatur *Mus. ms. Bach P 426* zu den Beständen der BB und befindet sich z. Z. in treuhänderischer Verwahrung der Westdeutschen Bibliothek Marburg.

Undatierte sorgfältig angefertigte Reinschrift, in Halblederband mit festem Rücken gebunden, der mit dunkelbraunem Kleisterpapier überzogen ist. Die Blattgröße beträgt 24,1×34,0 cm (Querformat). Titelseite und 60 beschriebene Seiten, von jüngerer Hand mit Seitenzahlen versehen: 1–61 (mit der Titelseite beginnend und nur die ungeraden Seiten markierend). Der Titel (Seite 1) hat den Wortlaut: *Sei Sonate | al Cembalo | e | Violino obligato | composte | da | Giov: Sebast: Bach.* Überschrift bei jeder Sonate: *Sonata 1* usw. Eine Angabe der Instrumente findet sich nur vor dem 1. Satz der 1. Sonate, und zwar: *Violino oblg.* (vor dem Violinsystem) und *Cembalo* (vor dem Klaviersystem). Die Hs. trägt eine alte Akzessionsnummer, *M 17 858.* Dies deutet (frdl. Auskunft der Deutschen Staatsbibliothek Berlin) nach den alten Akzessionsjournalen darauf hin, daß das Exemplar Bestandteil der Autographensammlung Grasnik war, die 1879 für die damalige Kgl. Bibliothek angekauft wurde.

C. Partiturhandschrift, Kopist unbekannt, gehört unter der Signatur *„Weyses samling"* der Kgl. Bibliothek Kopenhagen.

C. E. F. Weyse (1774–1842) war Schüler von J. A. P. Schulz, als dieser von 1787–1795 in Kopenhagen wirkte. Ein Teil des Schulzschen Notenmaterials ging in Weyses Besitz über und gelangte später als „Weyses samling" in die Kgl. Bibliothek Kopenhagen. Unter den zahlreichen Schulzschen Bach-Handschriften und -Drucken befand sich auch die vorstehende Hs. der Sechs Sonaten, die wohl letztlich dem Berliner Kirnberger-Kreis entstammt, dem Schulz in seiner Berliner Zeit nahestand. Vgl. G. Hahne, Die Bach-Tradition in Schleswig-Holstein und Dänemark (Kassel 1954, S. 4, 13). Saubere Kopistenschrift, Blattgröße (Hochformat) 37,0 × 25,2 cm, Halblederband (gebunden etwa 1845). Einschließlich Titelblatt insgesamt 95 nicht paginierte Seiten. Die Beschriftung der Titelseite lautet: *Sechs Sonaten | für | Cembalo concert: und Violino | von | J. Seb: Bach.* Die Überschriften bei jeder Sonate lauten: *Sonata 1* usw. Instrumentenangaben fehlen.

D. Partiturhandschrift, Kopist unbekannt, gehört unter der Signatur *Am.B. 61* als Leihgabe zu den Beständen der BB, z. Z. in treuhänderischer Verwahrung der Universitätsbibliothek Tübingen.

Die Hs. entstammt der Bibliothek der Prinzessin Anna Amalie von Preußen und kam nach deren Tod (1788) in den Besitz des Joachimsthalschen Gymnasiums, seit 1914 als Leihgabe von hier an die Kgl. Bibliothek Berlin. Saubere Reinschrift, Blattgröße (Hochformat) 35,3 × 21,5 cm, blaumarmorierter Pappband. Originale Seitenzählung 1–107, Notenteil auf Seite 3 beginnend. Das Titelblatt trägt die Aufschrift: *VI Sonata* [sic] | *Cembalo concertato* | *e* | *Violino concertato* | *dal Sigr.* | *Giovanni Sebastian Bach.* Darunter der Stempel des Joachimsthalschen Gymnasiums: *Gymnasio* | *Reg. Joachim:* | *Legat; Ab Illu* | *striss. Principe* | *Amalia.* Jede Sonate lediglich als *Sonata 1* usw. bezeichnet. Instrumentenangaben nur bei der 1. Sonate, und zwar: *Violino* vor dem Violinsystem, *Cembalo* vor der r. H., und *Fundamento* vor der l. H. des Klaviersystems.

E. Handschriftliche Stimmen (Cembalo, Violine), die unter der Signatur *Mus. ms. Bach St 162* zu den Beständen der Deutschen Staatsbibliothek Berlin gehören.

Die Hs. hat keinen Einband, die Blattgröße (Hochformat) beträgt 35 × 21 cm. Die beiden Stimmen tragen verschiedene Wasserzeichen und sind auch von verschiedenen Schreibern geschrieben.

Bei der C e m b a l o s t i m m e erkennt man durchgängig als Wasserzeichen einen Kreis von etwa 4 cm Durchmesser mit vier lateinischen Großbuchstaben, und zwar oben links E, oben rechts L, unten links F und unten rechts ein spiegelverkehrtes N. Die rechts gelegenen Buchstaben sind nicht mit Sicherheit als solche zu erkennen. Die V i o l i n s t i m m e hat durchgängig als Wasserzeichen eine Art Rosette, die im engen Abstand in Form eines gleichschenkligen Dreiecks dreimal auf jedem Blatt angebracht ist.

Die Cembalostimme ist vollständig, die alte Blattzählung läuft von Fol. [1]2–27ᵛ (mit der Titelseite insgesamt 54 Seiten). Die Titelfassung lautet: *Sei Sounate* [sic] | *à* | *Cembalo certato è* | *Violino Solo, col* | *Baßo per Viola da Gamba accompagnata* | *se piace* | *composte* | *da* | *Giov: Sebast: Bach.* Ganz unten auf der Seite mit deutscher Schrift, wohl auch von anderer Hand, aber 18. Jh.: *NB. Diese Trio hat er vor seinem Ende componiert* [sic]. Auf der Rückseite (Fol. 1ᵛ) beginnt der Notenteil. Die 1. Sonate trägt die Überschrift: *Sonata 1 a Violino solo e Cembalo certato di J. S. Bach.* Die weiteren Sonaten tragen nur den Hinweis *Sonata 2* usw.

Die Violinstimme ist, wie schon oben vermerkt wurde, unvollständig und enthält nur die Sonaten 1–4. Sie umfaßt in der alten Foliierung [1] 2–8ᵛ insgesamt 16 Seiten und ist vielfach wegen Tintenfraß kaum lesbar. Eine besondere Titelseite ist nicht vorhanden, nur zu Beginn der 1. Sonate heißt es: *Sonata Violino solo del Sign. Bach.* Bei den weiteren Sonaten ähnlich nur ohne Autorhinweis, bei der 4. Sonate fehlt auch *Sonata.* Eine Zählung der Sonaten ist von jüngerer Hand hinzugefügt.

Weitere wesentliche Unterschiede zwischen Cembalo- und Violinstimme betreffen alsdann die Schrift. Es handelt sich ohne Zweifel um drei verschiedene Schreiber. Zunächst ist Bachs Handschrift zu erkennen; und zwar in der Cembalostimme die Sätze 3–5 der 6. Sonate. Sie stellen den einzigen autographen Teil dieser Sonaten dar und repräsentieren die mittlere Fassung der 6. Sonate, die nicht mehr rekonstruiert werden kann, weil die zugehörige Violinstimme fehlt. Alle übrigen Sätze der Cembalostimme lassen eine zweite, zwar charaktervolle, aber oft unsichere Handschrift mit verhältnismäßig vielen Fehlern, Ungleichheiten und Verbesserungen (Handschrift eines alten Mannes?) erkennen. Eine dritte Hand hat die Violinstimme geschrieben, deren Schriftzüge zierlich, feingliedrig und gewandt (ohne nennenswerte Fehler) sind.

Die Hs. entstammt der Sammlung Franz Hauser, die 1904 von der damaligen Kgl. Bibliothek in Berlin erworben wurde. Zu Hauser vgl. MGG (A. Dürr).

F. Handschriftliche Stimmen (Cembalo, Violine), die unter der Signatur *Mus. ms. Bach St 463–468* zu den Beständen der BB gehören und sich z. Z. in treuhänderischer Verwahrung der Westdeutschen Bibliothek Marburg befinden.

Jede Sonate (Cembalo und Violine) liegt in einem hellbraun gemusterten Pappdeckel (Mappe), die Blattgröße beträgt 34,4 × 22 cm, die einzelnen Stimmen besitzen keine Seitenzählung. Breite Schriftzüge, große Notenformen.

Die Schlüsselakzidenzien sind oft in zwei Oktaven gesetzt, gelegentlich aber auch zuwenig und fehlerhaft. Ein genereller Titel fehlt, jede Sonate hat ihren Spezialtitel, und zwar übereinstimmend analog dem folgenden Beispiel, das sich auf die 1. Sonate bezieht:

a) Cembalostimme

Außentitel: *Hmoll | No. 1 | Trio | fürs obligate Clavier und eine Violine | von | J. S. B* [bei den weiteren Sonaten *Bach*].

Innentitel: *Sonata 1 pro Cembalo ex H ♮.*
Ferner vor der 1. Akkolade: *Sonata.*

b) Violinstimme

Sonata 1 mo[sic] *| ex H ♮ | Violino.*
Ferner vor der 1. Akkolade: *Sonata 1ma*, darüber *Violino.*

Nur die 4. Sonate macht hiervon eine Ausnahme. Hier fehlt im Cembalo der Außentitel; hingegen ist in dem (einzig vorhandenen) Innentitel nach dem Wort *Cembalo* hinzugefügt: *obligato, con Violino | di | J. S. Bach.* Der Innentitel der Cembalostimme und der Titel der Violinstimme sind in Quasi-Druckbuchstaben geschrieben und stammen wohl von dem Schreiber des Notenteils. Der Außentitel der Cembalostimme in den Sonaten 1–3, 5, 6 und der erwähnte Zusatz in der 4. Sonate lassen hingegen die Schriftzüge Ph. E. Bachs erkennen. Die Sonaten stammen offensichtlich aus dem Nachlaß Ph. E. Bachs, worauf schon Rust (BG IX Seite XX sub 3) hingewiesen hat. Ihre

Niederschrift ist (nach Rust) „sehr fehlerhaft und mit vielen Verzierungen überladen" (was aber nur bedingt zutrifft). Nach Auskunft der Deutschen Staatsbibliothek Berlin findet sich auf der Katalogkarte der Sonaten der Vermerk: „alter Bestand aus dem Besitz der Singakademie". Hiernach ist die Hs. schon vor Anlage des ersten Akzessionsjournals im Jahre 1842 im Besitz der damaligen Kgl. Bibliothek gewesen.

G. Handschriftliche Cembalostimme, die unter der Signatur *Mus. ms. Bach St 403* zu den Beständen der BB gehört, z. Z. sich aber in treuhänderischer Verwahrung der Westdeutschen Bibliothek Marburg befindet. Die zugehörige Violinstimme fehlt.

Die Hs. zeigt weder Blatt- noch Seitenzählung. Es handelt sich um eine Titelseite und 50 beschriebene Notenseiten, die in einen Pappdeckel (hellbraun gemustert) eingeheftet sind. Blattgröße 35,5 × 21,6 cm. Der Haupttitel (S. 1) lautet: *Sounate* [sic] | *a* | *Cembalo concertato* | *Violino Solo* | *Basso per Viola da Gamba* | *accompagn: Se piace* | *Composte* | *da* | *Giov: Sebast: Bach.* Über der 1. Sonate steht: *Sonata I Cembalo Certato e Violino Solo di J. S. Bach,* über den folgenden Sonaten nur *Sonata II* usw.

Die Hs. wurde 1887 vom Antiquariat L. Liepmannssohn in Berlin an die damalige Kgl. Bibliothek verkauft.

Verschollene Handschriften:

1. Abschrift nach Hs. E. Aus dem Besitz F. Hausers, verschenkt an Julius Maier, heutiger Besitzer unbekannt (Mitteilung des Leiters des Franz-Hauser-Archivs, Dr. Karl Anton in Weinheim, an das Johann-Sebastian-Bach-Institut in Göttingen).

2. Alte Abschrift des Adagios h-Moll der 6. Sonate, ehemals im Franz-Hauser-Archiv, Weinheim, verbrannt am 1. Februar 1945 (Mitteilung wie zuvor).

II. ZUR ENTSTEHUNGSGESCHICHTE DER SONATEN UND ABHÄNGIGKEIT
DER QUELLEN

J. N. Forkel sagt von den 6 Sonaten in seiner Bach-Biographie[3]: „Sie sind zu Cöthen verfertigt, und können in dieser Art unter Bachs erste Meisterwerke gerechnet werden ... Die Violinstimme erfordert einen Meister. Bach kannte die Möglichkeiten dieses Instruments und schonte es eben so wenig, als er sein Clavier schonte." Die Entstehungszeit der Werke wird man hiernach auf die Jahre 1718–1722 eingrenzen dürfen.

Bach hat jedoch, wie der nachstehende Kritische Bericht zeigt, die den Sonaten zu diesem Zeitpunkt verliehene Gestalt in der Folgezeit nicht unangetastet gelassen. Von den oben genannten Quellen verkörpern die Hss. C und D das erste (Cöthener)

---

[3] Leipzig 1802 (NA Frankfurt a. M. 1950, S. 57).

Stadium. Dessen besondere Eigentümlichkeiten treten in der 5. und vor allem in der 6. Sonate in Erscheinung, während die übrigen Sonaten in keinem Zeitpunkt einen Gestaltwechsel erkennen lassen. Ein zweites Stadium in der Entwicklungsgeschichte der Sonaten verkörpert die (unvollständige) Hs. E. Zwar stimmt sie hinsichtlich der 5. Sonate noch mit C und D überein. Doch zeigt die 6. Sonate in E eine völlig veränderte Struktur, wobei auch einige neue Sätze eingeführt werden. Es ist unbekannt, was Bach zu dieser Änderung veranlaßt und wann er die zweite Fassung der 6. Sonate geschaffen hat. Vermutlich fand die Umarbeitung in den ersten Leipziger Jahren statt. Doch auch dieser Sonatenorganismus hatte keinen Bestand. Er war von dem Augenblick an in Frage gestellt, als Bach zwei der neuen Sätze im Jahre 1731 als „Courente" und „Gavotte" in die 6. Partita im „Ersten Teil der Clavierübung" herübernahm. Vielleicht hatte er die Einfügung dieser beiden suitenhaften Sätze in die 6. Sonate, allenfalls auch die rein generalbaßmäßige Faktur des zweiten davon, nachträglich als inadäquat empfunden und wollte in der Anlage der Sonate wieder zur rein sonatenmäßigen Satzfolge und zum triohaften Tonsatz zurückkehren. Wann dies geschah, ist ebenfalls unbekannt. Die Hs. A, die mit den Hss. B, F, G alsdann das dritte (und letzte) Stadium verkörpert, dürfte die älteste erhaltene Niederschrift der 6. Sonate in der 3. Fassung darstellen. Näheres bringen die Darlegungen über die 6. Sonate unter „V. Spezielle Anmerkungen". Was sich außerdem noch über die Beziehungen der einzelnen Quellen untereinander sagen läßt, ist ebenfalls den dortigen Bemerkungen zu entnehmen. Man erkennt dabei, daß gleiche Lesarten (oft auch fehlerhafte) den Hss. C und D gemeinsam sind, während andererseits auch die Hss. B und F vielfach zusammengehen.

III. NEUAUSGABEN

Die erste Druckausgabe der Sonaten besorgte H. G. Nägeli (Zürich) im Jahre 1802. Eine *Edition nouvelle* nach einer neuaufgefundenen *alten, sehr korrekten Handschrift* veranlaßte das *Bureau de Musique de C. F. Peters* in Leipzig im Jahre 1841. Die Sonaten erschienen hier innerhalb der „Oeuvres complettes" als *Liv. 10*. Diese Ausgabe wurde, wie es im Titel heißt, *soigneusement revue, corrigée, metronomisée et doigtée, enrichie de notes sur l'execution et accompagnée d'une préface*. Der Herausgeber war Moritz Hauptmann, der Bearbeiter der Violinstimme der Dresdner Hofkonzertmeister Karl Lipinski. Vgl. die Anzeigen von G. W. Fink in AMZ, Jahrg. 43, Leipzig 1841, Sp. 145 ff. und E. Krüger in der Neuen Zeitschrift für Musik, Jahrg. XV, Leipzig 1841, S. 73 ff. Die dritte Ausgabe, die zwar zum ersten Mal die Hauptquellen heranzieht, sie aber nicht vollständig in ihren verschiedenen Lesarten mitteilt, besorgte W. Rust 1859 innerhalb der BG, Jahrg. IX. Seitdem sind zahlreiche weitere Ausgaben für den praktischen Gebrauch erschienen, die hier, soweit sie feststellbar waren, verzeichnet werden mögen: Peters (F. David), Litolff (I. N. Rauch), Peters (G. Schreck, A. Moser), Breitkopf & Härtel (E. Naumann, NBG 1903/04), Breitkopf & Härtel (F. Hermann 1907), Universal-Edition (Nowotny), Simrock (M. Reger, neuere Ausgabe Schnirlin), Cranz (Portnoff), Bärenreiter-Verlag (R. Gerber). Außerdeutsche Ausgaben: Schirmer (Kortschak, Hughes), Ricordi (Guarnieri), Augener (David, Carse), Senart (Bouvet, Expert, 1920). Als Einzelwerk erschien außerdem die 5. Sonate bei Breitkopf & Härtel 1915 in der Bearbeitung von M. Reger.

IV. ALLGEMEINES

Die hier vorgelegte Ausgabe folgt grundsätzlich der Hs. A, und zwar sowohl hinsicht-lich der (letzten) Fassung der 5. und 6. Sonate, als auch in Einzelheiten (von wenigen besseren Lesarten in anderen Hss., die der Kritische Bericht vermerkt, abgesehen). Die s i n g u l ä r e n Sätze der 1. und 2. Fassung werden als Anhang abgedruckt. Um aber auch kleinere, jedoch bemerkenswerte Varianten der übrigen Quellen (vor allem hinsichtlich der Artikulation) nicht nur im Kritischen Bericht zu verzeichnen, sondern auch im Notentext anschaulich darzubieten, wurde für solche Fälle der punktierte Stich eingeführt. Wo also etwa in den Hss. B–G zusätzliche Legatobögen stehen, die in A fehlen, wurden sie punktiert gestochen. Gleichzeitig wird im Kritischen Bericht auf diese Tatsache mit den Worten „wie NBA andeutet" verwiesen. Triller aus den Hss. B–G wurden in NBA kursiv, Continuobezifferungen aus B–G in eckige Klammer ge-setzt. Weitere Einfügungen, vor allem Ergänzungen „nach Analogie", soweit sie nicht durch die Quellen legitimiert sind, wurden nicht vorgenommen. Desgleichen ist auf eine Bearbeitung der wenigen Bc.-Stellen verzichtet worden.

Schließlich sei noch auf die Problematik zahlreicher Legatobögen aufmerksam ge-macht. Die Dauer der Bögen ist oft schwer eindeutig zu bestimmen, weil die Einzeich-nung mit einer gewissen Nachlässigkeit vorgenommen ist. Auch bieten die einzelnen Quellen häufig verschiedene Lösungen. Besonders fragwürdige Stellen wurden unter „V. Spezielle Anmerkungen" erwähnt.

V. SPEZIELLE ANMERKUNGEN[4]

S o n a t e Nr. 1 (h-Moll)

S a t z 1, *Adagio*:

B: *Lento*; E: Cembalo ohne Tempoangabe; F: *Lento* [sic] in Violine und Cembalo. V i o l i n e :

Takt	Quelle	Bemerkung
6	B	Ohne Bogen über Sechzehntel
7/8	B	Nicht gebunden
8	BCDE	Bogen über Sechzehntel wie NBA andeutet
8	F	Fehlt Überbindung vom 4. zum 5. Viertel
8	CD	Im 6. Viertel ais'' und gis''

[4] Hochgestellte Zahlen bei den Taktzahlen beziehen sich auf die betreffende Note in dem an-gegebenen Takt.

Takt	Quelle	Bemerkung
10	EF	Die beiden letzten Sechzehntel gebunden, wie NBA andeutet
11^1	CD	Ohne *tr*
11$^{3-5}$	BEF	Gebunden wie NBA andeutet
11^6	EF	Punktierte Halbnote
12	BEF	*tr* auf letztem Viertel (hiernach NBA)
13	B	Ohne Punkt
13/14	D	Ohne Überbindung
14	BF	5. und 6. Viertel jeweils gebunden (hiernach NBA); E ein Bogen über die letzten 5 Achtel
14$^{3-4}$	CF	Gebunden
15	CDF	Ohne Mordent; in E *tr* statt Mordent
16–19	BF	Achtelfolgen gebunden wie NBA andeutet; dgl. C nur 17; dgl. D nur 16, 17, wobei auch 1./2. Note gebunden sind. Letzteres gilt 16, 17 auch für E
17	E	1./2., 3./4., 5./6. Note gebunden, Takt 18 dgl. Note 3/4, 7/8, 9/10
17^{12}–18^1	B	leg.
18^1	A	Unterer Ton (h) mit ♯ vor Note
18	D	Not 1/2, 3/4 gebunden, wie NBA andeutet; ebenda Note 6/7 (sic) gebunden
19	BCEF	*tr* (statt Mordent); D ohne Mordent
19	E	Note 3/4 gebunden
21	BE	Achtelfolgen leg. wie NBA andeutet; dgl. F, aber ohne leg. im 4. Viertel; E: 1. Note ohne Punkt
21	CD	1. Bindung fehlt
22	E	Ohne Bindung
23	CD	Nur hier leg. wie NBA andeutet
25	C	Note 3/4, 5/6 leg., in F 5/6 und 7/8 (hiernach in NBA angedeutet)
26	C	*tr* wie NBA andeutet
27	C	leg. wie NBA andeutet; dgl. D, wobei auch noch Note 1/2 leg.
28	BF	Achtelfolgen leg. wie NBA andeutet (F: 5. Viertel ohne Bogen); dgl. BEF 29, 5. und 6. Viertel wie NBA andeutet; CD in 28 wie B, wobei auch Note 1/2 leg.
30$^{1-4}$	EF	leg. wie NBA andeutet
30	B	Mordent (statt *tr*)
31	B	Keine Bindung; C: Ohne Bindung über 5.–6. Viertel
32	CDF	5.–6. Viertel leg. wie NBA andeutet
33	B	Achtelfolgen leg. wie NBA andeutet; in C ist nur das letzte Achtel mit 34^1 verbunden, in F nur 3.–6. Viertel (wie NBA andeutet) leg.

144

Takt	Quelle	Bemerkung
33^{12}	ABCDEF	Unterer Ton ohne ♯ vor c″
35^{2-6}	A	leg.; in BCF leg. wie NBA andeutet; in D Note 2–4 und 5/6 jeweils leg.; in E Bogen von Note 4–12
36	D	Ohne ⌢.

Cembalo:

Takt	Quelle	Bemerkung
4^6	G	r. H. untere Note h′ (statt fis′)
6^2	B	l. H. e, orig. in cis verbessert
6^5	CDEG	l. H. ohne ♯
7^7	B	l. H. G (statt Fis)
8	A	r. H. letzte Note ais″ zu 9^1 gebunden
10	BCG	r. H. ohne *tr*
11^4	BF	r. H. untere Note cis″ (statt ais′); bei der 6. Note h′ (statt fis′)
11^6	BF	l. H. nur hier mit ♯ versehen
12	B	r. H. Mordent (statt *tr*); EG: ohne Verzierung
12	G	r. H. im letzten Achtel obere Note cis″ (statt a′)
13	ACDEG	l. H. Tenorschlüssel
13	C	r. H. die drei letzten Achtel leg.
14^1	BF	r. H. Achtelvorschlag e″ vor d″
15	B	r. H. Halbnote gis′ ohne Punkt
17	G	r. H. ohne Bindebogen im 3.–4. Viertel; dgl. Takt 19
17	BF	r. H. Achtelvorschläge e″ vor d″ im 5. und cis″ vor h′ im 6. Viertel
19	F	r. H. 5. Viertel Mordent, in B nachträglich eingezeichnet; in G *tr*
19	E	r. H. 2.–4. Viertel Tintenkleckse, daher unleserlich
21	BEFG	r. H. 5.–6. Viertel: [Notenbeispiel]; in CD 6. Viertel: [Notenbeispiel]
24	D	r. H. punktierte Halbnote h′ ohne Überbindung zu Takt 25; dgl. punktierte Viertelnote cis″ Takt 25/26
25^2	BF	r. H. Mordent; in G l. H. ♯ vor e (sic)
25	CD	r. H. Achtelvorschlag fis″ vor 2. Note
26^{1-6}	CDEG	l. H. Tenorschlüssel
28	BF	r. H. Achtelvorschläge a′ vor g′ im 5. und fis′ vor e′ im 6. Viertel
30	BF	r. H. Mordent auf punktiertem Viertel ais′; ebenda *tr* in DG
31^1	B	r. H. Halbnote fis′ (statt d′), von jüngerer Hand mit Bleistift verbessert

Takt	Quelle	Bemerkung
34	B	Punktierte Halbnote mit entsprechenden Pausen
35	BF	r. H. Mordent auf 6. Viertel; C: *tr* (so in NBA angedeutet)
36	A	r. und l. H. ohne ⌒; B: l. H. ohne ⌒ (mit Bleistift nachgetragen); EFG: r. H. ohne ⌒.

S a t z 2, *Allegro*:

AB: ¢ als Taktvorzeichnung.

CDG: 2 als Taktvorzeichnung; dgl. die Cembalostimme von E, während die Violinstimme von E ¢2 setzt.

Takt 40^1 in allen Quellen Fermate, vereinzelt auch noch *Fine*, weil das nicht ausgeschriebene Dacapo hier schließt. Nach Takt 101: *Da capo* (bis Takt 40^1). Daher gelten die nachfolgenden Hinweise in Takt 1–40^1 auch für Takt 102–141, was nicht mehr im einzelnen registriert wird.

V i o l i n e :

Takt	Quelle	Bemerkung
2, 3	BF	Mordent (statt *tr*)
3$^{1–3}$	BEF	leg. wie NBA andeutet
4$^{1–3}$	B	leg.
4	EF	leg. wie NBA andeutet (F im 3. Viertel nicht leg.)
5	B	Note 1–2 leg., dgl. 3–8
5	EF	leg. wie NBA andeutet
7^3	CD	*tr*
16	BEF	leg. wie NBA andeutet
18	BF	Note 7/8 leg.
21	E	leg. wie NBA andeutet; BF: Note 3–8 leg.; C: Note 3/4 leg.; D: jeweils Note 3/4 und 5–8 leg.
22	CE	Fehlt ♯ vor 3. Note
24^2	D	a (statt cis")
29^1	F	Mordent
30	BF	Letzte Note Mordent
30$^{1–3}$	BEF	leg. wie NBA andeutet
30^6	A	Ohne *tr*
31, 32	BE	leg. wie NBA andeutet; F: dgl., aber nur im 3. und 4. Viertel von 31, 32 (in 31 ist 1.–3. Note leg.)
33^8	C	d" (statt h')
33, 34	E	leg. wie NBA andeutet
34$^{1–4}$	B	leg.; F: dgl. 1.–3. Note
38$^{7–8}$	BF	leg.
38, 39	E	leg. wie NBA andeutet
39$^{1–2}$	BF	leg., in F auch 5.–6. Note
39	BF	Mordent (statt *tr*)

146

Takt	Quelle	Bemerkung
42, 43	F	Mordent (statt *tr*)
43	BEF	leg. wie NBA andeutet
46	F	Mordent (statt *tr*)
47$^{1-3}$	BEF	leg. wie NBA andeutet
47	BCDEF	Ohne *tr*
50^1	BE	*tr* ; in F Mordent
51^3	E	*tr*
54	ACD	
54	E	Fehlt ♯ vor g'
59, 60	F	Mordent (statt *tr*)
60	E	leg. wie NBA andeutet
60	CD	Ohne *tr*
61^2	ACD	a''
63	BF	Fehlt ♯ vor 7. Note
65^2	E	Ohne ♯
69	B	4. Viertel zu Takt 70^1 nachträglich übergebunden; dgl. 70/71, 73/74, 74/75
71, 75	CD	3. Viertel *tr* ; dgl. E nur 71
76^2	C	♮ vor Note
79	B	*tr* auf gis''
83/84	D	Ohne Überbindung
84	E	fis' statt gis'; ferner letztes Achtel cis'' statt d''
86	D	Ohne ♯ vor letztem Achtel
87	CD	Halbe- und Viertelnote a'' (nicht leg.) statt punktierte Halbnote
87	E	Halbnote ohne Punkt
89	BF	Bogen vor 3.–8. Note; in E Bogen über ganzen Takt
89	CD	In der 2. Takthälfte je zwei Noten leg.
90$^{1, 4}$	CD	Ohne ♯
91	F	(sic)
94	BF	leg. wie NBA andeutet
94	CD	Ohne *tr*
95	CD	leg. über 3.–6. Note
96	D	Ohne leg.
97, 98	BEF	Ohne Vorschlag
97	CD	Punktierte Viertel ais' (statt a')
97	C	2. Takthälfte ohne leg.; dgl. 98
98	D	Ohne Vorschlag und leg.
99^1	BCDEF	*tr*
100^3	D	Ohne *tr*.

Cembalo:

Takt	Quelle	Bemerkung
1–4	CD	l. H. Bezifferung wie NBA andeutet
5^2–7^4	ACDEG	l. H. Altschlüssel; in C fehlt Takt 8 der Baßschlüssel
7	BF	r. H. *tr* wie NBA andeutet
11	B	r. H. Achtelvorschlag d" vor cis"
13^4	B	r. H. ohne $\sharp$
14	BF	r. und l. H. auf letztem Viertel Mordent
15	BF	r. H. Mordent auf Halbnote; dgl. 18, 21
22^1	BEF	l. H. ohne *tr*
23	G	l. H. *tr* auf Gis
24^3	CDE	l. H. ohne $\sharp$; dgl. 29^4
32	E	l. H. $\sharp$ vor 4. Note (sic)
33/34	B	r. H. ohne Überbindung
39	BF	r. H. Mordent (statt *tr*); E: Ohne Verzierung
41^1	F	r. H. Mordent
41, 42	CDE	l. H. ohne Bogen; dgl. 45, 46
43	BEF	r. H. ohne *tr*
44^4	CD	l. H. *tr*
46	F	l. H. ohne Bogen
47^3	CD	r. H. *tr* wie NBA andeutet; in BF statt dessen Mordent
51	CDE	r. H. ohne *tr*
52^1–55^5	ACDEG	l. H. Tenorschlüssel; dgl. 63^1–66^4 (G bis 67^4); in F ebenda in Tenor und Baßlage, aber nur Baßschlüssel vorgezeichnet (sic)
53^1	CDG	l. H. *tr* wie NBA andeutet; B: Mordent
53	E	r. H. ohne $\sharp$ vor 3. Note
54	BF	r. H. 4. Viertel *tr*, l. H. ohne Verzierung
54	CDEG	l. H. ohne *tr*
56^1	CDG	r. H. *tr* wie NBA andeutet; BF: Mordent
57	CDE	r. H. ohne *tr*
59^4	CDE	l. H. ohne $\sharp$
62^1	CD	l. H. *tr*; dgl. 64^1, 66^1
63–67	DE	l. H. Tenorschlüssel
64^2	DE	r. H. ohne $\sharp$
69	CDE	l. H. ohne Bogen; dgl. 70, 73, 74
70	B	r. H. Mordent (statt *tr*)
70	G	l. H. ohne Bogen
74^1	BEF	r. H. ohne *tr*
78	CDF	r. H. Achtelvorschlag g' vor 1. Note
79	CD	r. H. *tr* auf 1. (nicht 3.) Note
79	E	r. H. ohne *tr*

Takt	Quelle	Bemerkung
85/86	E	r. H. fehlt Überbindung
86	E	r. H. ohne ♯ vor e″
87	C	r. H. ♮ vor letztem Achtel (sic)
88	EG	r. H. ohne *tr*
89^6/90^1	BF	r. H. übergebunden; 90^1 ohne *tr* (so auch E)
91	BCDEF	r. H. ohne *tr*
93	E	l. H. ohne ♯ vor 4. und 8. Note
94^3	BF	r. H. Mordent
95	BCDF	r. H. *tr* (gilt wohl, wie NBA andeutet, bis Takt 97)
97/98	G	r. H. fehlt Überbindung
98	BF	r. H. Mordent auf Halbnote
99	E	l. H. ohne ♯ vor 3. Note
99	C	r. H. letztes Achtel ohne ♯
100^1	BF	r. H. Mordent
100^3	CDE	r. H. ohne *tr*.

S a t z 3, *Andante*:

V i o l i n e :

Takt	Quelle	Bemerkung
2$^{1-2}$	D	leg. wie NBA andeutet
2$^{3-4}$	BCE	leg. wie NBA andeutet
2^9	BE	*tr*
3	CD	2. Viertel leg. wie NBA andeutet
3	B	3. Viertel ohne leg.
3	BE	4. Viertel wie NBA andeutet; F nur die beiden letzten Sechzehntel leg.
3	F	8.–9. Note nicht leg.
4	BEF	3. Viertel ohne leg.
4	BCDF	Im 4. Viertel je zwei Noten (in E nur die beiden letzten) leg.
4	C	Ohne Mordent, dagegen *tr* auf d″ im 2. Viertel (letzteres auch D)
6	B	Ohne leg., dagegen *tr* auf gis′ (letzteres auch E)
6	CD	1.–2. Note leg., dgl. die beiden Sechzehntel im 3. Viertel (beides wie NBA andeutet)
7	BF	2. und 4. Viertel ohne leg., dgl. 8.–9. Note
7	E	2. Viertel ohne leg.
7	C	4. Viertel ohne leg.
8	B	*tr* (statt Mordent), im 2. Viertel ohne leg.; in A ist leg. im 1. Viertel auf die drei letzten Noten gerückt
8	CD	2. Viertel ohne Mordent und leg.
9	CD	3. Viertel für sich leg.

Takt	Quelle	Bemerkung
9	BEF	4. Viertel leg. wie NBA andeutet; CD ebenda nur das 2. leg.
9$^{2-4}$	D	Ohne leg.
10	BEF	g''/fis'' im 3. Viertel ohne leg.
10	CD	Die beiden ersten Noten im 3. Viertel leg. wie NBA andeutet; 4. Viertel ohne leg.
11	D	Im 2. Viertel leg. wie NBA andeutet
11	E	4. Viertel ohne leg.
12	B	Mordent auf cis''
12	BDEF	3. Viertel leg. wie NBA andeutet
14	BF	4.–5. Note leg. wie NBA andeutet
14	E	Ein Bogen über das 2. Viertel
15	BCDEF	1. und 2. Viertel leg. wie NBA andeutet
16	D	1.–2. Note leg. wie NBA andeutet
16	B	3.–4. Note nicht leg.
16	BEF	*tr* auf a' im 4. Viertel
17	BF	e''/dis'' nicht leg.
17	CD	1.–2. Note im 3. Viertel leg. wie NBA andeutet
18	BF	d''/cis'' nicht leg.
18	D	g''/a' im 3. Viertel leg. wie NBA andeutet
19^1	B	*tr* (mit Bleistift nachgetragen)
19	BCDF	1. Viertel leg. wie NBA andeutet; im 2. Viertel alle vier Noten leg. (C dagegen kein leg.)
19	E	2. Viertel mit einem Bogen versehen
20	BCDEF	1. und 2. Viertel leg. wie NBA andeutet
20	E	*tr* und leg. im 3. Viertel wie NBA andeutet
20	BF	Mordent auf cis''
21	BEF	2. Viertel nicht leg.
21	C	4. Viertel leg. wie NBA andeutet
22^6	BCDF	*tr* (nicht auf 7. Note)
22	BDEF	leg. im 2. Viertel wie NBA andeutet
22	BE	Fehlt leg. im 3. Viertel
23	B	2. und 3. Viertel nicht leg.; in EF dgl. nur 3. Viertel
25	E	Sechzehntel im 3. und 4. Viertel paarweise leg.
25	CD	Sechzehntel im 3. Viertel paarweise leg.; über 4. Viertel ein Bogen
25–27	F	Legatobezeichnung kann auch bedeuten, daß 3. und 4. Viertel jeweils für sich gebunden werden kann
26	C	3. Viertel nicht leg., 4. Viertel leg.
26, 27	BEF	3. und 4. Viertel leg. wie NBA andeutet
26	D	Im 3. Viertel sind 2.–4. Note leg.; 4. Viertel ganz leg.
27	CD	Im 3. Viertel 2.–4. Note leg.; im 4. Viertel paarweise leg.
27	B	Fehlt leg. vom 2. zum 3. Viertel

Takt	Quelle	Bemerkung
28	B	leg. von der 4.–7. Note
28	C	Ohne leg.
28	EF	Ein Bogen über 2. Viertel
29	BCDF	1. Viertel leg. wie NBA andeutet
29	CD	*tr* auf 6. (nicht 5.) Note.

Cembalo:

Takt	Quelle	Bemerkung
1, 2	D	r. H. leg. wie NBA andeutet; dgl. C mit Ausnahme von 4. Viertel in beiden Takten
2	BF	r. H. 1.–4. Note leg.; dgl. 5.–8. Note
3	D	r. H. fehlt leg. im 3. Viertel
3	BEG	r. H. fehlt leg. im 1.–3. Viertel; dgl. F nur 1. und 2. Viertel
3^{1-2}	C	r. H. fehlt leg.
4^1	CDF	r. H. *tr*
4	CD	r. H. Achtelvorschlag g'' vor 3. Viertel
5	CD	r. H. leg. im 3. Viertel wie NBA andeutet
6	BF	r. H. 1. Viertel, in C 2.–4. Viertel, in D 1.–4. Viertel leg. wie NBA andeutet. In F auch leg. über 5.–8. Note
6^{2-4}	G	l. H. Oktave tiefer
7^{5-6}	C	r. H. leg.
7	D	r. H. leg. wie NBA andeutet
7^6	F	l. H. e (statt d), in G: H (sic)
8	CD	r. H. Achtelvorschlag vor 1. Note; Bindung wie NBA andeutet
8	B	l. H. ♮ vor g
8	E	r. H. 8.–10. Note d'–e'–fis'
9	BF	r. H. 2. und 3. Viertel ohne leg.; EG dgl. nur 2. Viertel
9	BCF	r. H. 1. Viertel leg. wie NBA andeutet; CD dgl. auch 4. Viertel
10	CD	r. H. leg. wie NBA andeutet
10/11	CD	r. H. fehlt Überbindung
11	BDE	r. H. 3. Viertel ohne leg.
11	CD	r. H. 1. und 2. Viertel leg. wie NBA andeutet; Achtelvorschlag h' vor 1. Note des 3. Viertels; in F nur 2. Viertel leg. wie NBA andeutet
12	B	r. H. ais' mit Mordent; CDF: *tr*; BF: 3. Viertel ohne leg.; BCDF: leg. im 4. Viertel wie NBA andeutet; D: leg. über 1. Viertel wie NBA andeutet
12	EG	r. H. 3. Viertel ohne leg.
13	BEF	r. H. 1. und 3. Viertel ohne leg.

Takt	Quelle	Bemerkung
13	BCEFG	r. H. 4. Viertel leg. wie NBA andeutet; CD dgl. auch 2. Viertel
14	BEF	r. H. 1. Viertel ohne leg.; BF: leg. über 4. Viertel; F: leg. auch im 3. Viertel
14	CD	r. H. 2.–4. Viertel leg. wie NBA andeutet
15	BF	r. H. 3. Viertel ohne leg.
15	CDEFG	r. H. 4. Viertel leg. wie NBA andeutet
16	BF	r. H. 2.–3. Note leg., dgl. 5.–7. Note; ferner *tr* auf eis"
16	CD	r. H. leg. wie NBA andeutet; *tr* auf eis"
16	D	r. H. 9.–11. Note leg.
17	CDF	r. H. leg. wie NBA andeutet; in CD Achtelvorschlag e" vor 3. Viertel
18	BEF	r. H. ohne leg.; G: 1. Viertel ohne leg., über 2. Viertel ein Bogen
19	BF	r. H. leg. über 1.–7. Note, dgl. 8.–11. Note l. H. 2.–4. Note Oktave tiefer
19	C	r. H. leg. jeweils über 1., 2. und 3. Viertel; D dgl. auch über 4. Viertel wie NBA andeutet
20	BCDF	r. H. leg. wie NBA andeutet (in F fehlt jedoch leg. über 13.–14. Note)
21	BF	r. H. über 1. Viertel ein Bogen, dgl. über 2. Viertel; im 3. Viertel kein leg.
21	CD	r. H. leg. im 1. und 2. Viertel wie NBA andeutet; 4. Viertel in C kein leg.
22	BF	r. H. Bogen über 3. Viertel; in F auch Mordent auf 1. Note
22	EG	r. H. 4. Viertel ohne leg.
22	CD	r. H. Achtelvorschlag e' vor 1. Note
22	CD	r. H. leg. im 2. und 3. Viertel wie NBA andeutet
23	CD	r. H. leg. im 2.–4. Viertel wie NBA andeutet
23	BF	r. H. Bogen über 2. Viertel; im 3. und 4. Viertel je zwei Sechzehntel leg.
23	E	r. H. 1. Viertel ohne leg.
24	EG	r. H. 4. Viertel ohne leg.
24, 25	BF	r. H. leg. über 2. Viertel
24, 25	D	r. H. 2. und 3. Viertel leg. wie NBA andeutet; in C dgl. (jedoch 25, 2. Viertel über alle vier Noten)
26	BF	r. H. 2.–4. Note leg., dgl. 5.–6. und 7.–8. Note
26, 27	CD	r. H. leg. wie NBA andeutet
27	F	r. H. 2. Viertel leg., 4. Viertel Mordent
27	B	r. H. 2.–8. Note leg.; Mordent auf 4. Viertel
28	CD	r. H. 3. und 4. Viertel leg. wie NBA andeutet
28	BEFG	r. H. 1. und 2. Viertel ohne leg.; in B 11.–12. Note cis"–e"

Takt	Quelle	Bemerkung
28	CD	l. H. leg. wie NBA andeutet
29	CD	r. H. im Schlußakkord fehlt fis'
29	F	l. H. ohne ⌢
29	G	r. H. ohne *tr*.

S a t z 4, *Allegro*:

V i o l i n e :

Takt	Quelle	Bemerkung
2	CD	leg. wie NBA andeutet
3	BEF	Ohne leg.
4	CDE	
9	BF	Im 2. Viertel je zwei Noten leg.; E: Ohne leg., aber *tr* auf gis' im 3. Viertel
10	C	♯ vor 5. (nicht 4.) Note
17	CD	leg. wie NBA andeutet; ohne *tr*
19²	C	♮ vor der Note
21	BEF	leg. auf 1. Viertel; BCDF: *tr* wie NBA andeutet
22	CD	Im 3. Viertel leg. wie NBA andeutet; EF dgl. nur 2. leg.
25	EF	c'''/h'' leg.
36	B	2. und 3. Viertel ohne leg.; CDEF: leg. im 1. Viertel wie NBA andeutet
36	CDE	2. und 3. Viertel:
42	E	Fehlt ♯ vor 3. Note; 11. Note lautet g'' (nicht e'')
47	BCDF	leg. im 3. Viertel wie NBA andeutet; E nur im 1. Viertel leg. leg.
48⁸	BF	a' (nicht fis')
48, 49	ABE	Kein leg.; in CD dagegen wie NBA andeutet (49, 3. Viertel hat C auch kein leg.)
49	E	2. und 3. Viertel: (sic)
50, 51	D	3. Viertel wie NBA andeutet; C dgl. nur 51
51	B	Ohne *tr*
52	BEF	2. Viertel leg.
60	D	Ohne *tr*
61	BCDEF	Ohne ⌢; DF: ⌢ über Schlußdoppelstrich.

Cembalo:

Takt	Quelle	Bemerkung
1^{1-4}	CD	r. H. leg.
7^2	CDF	l. H. cis (statt eis)
8	CDEG	r. H. [Notenbeispiel] (G: 1. Viertel ohne leg.; E: leg. nur im 3. Viertel) analog Takt 19
10, 11	DF	r. H. jeweils zweitletzte Note ohne ♯; dgl. G nur 10
10	CD	r. H. ohne *tr*
10, 11	BEF	r. H. 3. Viertel nicht leg. und ohne *tr*; in BG *tr* wie NBA andeutet
11^6	B	r. H. ohne ♯ vor ais″
13	BF	r. H. 1.–3. Note im 2. und 3. Viertel leg.; dgl. Takt 14, 15 über jedem Viertel (in F nicht im 3. Viertel) l. H. leg. über der Schleiferfigur nur Takt 13, 2. bzw. 3. Viertel und Takt 14 über jedem Viertel
13	CD	r. H. jeweils 1.–3. Note im 2. und 3. Viertel leg.; dgl. Takt 14, 15 in jedem Viertel
13–15	CDEG	l. H. analog wie oben Takt 8 r. H. (CD hierbei nur Takt 13 leg., EG überhaupt nicht)
20	E	r. H. Mordent (statt *tr*)
21	DE	r. H. ohne *tr*
23	BF	r. H. ohne *tr*
33^2	CD	r. H. a (statt e'); dgl. E (hier aber auch e')
40	B	r. H. Bogen über die Figur des 3. Viertels wie NBA andeutet
40	CDEG	r. H. analog wie oben Takt 8 r. H. (aber ohne leg.)
41	C	r. H. fehlt ♯ vor 1. Note
42^1	BF	r. H. Mordent
42^2	B	l. H. ohne ♮
47^2	CD	l. H. Viertelpause
47–49	CDEG	r. H. analog oben Takt 8 r. H. (C nur 48 leg., EG überhaupt nicht)
48	B	r. H. Bogen über Figur des 1. Viertels wie NBA andeutet; dgl. 49, 2. und 3. Viertel
49^2	BF	l. H. Viertelpause
53	BF	r. H. leg. über 1.–3. Note; l. H. in B kein leg.
53	CDEG	l. H. analog oben Takt 8 r. H., jedoch CEG ohne leg.
55	BF	r. H. *tr* wie NBA andeutet
60	BEF	r. H. ohne *tr*
60	CD	r. H. Achtelvorschlag d″ vor cis″
61	ABCDEFG	r. und l. H. keine ⌒; in ADF aber ⌒ auf Schlußdoppelstrich.

Sonate Nr. 2 (A-Dur)

Satz 1:

Violine:

Takt	Quelle	Bemerkung
Vor 1	EF	„Dolce" (in E nur hier, nicht im Cembalo)
1	C	Ohne *tr*
1	DEF	leg. wie NBA andeutet (F nur 1. leg.)
2	BF	Ohne Vorschlag vor 7. Note
2	BEF	leg. bei 8. und 9. Note wie NBA andeutet
4	BCDEF	Nur 3.–4. und 5.–6. Note (paarweise) leg.; dgl. CDEF auch 7.–8. Note
4	D	Mordent (statt *tr*)
5	C	„dolce" bei 7. Note
6	C	3.–6. Note ohne leg.
7	BCF	2. Note nicht an 1. gebunden
7	F	Ohne *tr*
10	C	Ohne *tr*
10	BDF	3.–4. Note leg.; dgl. D 5.–7. Note, beides wie NBA andeutet; E: leg. über der 2. Takthälfte
11	BF	8. Note Mordent, 8.–9. Note nicht leg.
12	BF	Ohne 3. leg.
13	BF	3.–4. Note ohne leg.
14	BDEF	1.–2. Note leg.; dgl. DE 3.–5. Note, beides wie NBA andeutet
14	A	Mordent (statt *tr*)
15	E	2. Takthälfte nicht leg.
15	CD	3. Note an die 2. gebunden
16	DE	5. Note an die 4. gebunden
17	BDEF	*tr* wie NBA andeutet
19	DE	7.–8. Note leg. wie NBA andeutet
19	B	1.–2. Note leg.
20	CD	2. Note an die 1. gebunden
21$^{2-3}$	E	Terz tiefer
22$^{1-2}$	CD	leg.
22	BCDEF	7.–8. Note leg. wie NBA andeutet; dgl. 9.–10. Note
23	F	3.–4. Note nicht leg.
23	BCDF	7.–8. Note leg.
23	E	1. Takthälfte: Noten paarweise leg.
24	D	1.–2. Note leg.
24	A	Mordent (statt *tr*)
24	E	1. Takthälfte: Noten paarweise leg.
24	BDEF	7.–8. Note leg. wie NBA andeutet

Takt	Quelle	Bemerkung
24	D	9.–11. Note leg. wie NBA andeutet
25	CDE	1. Takthälfte leg. wie NBA andeutet
25	BD	5. und 6. Achtel leg. wie NBA andeutet
25	D	5. und 6. Achtel Mordent (statt *tr*)
25	BF	6.–7. Note nicht leg.
25	A	3. Note Mordent; B: *tr*, während in B statt der beiden folgenden *tr* Mordente erscheinen
26	CDE	1.–3. Note leg. wie NBA andeutet; dgl. 6.–7. Note
26	BF	1. Note ohne *tr*; B dagegen *tr* auf 3. Note
28, 29, 30	B	3.–4. und 5.–6. Note nicht leg.; dgl. DEF nur 28
29	C	3.–6. Note nicht leg.
30	F	9.–12. Note nicht leg.
30	CD	7.–8. Note leg.; dgl. 31, 1.–2. und 7.–8. Note
32	BEF	Nicht leg.; BCEF: *tr* wie NBA andeutet (in D Mordent statt *tr*)
32	CD	1.–6. Note leg. wie NBA andeutet
32	A	3.–6. Note leg.
33	BEF	1.–2. Note leg. wie NBA andeutet
33	CD	leg. nur bei 5.–6. Note
35	F	1.–2. Note ohne Bindung
35	BE	Vier letzten Noten nicht leg.; A ebenda ein Bogen; CDF ebenda paarweise leg. wie NBA andeutet
36	BDEF	leg. der Sechzehntelgruppen wie NBA andeutet; in C dgl. nur bei der letzten Sechzehntelgruppe
37	F	2.–4. Achtel:
37	BF	1.–2. Note leg. wie NBA andeutet; BEF: 2. *tr* wie NBA andeutet
38	CDF	3.–6. Note leg. wie NBA andeutet; in D auch 1.–2. Note leg.

Cembalo:

Takt	Quelle	Bemerkung
Vor 1	BCD	„Dolce" als Überschrift links über der 1. Akkolade, gilt also für Violine und Cembalo; in A „dolce" nur unter der Violinstimme Takt 1¹; F „dolce" bei Violine und Cembalo, in E nur bei Violine
Vor 1	G	dolce/Adagio
2	BDFG	r. H. 3.–4. Note leg. wie NBA andeutet; dgl. DG auch 5.–7. Note
2	F	r. H. ohne *tr*

Takt	Quelle	Bemerkung
3	B	r. H. 1. Note tr
3	G	l. H. 3.–4. Note leg. wie NBA andeutet
3	CE	r. H. 1. Takthälfte nicht leg.
4^1	CDEFG	r. H. tr wie NBA andeutet
4^{2-3}	E	r. H. nicht leg.
4	B	r. H. Sechzehntelgruppen nicht leg.
4	D	r. H. 6.–7. Note leg. wie NBA andeutet
5	CDEG	r. H. vier letzte Sechzehntel leg., in D auch die beiden vorangehenden Sechzehntel wie NBA andeutet
5	EF	l. H. ohne ♯ vor 7. Note
6^4–7^3	A	l. H. Altschlüssel; dgl. F 6^5–7^2
6	CD	r. H. die vier letzten Sechzehntel paarweise leg., Takt 8 auch die beiden letzten Sechzehntel
7	BEG	r. H. 4. leg. fehlt
7	BCFG	r. H. tr wie NBA andeutet
8^{1-2}	DFG	r. H. leg.; dgl. 3.–4. Note; dgl. G die beiden letzten Sechzehntel (hiernach NBA)
8	BF	r. H. 5. Note Mordent; in B ohne Bogen zur 6. Note; BF: 8.–9. Note nicht leg.
8	E	r. H. 8.–9. Note nicht leg.
9	DG	r. H. leg. wie NBA andeutet; dgl. 10, wobei in G das 2. leg. in Takt 9 und das 1. in Takt 10 fehlen
9	BF	l. H. 1.–4. Note leg.
10	B	r. H. 6. Note e' (statt fis')
10^{1-6}	CEF	r. H. leg. wie NBA andeutet
11	B	l. H. Mordent (statt tr); E ohne Verzierung
12^{3-6}	C	r. H. leg.
12	D	r. H. 2. Takthälfte leg. wie NBA andeutet
12	B	r. H. tr in Mordent verändert
12	BDF	r. H. vier letzte Sechzehntel leg.
12	E	r. H. ohne tr
12	G	l. H. nicht leg.
13	BCDEFG	r. H. 1. Takthälfte leg. wie NBA andeutet
14	BF	r. H. Mordent auf letzter Note
14	CDEG	l. H. 2.–6. Note leg. wie NBA andeutet
15	BCDEFG	r. H. 1.–6. Note leg.; BFG außerdem 7. Note Mordent
16	BCDEFG	r. H. 3.–6. Note leg. wie NBA andeutet (in G paarweise); 2. Takthälfte leg. wie NBA andeutet
16	B	l. H. ♮ vor 5. Note mit Bleistift hinzugefügt
17^{1-3}	C	r. H. leg. wie NBA andeutet
17	BF	r. H. Mordent auf 4. Note, in CD tr wie NBA andeutet

Takt	Quelle	Bemerkung
18	BF	r. H. Mordent auf 5. Note, ferner die vier letzten Sechzehntel leg. wie NBA andeutet
18	D	r. H. die vier ersten Noten leg. wie NBA andeutet
18	D	l. H. 1. Takthälfte leg. wie NBA andeutet (dgl. in G, jedoch nur 1. leg. vorhanden)
19	BF	l. H. Mordent (statt *tr*); E: Ohne *tr*
19	D	l. H. 2. Takthälfte leg. wie NBA andeutet (dgl. G, jedoch nur 1. leg. vorhanden)
20	BDFG	r. H. leg. wie NBA andeutet
21	BF	r. H. die vier letzten Sechzehntel leg. wie NBA andeutet
21	B	l. H. *tr* und Mordent (sic); F: Mordent (statt *tr*)
21	D	l. H. 1. Takthälfte leg. wie NBA andeutet; dgl. Takt 22, 2. Hälfte (in G dgl., aber jeweils ohne 2. leg.)
21, 22	E	l. H. ohne *tr*
22	BF	l. H. Mordent (statt *tr*)
23	A	r. H. fehlt ♮ vor 4. Note
23	BDG	r. H. leg. wie NBA andeutet; dgl. F, aber statt der beiden letzten Legatobögen nur ein Bogen
23	B	l. H. zwei punktierte Viertelnoten
23	C	r. H. jeweils 1.–3. und 6.–9. Note leg.
24	E	r. H. ohne *tr*; dgl. 25, 26
24	BDFG	r. H. 1. Takthälfte leg. wie NBA andeutet; in C 2.–4. Note leg.
24	BCG	r. H. 9. Note *tr*; in B auch, in F nur Mordent; NBA deutet *tr* an
24	D	r. H. 2. Takthälfte leg. wie NBA andeutet
25	BCFG	r. H. *tr* auf 3. Note wie NBA andeutet
25	D	r. H. leg. wie NBA andeutet
26	BCD	r. H. 1. Note *tr* (in B nachgetragen) wie NBA andeutet; in BFG 4. Note Mordent
26	D	r. H. 1.–3. Note leg. wie NBA andeutet
27	B	l. H. 6. Note H, durch jüngere Korrektur in A verbessert; *tr* u n d Mordent (statt nur *tr*); in F Mordent (statt *tr*)
27	D	l. H. 2. Takthälfte wie NBA andeutet (in G nur 1. leg. vorhanden)
28	BF	r. H. 3.–6. Note und 9.–12. Note jeweils leg.; l. H. die vier letzten Sechzehntel leg.
28	CDG	r. H. 8.–12. Note leg.
29	BFG	r. H. Sechzehntel nicht leg.
29	B	l. H. 3.–6. und 9.–12. Note jeweils leg.; dgl. F 1.–2. und 3.–6. Note jeweils leg.
29	CEG	r. H., l. H. in 2. Takthälfte nicht leg.; dgl. D nur l. H.

Takt	Quelle	Bemerkung
30, 31	D	l. H. leg. wie NBA andeutet
30, 31	E	l. H. ohne *tr*
32	BDG	r. H. *tr* (in B nachgetragen) wie NBA andeutet
32^{1-2}	CDE	l. H. leg.
33	BCDEFG	r. H. die vier letzten Sechzehntel nicht leg.
34	BF	l. H. 6.–7. und 8.–11. Note jeweils leg.
34	E	l. H. 1.–5. Note nicht leg.
35	BCEFG	r. H. 2.–6. Note nicht leg.; in BF 7. Note Mordent
35	BF	l. H. zwei punktierte Viertel gebunden, auf dem ersten Mordent
35	G	l. H. zwei punktierte Viertelnoten (ungebunden)
35/36	C	r. H. ohne Überbindung
37	BG	r. H. *tr* wie NBA andeutet (in B der 1. nachgetragen und statt des 2. orig. Mordent); C dgl. nur 1. *tr*; in F Mordent an Stelle des 2. *tr*
37	BCDFG	r. H. 3.–5. Note nicht leg.
38	BCDFG	r. H. leg. wie NBA andeutet; in BF 7. Note Mordent
38	ABCDEG	l. H. ohne ⌒; AB dgl. r. H.

S a t z 2, *Allegro*:

Allegro assai: BCDE (hier nur Cembalo) FG.

ABCDEFG: Takt 30^1 Fermate, weil das nicht ausgeschriebene Dacapo hier schließt; nach Takt 92 „*Da capo*" (bis Takt 30^1). Daher gelten die nachfolgenden Hinweise der Takte $1-30^1$ auch für die Takte 93–122, was nicht mehr einzeln erwähnt wird.

V i o l i n e :

Takt	Quelle	Bemerkung
7^7	B	a' (statt h')
11	BCE	Statt des 1. leg.: 3mal je zwei Sechzehntel leg.; BE leg. im 3. Viertel fehlt; D durchweg paarweise leg., dgl. F, aber die beiden letzten Sechzehntel nicht leg.
12	BEF	Statt Halbnote: Viertelpause und Viertelnote e'' (ohne Überbindung zu Takt 13)
17^2	B	Nur hier ♮ (hiernach NBA)
17	E	Nicht leg.
18	E	Überbindung zu 19^1
23	BCDEF	Letztes Achtel h' (statt e''), ohne Überbindung zu Takt 24
24	BCDEF	Ohne Überbindung zu Takt 25^1; dgl. 25/26^1
25^1	BCDEF	a''
26^1	BCDEF	cis'''

Takt	Quelle	Bemerkung
36	F	Ohne Überbindung zu 37^1
39	A	Fehlt ♮ vor g''; in CD vor a''
40	A	Versehentlich Überbindung zu 41^1
41^{1-2}	B	leg. nachgetragen
41	BCDEF	3. Viertel:
42^1	BCDEF	h' (statt h'')
58–71	CD	Legatobogen über jedem Takt; in D dgl. auch 72^{1-4}
60–68	BCE	Ohne Dynamik
65^1	A	forte (sic)
67^1	A	piano (sic)
$70^{1,2}$	B	h (im Cembalosystem) – d'; forte nur in DF
71	F	Vor der 10. Note fehlt ♯
74	DEF	„Arpeggio" (hiernach NBA)
83^1	F	Fehlt die tiefere Note gis'
83	BCDEF	leg. wie NBA andeutet
85	E	Nicht leg.; dgl. 87
92	ACDE	Tripelgriff e'–d''–gis'' als punktierte Halbnote
92	BF	Punktierte Halbnote.

Cembalo:

Takt	Quelle	Bemerkung
1^3	B	l. H. 6 als Bezifferung; in E: $\begin{smallmatrix}6\\4\end{smallmatrix}$
1–5	CDG	l. H. Bezifferung wie NBA andeutet; in C Takt 1^3: $\begin{smallmatrix}7\\6\end{smallmatrix}$; Abweichungen in G: Takt $2^{2,\,4,\,5}$ ohne Ziffern; Takt 3^1: $\begin{smallmatrix}4\\5\end{smallmatrix}$; Takt 3^3: 6; Takt 4^1 ohne Ziffer; Takt 5^1: 6; Takt 5^2 ohne Ziffer; Takt 5^3: 6
17^1	D	r. H. ohne gis'
21	BCDFG	r. H. *tr* wie NBA andeutet
25	CDEG	l. H. 2.–3. Viertel: ; in G die Fassung der NBA hineinnotiert
26^1	B	l. H. cis (darüber nachgetragen gis)
26	BF	l. H. leg. wie NBA andeutet
28	BF	r. H. ohne *tr* (in B mit Bleistift nachgetragen); in CD *tr* nur auf 1. Note; E ohne *tr*
30	BF	r. H. die hier einsetzende Figur ist in den ersten Takten folgendermaßen artikuliert:

Takt	Quelle	Bemerkung
		z. T. auch leg. über das ganze 1. Viertel, dgl. später in der l. H. (Takt 34) über 1. und 3. Viertel. Weiterhin an Parallelstellen (r. und l. H.) nur noch vereinzelt leg., was im einzelnen hier nicht mehr vermerkt wird. Doch dürfte die oben erwähnte Artikulation für diese Figur durchweg beabsichtigt sein
37	C	r. H. versehentlich $\sharp$ vor 4. Note
37/38	ACDEFG	l. H. Tenorschlüssel
38	C	l. H. $\sharp$ vor 6. Note
39^4	BC	r. H. ohne $\natural$
39	CDEG	r. H. 3. Viertel ; l. H. (in G auch Fassung der NBA hineinnotiert)
40^1	CDEG	r. H.: h'
41, 42^1	CDEG	l. H. (in G auch Fassung der NBA hineinnotiert)
49, 50	CD	l. H. *tr* wie NBA andeutet l. H. (in G auch die Fassung der NBA hineinnotiert)
53	CDEG	r. H.
54	BF	r. H. ohne *tr*
58	CD	l. H. leg. über 2. Viertel; dgl. 60 nur in D
58	E	r. H. ohne Überbindung zu 59^1
60	BFG	Ohne Dynamik; dgl. 62, 64, 70
62, 66	CD	Ohne forte; dgl. E nur 62
62	BCF	r. H. *tr* wie NBA andeutet; dgl. 64
64	F	l. H. 3. und 11. Note h (statt cis')
66	C	r. H. *tr* wie NBA andeutet
70	CD	r. H. Arpeggio-Zeichen vor Akkord
70		forte freier Zusatz nach Analogie der Violine
72^1	E	r. H. ohne $\sharp$ vor d''
75	BF	r. H. Achtelvorschlag cis'' vor 1. Note; dgl. 77 (gis''); dgl. G, dazu 79 (stets Viertelvorschlag)
91	CD	l. H. 5. Note „d" (droit); r. H. bei e' „s" (sinistre)
92^1	CD	r. H. „d" (droit)
91/92	CD	leg. wie NBA andeutet.

Satz 3, *Andante un poco*:

Violine:

Takt	Quelle	Bemerkung
Vor 1	F	Andante
2^4	BF	Ohne *tr*; D: Doppelschlag
3^3	BEF	Ohne *tr*; dagegen *tr* 3^6; dgl. D (aber Doppelschlag)
6	CD	leg. wie NBA andeutet
7^{4-5}	CD	Nicht leg.
8	BEF	leg. im 2. Viertel wie NBA andeutet
9	ABCDEF	1. Viertel: ♫♩ (BCDEF auch *tr* auf 1. Note). NBA ändert nach Analogie des Cembalos (Takt 10)
10^{1-4}	C	Nicht leg.
10	BDEF	leg. nur im 2. Viertel; E auch 3.–4. Note leg.
10	B	Mordent auf 1. Note des 4. Viertels
11^5	C	Ohne ♯ vor letzter Note
12	BF	Mordent auf letzter Note
13	B	Fehlt Überbindung
13	BF	Im 3. Viertel Mordent, in D Doppelschlag (statt *tr*)
14^3	C	*tr*, in D Mordent
16	C	Achtelvorschlag h' vor 1. Note
16^3	BF	Mordent; in E *tr*
17^{3-4}	BF	leg., in CDEF paarweise leg. im 4. Viertel; beides wie NBA andeutet
18	BDF	Nicht leg.; BEF: *tr* auf ais'
20	C	Achtel-(D: Sechzehntel-)vorschlag cis'' vor 1. Note
21	BCDEF	leg. bei a'/gis' wie NBA andeutet
22	CE	leg. im 1. und 2. (E nur im 2.) Viertel wie NBA andeutet
23	B	*tr* ♪♪♪
23^1	CF	*tr*
24	D	leg. nur im 2. Viertel
24	BCEF	3.–4. Note nicht leg.
24	BF	3. Viertel ganz gebunden; B: Mordent auf 1. Note des 4. Viertels
25^3	B	*tr*
27	B	Nicht leg.
29	CD	Die drei ersten leg. wie NBA andeutet.

Cembalo:

Takt	Quelle	Bemerkung
Vor 1	G	Andante
1	B	„staccato sempre" über der Violinstimme (sic); BF l. H. 2.–4. Note Staccatopunkte; B ♮ vor 15. Note nachgetragen
1	CDEG	staccato sempre fehlt
3^1	BF	r. H. Mordent; BCDEFG: 4. Note ohne *tr*
4^{1-2}	BF	r. H. leg.; F: 6. Note Mordent
6	BF	r. H. Achtelvorschlag e'' vor der 1. Note des 3. Viertels; Mordent auf cis''
7	CDF	r. H. 2. Viertel leg.
8	CD	r. H. 1. Viertel besteht aus: Achtel und zwei Sechzehntel
8	F	r. H. ohne Bogen auf cis''
10^1	BCDF	r. H. Mordent; BF dgl. 4. Viertel
10^{1-3}	G	r. H. zwei Sechzehntel und ein Achtel (ursprünglich umgekehrt, Korrektur sichtbar)
11	BCFG	r. H. nicht leg. im 1. Viertel; DE dgl. sowie im 2. Viertel
11	B	r. H. Mordent (G: *tr*) auf his' im 4. Viertel
12	B	l. H. 14. Note gis
13	C	r. H. ohne ♯ vor 8. Note
14	BF	r. H. Mordent (in G: *tr*) auf 3. Viertel
14	C	r. H. *tr* auf letzter Note
15^3	B	r. H. Mordent, in CDG *tr*
16^7	BEFG	l. H. cis (statt H)
17^3	B	r. H. *tr*, in F Mordent
17	CD	r. H. Achtelvorschlag h' vor 1. Note
17	CDFG	r. H. *tr* auf 3. Note; D dgl. auf 1. Note
17	C	l. H. ohne ♯ vor 13. Note
19	BF	r. H. nicht leg. im 2. Viertel
21^3	F	r. H. Mordent
21^{12}	ABFG	l. H. cis (statt d)
22^1	BF	l. H. Cis (statt Eis)
23^1	F	l. H. D (statt Cis)
24^1	D	r. H. *tr*
24^1	F	l. H. D (statt Cis)
24	F	r. H. ohne Bindung vom 2. zum 3. Viertel
24^8	BF	l. H. fis, als 4. Viertel cis (Viertelwert)
25	CDG	r. H. nicht leg. im 2. Viertel
25	G	r. H. *tr* auf vorletzter Note
$27^{6,\,8}$	BF	r. H. Mordent
28	CDF	r. H. Achtelvorschlag fis'' vor 3. Viertel
28	B	r. H. Mordent auf 3. Viertel

Takt	Quelle	Bemerkung
65⁴⁻⁷	D	l. H. leg.
65¹	BF	r. H. Mordent
67	B	r. H. ohne Überbindung zu 68¹
68⁵⁻⁸	D	r. H. leg.
69²⁻³	BF	l. H. leg., in F auch 4.–7. Note
70	C	r. H. ohne Überbindung zu 71¹
71⁴⁻⁷	CDEG	r. H. leg.
71–74	A	l. H. Altschlüssel
74	BF	r. H. ohne *tr*
81²⁻⁷	CD	l. H. leg.
82	F	r. H. fehlt 2. leg.; E ganz ohne leg.
82¹⁻²	B	l. H. Viertelnote cis (statt zwei Achtel d/cis)
82¹⁻⁴	CD	l. H. leg.; dgl. 5.–8. Note
83	BCDEG	r. H. nicht leg.
84	E	r. H. ohne 2. leg.
85⁵	G	l. H. dis (statt cis)
86	B	r. H. ohne Überbindung zu 87¹
87	D	l. H. ohne leg.
90⁴	F	l. H. Gis (statt Fis)
93	B	r. H. nicht leg.
94	G	r. H. 2. Takthälfte leg.
110¹	EG	r. H. a′ (statt a)
110	G	r. H. ohne Überbindung zu 111¹
114³	B	r. H. Mordent, in G *tr*
115ᴵᴵ	BE	l. H. ohne ⌒; dgl. in FG r. und l. H.; in AD r. und l. H. zusätzliche ⌒ auf Schlußdoppelstrich.

S o n a t e Nr. 3 (E-Dur)

S a t z 1, *Adagio*:

A: Ohne Tempovorschrift.

Violinstimme von E: ₵; dgl. Cembalostimme von F.

V i o l i n e :

Takt	Quelle	Bemerkung
1	EF	leg. wie NBA andeutet
2	F	Ohne *tr*
2	BE	Bogen über 2. Viertel, dgl. über 3. Viertel bis zur 1. Note des 4. Viertels
2	D	Doppelschlag auf vorletzter Note; dgl. 4
3	BEF	leg. im 3. Viertel wie NBA andeutet
3	E	Ein Bogen über 4. Viertel

166

Takt	Quelle	Bemerkung
4	F	Ein Bogen über 2. und 3. Viertel, der aber dreimal eingekerbt ist (also stets vier Sechzehntel auf einen Bogen)
4	BD	4. Viertel nicht leg.
5	CDF	2. Viertel leg. wie NBA andeutet (in F halbiert)
6	E	leg. wie NBA andeutet; CDF dgl. nur 2. leg.
6	CD	cis'' im 4. Viertel mit *tr* (D Mordent), dagegen h' keine Verzierung
7	B	2. und 4. Viertel nicht leg.; im 3. Viertel leg. halbiert (1.–4. und 5.–8. Note)
7	F	Im 3. und 4. Viertel je vier Sechzehntel leg.
7^1	CD	Ohne ♯; leg. von 2.–4. Viertel
7	E	3. Viertel eigenes leg.; dgl. 4. Viertel
8	BF	Im 3. Viertel ist das Achtel nicht übergebunden, während die vier Zweiunddreißigstel für sich gebunden sind; auch 4. Viertel für sich gebunden
8	CD	♯ im 4. Viertel vor a'' eingezeichnet (hiernach NBA)
9	BF	Im 4. Viertel a'' (statt ais'')
9	CD	3. und 4. Viertel getrennt leg.; 4. Viertel ohne *tr*
10	C	2. Viertel nicht leg.
10	F	leg. im 2. Viertel halbiert
11	BCDEF	leg. im 4. Viertel wie NBA andeutet
12	F	leg. im 4. Viertel halbiert
13	C	2. Viertel nicht leg.; dgl. E, auch im 3. Viertel
13	BF	Ohne Überbindung vom 3. zum 4. Viertel
13	E	Vorletzte Note Sechzehntel (statt Zweiunddreißigstel)
14^1	BEF	*tr*
15	BEF	3.–4. Note leg. wie NBA andeutet
15	CD	Die drei letzten Noten leg. wie NBA andeutet; kein *tr*
16	B	Im 2. Viertel Mordent (statt *tr*); leg. im 2. und 4. Viertel halbiert
16	C	Im 2. Viertel Zweiunddreißigstel (statt Vierundsechzigstel), kein *tr* (dies auch D)
16	F	leg. im 2. und 4. Viertel halbiert
17	CD	1. Viertel leg. wie NBA andeutet
17		3. und 4. Viertel in den Quellen verschieden rhythmisiert: BF: Die vier letzten Noten des 4. Viertels: Zweiunddreißigstel mit *tr* auf vorletzter Note und leg. (letzteres deutet NBA an)

C:

D:

Takt	Quelle	Bemerkung
16	C	r. H. unterste Note im 2. Viertel h' (statt his')
17	CDEG	r. H. 2. Viertel: Achtelakkord a'/his'/dis''/fis'' mit folgender Achtelpause; dgl. BF, aber ohne a'
18	CDEFG	r. H. 4. Viertel Unterstimme ♯ (statt Doppelkreuz); dgl. Takt 19 l. H. 2. Note (Oktavklang)
18	E	l. H. 4. und 5. Note verderbt: Gis-dis-dis'/A-cis-cis'
19	B	r. H. tr auf his' im 2. Viertel
19	CDEFG	r. H. im 4. Viertel ohne ♮ vor a'
21	CDE	r. H. im 2. Viertel noch h
21	E	r. H. 3. Viertel Unterstimme 4. Note h (statt a)
22	B	r. H. fehlt ♮ im 1. Viertel
22	BF	r. H. Mittelstimme im 2. Viertel als zwei Achtel notiert: e'/fis' (gis' fällt weg)
22	A	r. H. 1. Note der Mittelstimme im 2. Viertel (e') ist Sechzehntel
23	B	r. H. 1. Note der Unterstimme im 1. Viertel lautet e' (statt fis')
23	F	r. H. Unterstimme des 1. Viertels enthält nur Viertelnote h
23	D	r. H. 2. Note der Unterstimme im 1. Viertel lautet cis' (statt h)
24	F	r. H. 1. Note der Mittelstimme im 2. Viertel lautet gis' (statt fis')
24	EG	r. H. 2. Note der Mittelstimme im 1. Viertel lautet dis' (statt cis')
26	BF	r. H. 2. Viertel unterste Note fis (statt e)
26	E	r. H. fehlt 1. Achtelpause
27	B	r. H. 3. Viertel Mittelstimme fehlt (mit Bleistift zwei Achtel a'/fis' nachgetragen)
27	BF	r. H. Mittelstimme im 2. Viertel zwei Achtel fis'
27	F	r. H. Mittelstimme im 1. Viertel ohne ♮
28	F	r. H. 4. Viertel Unterstimme gis' (statt fis')
29	BG	r. H. 2. Viertel, 2. Hälfte der Oberstimme: Achtel h', Mittel- und Unterstimme zwei Sechzehntel gis'-a' bzw. e'-fis'
30	G	r. H. 1. Viertel Oberstimme ohne 2. Achtel cis'
31	G	r. H. 4. Viertel Unterstimme: Achtel e' mit Achtelpause, außerdem Viertelpause (sic)
31	G	r. H. Oberstimme vorletzte Note h' (statt a')
33	BF	l. H. 1. Hälfte punktiertes Viertel und Achtel (h/H), ohne Überbindung zum 3. Viertel
33	B	r. H. ♮ im 3. Viertel nachgetragen; dgl. l. H. auf vorletzter Note
33	E	r. H. letzte Note im 3. Viertel ist Zweiunddreißigstel (statt Sechzehntel)

Takt	Quelle	Bemerkung
33	B	l. H. ohne *tr* im 4. Viertel; in r. H. Mordent (statt *tr*)
33	G	l. H. letzte Note Zweiunddreißigstel a (statt gis)
34	BCDF	r. H und l. H. ⌢ wie NBA andeutet (E nur r. H.)
34	EFG	Im Schlußklang noch e.

S a t z 2, *Allegro*:

A: Ohne Tempovorschrift.
B: *Presto*, ¢.
E: ¢ in Violinstimme.
F: ₵ in Violinstimme.

V i o l i n e :

Takt	Quelle	Bemerkung
17	B	Mordent auf 4. Note; dgl. 18, 19, 20, 31, 49–51, 111–114, 117, 129–132
23	BF	leg. wie NBA andeutet; dgl. CD (jedoch 2. leg. halbiert); E dgl. nur 1. leg.
24	C	Viertelvorschlag cis'' vor h' (in D Achtelvorschlag); E: *tr*
34	D	Ohne leg.
57	B	*tr* (nachgetragen) auf 3. Note
62	E	leg. wie NBA andeutet; BCDF dgl. nur 2. leg. (dabei in CD halbiert)
66	BF	2. Takthälfte:
66	CDE	4. Viertel nicht leg.
66	D	4. Viertel Doppelschlag (statt *tr*)
68	BF	Ein Bogen über 3.–4. Viertel
68	DE	4. Viertel nicht leg.
70	D	2.–3. Note leg.; dgl. 4.–6. Note; letzteres auch in C
71	CD	Ohne *tr* und beide leg.
74	B	Ohne Überbindung zu Takt 75[1]
77	CD	2.–7. Note paarweise leg.
77	B	Nicht leg.; E: 2. Viertel leg., 3.–4. Viertel nicht leg.
78	CD	Ohne *tr*; F *tr*
79	CDE	Ohne Dynamik
80	BF	Letzte Note dis''
81	A	Letzte Note ohne ♮
83	B	2. Takthälfte leg.
86[6]	B	h' (statt a')
87	CE	Nicht leg.
88	CDEF	Vor letzter Note ♯ (statt Doppelkreuz); dgl. 90 vor 6. Note

Takt	Quelle	Bemerkung
89³	ABCF	Vor der Note einfaches ♮ (bedeutet Reduktion des Doppelkreuzes auf einfaches ♯)
89	BE	Nicht leg.
93	F	Ohne Überbindung zu 94¹
105²	C	gis'' (statt a'')
121	B	♯ vor 4. Note, dagegen richtig ♮ 122 ff.
138	CD	6.–8. Note e'–fis'–gis'
141⁴	B	Mordent; dgl. 143¹
143³	B	*tr*.

Cembalo:

Takt	Quelle	Bemerkung
5, 6	B	l. H. Mordent auf 3. Note; dgl. 13, 14, 44, 45, 52, 53, 125 bis 127, 133, 134. Dgl. FG mit Lücken
9	B	r. H. Mordent auf 4. Note; dgl. 10–12, 21, 26, 41–43, 99–101, 119, 120, 137–140; dgl. l. H. 95–97, 121–123. Dgl. FG mit Lücken
17	B	l. H. Überbindung zu 18¹ wie NBA andeutet; dgl. 19/20
23	B	r. H. Mordent auf 1., *tr* auf 3. Note; in FG beide Male Mordent
35¹	F	r. H. e'' (statt d'')
36	BFG	r. H. Mordent
39⁶	BF	r. H. Staccatostrich; dgl. 40⁶, 41³, 42³; dgl. F 39³
63⁶	E	r. H. fis'' (statt e'')
63	BFG	r. H. 4.–8. Note Staccatostriche; dgl. 64–66 (G nur 64)
64	C	r. H. leg. über 2. Hälfte
65	BCDEFG	r. H. leg. wie NBA andeutet
71	BC	r. H. nicht leg.
72	EF	r. H. einfaches ♯ vor 8. Note
72, 73	DF	r. H. leg. wie NBA andeutet; dgl. G nur 72
73	ABCDF	r. H. ♮ 3. Note (= einfaches ♯)
74	BFG	r. H. leg. wie NBA andeutet
74	CDE	r. H. einfaches ♯ vor 6. Note; in F ohne Akzidens
79	BFG	r. H. Mordent
81³	BFG	r. H. Mordent
82	BF	r. H. leg. über 2. Takthälfte
82	CD	r. H. 4. Viertel ohne *tr*
84	BCDEFG	r. H. leg. auf 2. Takthälfte; BF: 4. Viertel: ♪♪♩ G: 3. Viertel: ♪♪♩
90	F	Fehlt
92¹	BF	l. H. Mordent

Takt	Quelle	Bemerkung
94	BF	r. H. Mordent
95^4	BF	r. H. Staccatopunkt; dgl. 96^4, 97^4; dgl. G 95^{5-8}
99	G	l. H. ohne ♯ vor 2. Note
102	BF	r. H. ♮ vor 2. Note (hiernach NBA)
108^4	G	r. H. e'' (statt d'')
111^1	BFG	r. H. Mordent; dgl. 117^1
121^4	B	r. H. Staccatostrich; dgl. BF 122^4, 123^4
121	BF	l. H. Staccatostrich auf 3. Note; dgl. 122–124
122^8	BF	r. H. e'' (statt cis'')
123^6	BF	r. H. e'' (statt d''); 8. Note d'' (statt cis'')
129^1	BFG	r. H. Mordent; dgl. 131^1
132^3	CD	l. H. A (statt H)
137	B	l. H. Überbindung zu 138 wie NBA andeutet.

S a t z 3, *Adagio ma non tanto*:

Die Triolen in Violine und Cembalo sind in allen Quellen unregelmäßig mit ⌢₃ oder ⌢ bezeichnet. Die NBA vermerkt die Varianten nicht und setzt nur bei der jeweils ersten Figur ⌢₃, weiterhin den selbstverständlichen Legatobogen.

V i o l i n e :

Takt	Quelle	Bemerkung
8	CF	leg. im 2. Viertel wie NBA andeutet
9	E	Jeweils ein Bogen über 2. und 3. Viertel
9	F	4. und 5. leg. fehlt
9	B	1.–4. Note nicht leg.; 5.–7. Note leg.
10	E	1.–4. Note leg.; dgl. 5.–8. Note (8. Note = d'', statt cis'')
10	BF	3. Viertel nicht leg.
11	B	Nur 1.–3. Note leg.
11	E	Jedes Viertel ein Bogen
11	F	Im 1. Viertel nur 1.–3. Note leg.; 2. Viertel nicht leg.
13	BF	2.–6. Note Artikulation wie NBA andeutet; CD nur Bogen, AE ohne Artikulation
15	CE	Unterer Ton im 3. Viertel cis'' (statt h')
16	D	Achtelnote a' statt Achtelpause, ferner untere Note im 1. Doppelgriff fis'
17^6	CD	Untere Note e'' (statt dis'')
19^1	CDEF	In unterer Stimme ♯ (statt Doppelkreuz)
23	BDEF	2.–4. Note leg. wie NBA andeutet; C: 1.–4. Note leg.
24	B	1.–2. Viertel ohne Überbindung (nachgetragen)
28	C	2.(nicht nur 3.)–4. Note leg.
29	D	1.–2. Note leg.; dgl. 3.–4. Note

Takt	Quelle	Bemerkung
29	BC	2.–4. Note leg. wie NBA andeutet; B dgl. Takt 30 wie NBA andeutet; EF 29, 30 nur 3.–4. Note leg.
30	BEF	2. Viertel leg. wie NBA andeutet
30[6]	E	gis' (statt h')
30	B	Fehlt Überbindung (nachgetragen)
31	ACDEF	Vor 3. Note ♯ (statt Doppelkreuz); dgl. CDEF vor 33[4], 36[6], 37[2]
35	C	♯ vor 3. Note (sic)
36	BCDF	Im 2. Viertel fisis'/e'' nicht leg.
37	E	Jedes Viertel ein Bogen; dgl. 38, 39
37	BF	1., 5. und 6. leg. fehlt
37	CDF	Im 2. Viertel sind 1.–3. Note leg.
38	F	4.–6. leg. fehlt
39	BF	leg. nur im 2. Viertel
39	C	Im 1. Viertel sind 2.–4. Note leg.
40	B	♯ im 2. Viertel nachgetragen; DF ohne ♯
44[1]	BF	Mordent; E: *tr*
44	F	Ohne Überbindung zu 45[1]
45	D	Im 3. Viertel nicht leg.
46	BCDF	1.–3. Note nicht leg.
46	BEF	2. Viertel leg. wie NBA andeutet
46	F	3. Viertel leg. wie NBA andeutet
47	E	1.–4. Note leg.; F nur 3.–4. Note leg.
47	CD	2.–4. Note nicht leg.
48	CDEF	leg. im 1. Viertel wie NBA andeutet; CD: 3. Viertel nicht leg.
49	BF	1. und 2. Viertel nicht leg.
49	E	Über 2. Viertel ein Bogen
49	BF	Über 3. Viertel ein Bogen
49	C	2.–4. und 6.–8. Note leg.
49	D	Im 2. Viertel sind 1.–3. Note leg.
50	E	Über 2. Viertel ein Bogen
50	B	Je ein Bogen über 1. und 2. Viertel; 3. Viertel nicht leg.
50	F	2. und 3. Viertel nicht leg.
50[4]	C	e'' (statt fis'')
51	B	Nicht leg.; in C nur 6.–8. Note leg.
51	E	1.–3. Note leg.; dgl. 5.–8. und 9.–12. Note
51	DF	1.–3. Note leg.; D: 4.–8. und 9.–11. Note leg.; vor 6. und 7. Note fehlt ♯
52	B	Die beiden letzten Noten leg.; in CD die beiden ersten Noten leg.
53	CD	1.–2. Note nicht leg.
53, 54	BEF	Nicht leg.

Takt	Quelle	Bemerkung
54	CD	Ein Bogen über 2.–5. Note
57	BF	1. und 2. Viertel leg. wie NBA andeutet
57[1]	C	Fehlt untere Note e'
58	CD	1.–2. Note leg.; dgl. D Takt 59
58	E	1. und 2. Viertel je ein Bogen
59	BF	3.–4. Note nicht leg.
59	E	1.–2. Note leg.; 4. Note e'' (statt fis'')
60	BCDF	3.–4. Note nicht leg.; BF: 4. Note cis'' (statt dis'')
60	E	2.–4. Note leg.
61	BE	leg. wie NBA andeutet; F halbiert das leg. im 3. Viertel und bindet im 2. Viertel nur die beiden letzten Noten
62	BEF	*tr* wie NBA andeutet; dgl. BCEF Takt 64
65	BD	⌢.

C e m b a l o :

Takt	Quelle	Bemerkung
4[1]	A	r. H. Mittelstimme gis' (NBA ändert analog 8)
4, 8	BCF	r. H. Mittelstimme durchweg a'
6	E	Fehlt, am unteren Seitenrand von der gleichen Hand nachgetragen
12	E	Zuerst notiert, dann getilgt und wieder neu notiert
13[1]	CD	r. H. ohne gis'
14	BFG	r. H. Mordent auf Halbnote
15	BF	r. H. 8.–9. Note e''/fis'' (statt dis''/e'')
16[3]	B	l. H. dis (nachträglich in H verbessert)
17	BF	r. H. 2.–4. Note leg.; F dgl. 5.–8. Note
17	CDEG	r. H. 1. Viertel nicht leg.
18	BF	r. H. die drei letzten Noten leg.
19	EFG	r. H. vor 5. Note ♯ (statt Doppelkreuz)
19	CF	r. H. jeweils ein Bogen über 2. u. 3. Viertel; dgl. D nur 2. Viertel
20[1]	C	l. H. ohne Doppelkreuz; in E (hier auch r. H.) FG einfaches ♯ (statt Doppelkreuz)
23	BCDF	r. H. *tr* (in B nachträglich); in G Mordent
26[2]	BFG	r. H. Mordent
29	D	r. H. jeweils 1.–2. und 3.–4. Note leg.; F 1.–4. Note leg.
31	CD	r. H. je ein Bogen über 2. und 3. Viertel (beide Male 1.–3. Note)
31	E	r. H. vor 5. Note einfaches ♯; F 31–33 vor fis kein ♯
32	CD	r. H. über jedem Viertel ein Bogen (im 3. Viertel nur 2. bis 4. Note leg.); G 10.–12. Note leg.
32	E	r. und l. H. einfaches ♯ (statt Doppelkreuz)

Takt	Quelle	Bemerkung
33	E	r. H. vor 4. Note einfaches $\sharp$
34	B	r. H. $\natural$ vor 3. Note (bedeutet hier Reduktion des Doppel-kreuzes auf das einfache $\sharp$)
35	ABCDEFG	r. H. 4.–6. Note fis''/e''/dis''. Die NBA ändert diesen offen-sichtlichen Fehler der Quellen nach Analogie der Violine
36^1	CDF	r. H. ohne Doppelkreuz; F dgl. 37^6
36^1	E	r. H. einfaches $\sharp$; dgl. 37^6
37	BF	r. H. leg. im 2. Viertel: 2.–4. Note
37	CDEG	r. H. 2. Viertel nicht leg.
38	F	r. H. ohne Überbindung zu 39^1
39^2	G	l. H. H (statt cis)
40	BF	r. H. Mittelstimme fehlt
42	BFG	r. H. Mordent auf Halbnote
45^5	BFG	r. H. Mordent
45	BFG	r. H. leg. über 3. Viertel
46	BFG	r. H. leg. jeweils über 1. und 2. Viertel; C dgl. nur 1. Viertel
46	E	r. H. $\sharp$ vor 9. Note
47	FG	r. H. 2. Viertel leg.; dgl. 3. Viertel
49	BF	r. H. 1. Viertel leg.
51	E	r. H. ohne Überbindung zu 52^1
53	CD	r. H. ohne $\sharp$ vor 3. und 4. Note; dgl. F nur vor 3. Note
54	BF	r. H. Mordent auf Halbnote
55	B	r. H. $\sharp$ vor 3. Note nachgetragen; F ohne $\sharp$
57	F	r. H. ohne $\sharp$ vor 2. Note
57	BF	r. H. die drei letzten Noten leg.
58	B	r. H. 5.–8. Note leg.; $\natural$ vor vorletzter Note eingezeichnet
58, 59, 61	F	r. H. 2.–4. Note leg.; 5.–7. Note, 10.–12. Note
59	B	r. H. 2. Viertel leg.; dgl. 3. Viertel
59	G	r. H. 2.–4. Note leg.; dgl. 5.–7. Note, 10.–12. Note
60	BF	r. H. 2. Viertel leg.; B dgl. 3. Viertel
60	G	r. H. 2.–4. Note leg.; dgl. 5.–7. Note
61	G	r. H. 1.–3. Note leg.; dgl. 6.–8. Note, 10.–12. Note
62	BF	r. H. 1. Viertel: Punktiertes Achtel e' mit Sechzehntel dis'; Mordent über 2. Viertel
62^4	CD	r. H. cis' (statt dis')
65	BCDF	r. und l. H. $\curvearrowright$.

S a t z 4, *Allegro*:

ABCDEFG: Takt 35^1 Fermate, weil das nicht ausgeschriebene Dacapo hier ab-schließt. Nach Takt 119: *da capo* (teilweise auch ohne diesen Hinweis). Daher gelten die nachfolgenden Bemerkungen der Takte $1–35^1$ auch für 120–153, was hier jedoch nicht mehr im einzelnen erwähnt wird.

Violine:

Takt	Quelle	Bemerkung
9	D	2. Viertel: ais'–fis''–ais'–fis''
13	CD	12. Note cis'' (statt h')
35	BCDEF	1. und 3. Viertel leg. wie NBA andeutet
37	D	leg. in jedem Viertel nur je 1.–2. Note
37	CF	3. Viertel nicht leg.; F dgl. 2. Viertel
38[1]	CD	Mordent
39	BC	1. Viertel Punkte und Bogen; dgl. 2. Viertel
39	E	Ohne Staccatopunkte
40	BCDF	2.–6. Note Bogen und Punkte; in D dgl. 41, 42, 44, 46, 47. Die übrigen Quellen setzen (auch A) hier nur Bogen (ohne Punkte). Offenbar ist aber die Fassung von Takt 39 (2. bis 6. Note) für die folgenden Parallelfälle maßgebend, weshalb die NBA die Fassung D andeutet
40	BE	3. Viertel nicht leg.
41	B	3. Viertel nicht leg.
41–44	E	Nicht artikuliert
41, 42	C	Jeweils für sich leg.
42	BF	♮ (statt ♯); 3. Viertel nicht leg.
43	F	Ohne Überbindung zu 44[1]
46	BCF	2.–3. Note leg.; dgl. 4.–6. Note
46	E	Ohne Artikulation; dgl. 47, 49
47	C	2.–3. Note leg.; dgl. 4.–6. Note leg.
48	CD	1.–2. Note leg.; dgl. 4.–5. und 7.–8. Note; in E 1.–2. und 7.–8. Note
49	BF	1.(2.)–6. Note leg.
67	B	Ohne 3 ; C nur 3. Viertel ohne 3 und leg.; D: 3 und leg. in jedem Viertel; E ohne 3 , aber leg. über jedem Viertel; F: 1. Viertel mit 3 und leg., 2. und 3. Viertel ohne Artikulation
69	BC	leg. wie NBA andeutet; dgl. F (hier noch 3)
69	E	Ohne ♯ vor a'
75	D	In jedem Viertel 1.–2. Note leg. (ohne 3)
75	BCEF	leg. wie NBA andeutet (E nur 1. und 2. Viertel); BC ohne 3 ; F: 3 nur 1. Viertel
77	D	In jedem Viertel 2.–3. Note leg.; E ohne Artikulation
77	F	In jedem Viertel 3
81	D	2.–3. Achtel nicht leg.
83[2–3]	F	Nicht leg.
91	CD	Ohne *tr*; leg. von 5.–6. Note
95	B	Mordent (statt *tr*)

Takt	Quelle	Bemerkung
97^1	B	h' (statt d'')
103	BEF	3. und 4. Note Terz höher
114	E	Fälschlich r. H. des Cembalos in der Violinstimme notiert
115	CD	Fehlt ♯ vor a'.

Cembalo:

Takt	Quelle	Bemerkung
1–4	E	r. H. als Stichnoten die Violinstimme notiert
1–4	G	l. H. Bezifferung wie NBA andeutet
10	BF	r. H. Note 6, 8, 10, 12: h''; in F 7. Note gis'' (statt fis'')
12^{12}	F	r. H. cis'' (statt h'); in B dgl., aber verbessert
15^{12}		r. H. die Note dis'' (NBA) ist durch alle Quellen belegt
22^4	C	r. H. e'' (statt cis'')
28	C	r. H. ohne Überbindung zu 29^1
31–34		Starke Rasuren (vor allem r. H.), zuerst fälschlich Violinstimme notiert
34	BFG	*tr* auf 3. Note
35	CD	l. H. 2. und 3. Viertel ♩ ♪♩ ♩; dgl. 36, 37 (hier nur 3. Viertel), 39–41, 46–49, 51, 52, 53 (hier nur 3. Viertel), 55–57, 62–65 (in 65 fehlt ♯), 67–70, 74–77
36^2	BF	l. H. gis (statt h)
50	A	r. H. 4. und 8. Note außerdem als Viertel kaudiert
51^1	CDE	r. H. ohne dis'
51	BCD	r. H. 1. Viertel 3 und leg.; C dgl. auch 2. Viertel; D dgl. auch 3. Viertel
51	EG	r. H. 1. Viertel 3; dgl. 53 (bzw. 55), sonst keine Artikulation von 51–58, 60–68 (lediglich G: 54^1 Mordent)
52	CD	r. H. in jedem Viertel auch 3
52	B	r. H. 3. Viertel nicht leg.
52, 53	F	r. H. nur im 2. und 3. Viertel 3; 1. Viertel ohne Artikulation
53	B	r. H. ohne 3, aber jedes Viertel leg.; C: 1. und 2. Viertel jeweils 3 und leg., 3. Viertel ohne Artikulation; D in jedem Viertel 3 und leg.
55	BF	r. H. jedes Viertel leg.; in F auch 3
56	BF	r. H. nicht leg.; dgl. 57, 58, 60, 62–65
56	CD	r. H. 2. und 3. Note nicht leg.
57	C	r. H. 3. Viertel nicht leg.
57	D	r. H. nur 2.–6. Note leg., dgl. 58
58	C	r. H. nicht leg.
59, 61	FG	r. H. Mordent

Takt	Quelle	Bemerkung
60	C	r. H. nicht leg.; CD: 2. und 3. Note a'/h'
62	G	r. H. Doppelkreuz vor 4. Note
62	D	r. h. 1. leg. von 2.–6. Note
62, 63, 65	C	r. H. nicht leg.
63	D	3. Viertel leg.
68	B	r. H. 1. und 2. Viertel leg.; CD ohne Artikulation
68	F	r. H. 1. und 2. Viertel leg. und $_3$
69^2	B	l. H. fis (statt gis)
71	D	r. H. ohne ♯ vor 1. Note
74^1	CD	r. H. ohne h'
74	C	r. H. 1. Viertel $_3$ und leg., 2. und 3. Viertel nur $_3$; D: jedes Viertel $_3$ und leg.
74	BFG	r. H. ohne $_3$; dgl. E nur 2. Viertel
75^1	B	r. H. *tr*
76	E	r. H. 1. Viertel nur $_3$, 2. Viertel nur leg.
76	C	r. H. nicht leg.
76	D	r. H. über jedem Viertel $_3$, über dem 3. Viertel auch leg.
79^3	BF	r. H. *tr*; G: Mordent
80	CD	r. H. *tr* auf 3. Viertel
81	C	l. H. ohne Doppelkreuz vor Fis; 82, 83 nur einfaches ♯ vor Fis; DEF: 81–83 ♯ (statt Doppelkreuz) vor Fis
83	G	r. H. ♯ vor letzter Note
84	CD	r. H. ♯ vor 3. Note fehlt
91	G	r. H. *tr* auf his'
102	BCDEFG	r. H. *tr* wie NBA andeutet
108^2	C	r. H. gis' (statt h')
109$^{1-2}$	BF	l. H. Achtel gis
110	BF	r. H. Mordent auf 5. Note; dgl. 111
115^1	BFG	r. H. Mordent
117^1	FG	r. H. Mordent
118^3	BFG	r. H. *tr*.

Sonate Nr. 4 (c-Moll)

BCDEF: Nur zwei Schlüssel-♭ (ohne as).

Satz 1, *Largo*:

Keine Tempovorschrift, dagegen „*Siciliano*" in BC *(„Siciliana")* DEFG *(„alla Siciliano")*.

Violine:

Takt	Quelle	Bemerkung
1	D	Mordent (statt *tr*) auf 5. Note; dgl. Takt 3
1	BEF	2. leg. fehlt

Takt	Quelle	Bemerkung
1	C	*tr* auf 5. (statt 4.) Note; dgl. Takt 3
1	D	Das 2. leg. erstreckt sich von 4.–6. Note; dgl. 3
3	CE	2. leg. fehlt
5^{1-2}	B	Einfache Achtel
5^{4-5}	CDF	leg. wie NBA andeutet
6^{1-2}	CD	leg. wie NBA andeutet
7	B	1.–3. Note leg.
7	BEF	5.–7. Note leg.
9	BCDF	2.–4. Note leg. wie NBA andeutet
9	BCD	5.–7. Note nicht leg.
10	BF	1.–2. Note leg. wie NBA andeutet
10^1	D	Mordent (statt *tr*)
11	EF	2.–4. Note nicht leg.
11	BCDF	Die vier letzten Noten leg. wie NBA andeutet
13	BCDEF	1.–2. Note nicht leg.
13	CD	4.–5. Note leg. wie NBA andeutet
14	BF	1.–2. Note nicht leg.
14	BDF	4.–5. Note leg. wie NBA andeutet
14	C	1.–3. Note leg.; dgl. 4.–6. Note
15	B	1.–2. Note nicht leg.; dgl. BEF 4.–5. Note
15	C	1.–3. Note leg.; dgl. 4.–6. Note
$16^{I, II}$	CD	Achtelvorschlag c'' vor h'
$16^{I, II}$	E	Nur einmal notiert, kein Doppelstrich und Wiederholungszeichen
17	BCDF	1.–2. Note leg. wie NBA andeutet
18	BEF	2.–3. Note nicht leg.
18	CD	Sechzehntelvorschlag f'' vor es''
18	D	leg. auf g''/c'' (nicht es''/g''); analog Takt 22, 23
19	C	Nicht leg.
19	F	4. und 5. Note einfache Sechzehntel
21	E	4.–5. Note nicht leg.
22	B	1. Hälfte nicht leg.
22	F	1. und 2. Note einfache Sechzehntel
23	B	1.–2. Note nicht leg.
23	C	2. leg. halbiert; analog in F
25	CD	Achtelvorschlag es'' vor 1. Note; f''/g'' nicht leg.
25	E	3.–4. Note nicht leg.
25	F	Ohne Überbindung zu 27^1
26	BCDE	1.–2. Note nicht leg.; dgl. 4.–5. Note; F dgl. nur 4.–5. Note
28^1	C	*tr*; D: Mordent
28	BCDEF	1.–2. Note nicht leg.
29	BF	4.–5. Note leg. wie NBA andeutet

Takt	Quelle	Bemerkung
30	BCF	1.–2. Note leg. wie NBA andeutet; BCDEF: 4.–5. Note nicht leg.
31	F	1.–2. Note leg. wie NBA andeutet
31	BCDEF	4.–5. Note nicht leg.
32	BEF	Achtelvorschlag d″ vor c″
33	F	2.–7. Note leg.
33	C	1.–4. Note leg.; dgl. 6.–7. Note
33	E	2.–4. Note nicht leg.; dgl. 5.–6. Note
34	CD	5.–6. Note nicht leg.
34	E	1.–3. Note nicht leg.
35[1]	B	Mordent
35	CDF	1.–3. Note leg. wie NBA andeutet
35	BCDF	7.–8. Note nicht leg.; D dgl. 9.–10. Note; F leg. 4.–10. Note
35	E	Über die vier letzten Noten ein Bogen
36	BE	Ohne *tr*; D mit Mordent.

Cembalo:

Takt	Quelle	Bemerkung
1	C	l. H. 2. Hälfte nicht leg.
1–3	BE	r. H. nicht leg.; dgl. l. H. (mit Ausnahme 1[1—6] in E)
1–3	FG	l. H. nicht leg.
1–15	D	r. H. jede Takthälfte leg.
2, 3	CD	l. H. nicht leg.; dgl. G in r. H.
3	C	r. H. leg. über 1. Takthälfte
3	F	r. H. nicht leg.
4	C	r. H. leg. über jeder Takthälfte; dgl. 7, 9, 10, 11
7[7]	E	r. H. es″ (statt d″)
9	BEF	r. H. 2. Takthälfte nicht leg.
10[8]	B	r. H. as″ (statt ges″)
11	BFG	r. H. 1.–4. Note leg.
11	EG	r. H. 11. Note g′ (statt f′)
13	BCF	r. H. 2. Takthälfte leg.
15[1]	E	l. H. E mit ♯ (sic)
17	CDG	r. H. 1. Hälfte leg.
17	BG	r. H. 2. Hälfte nicht leg.
21	BCDEFG	r. H. 1. Hälfte nicht leg.
23	B	r. H. 1. Hälfte nicht leg.; G leg. halbiert
25[5]	CD	l. H. f (statt es)
27	CD	r. H. nicht leg.
29[7]	CD	r. H. f″ (statt g″)
29	BF	r. H. 2. Hälfte nicht leg.
36	F	r. und l. H. ⌒; in AE ⌒ auf Schlußdoppelstrich.

Satz 2, *Allegro*:

Violine:

Takt	Quelle	Bemerkung
6, 7	E	Ohne jede leg.-Bezeichnung
7	BCDF	1. Viertel nicht leg.; dgl. 2. Viertel
7	ACD	3. Viertel: zwei Achtel b''/b'
8	F	Ohne Überbindung zu 9^1
9^{2-3}	D	Nicht leg.
9	BF	3. Viertel nicht leg.; dgl. BEF 4. Viertel
9	CD	3. Viertel paarweise leg.; 4. Viertel nicht leg.
11	BEF	4. Viertel leg.
11	CD	1. Viertel nicht leg.
12	B	Nicht leg.; dgl. F nur 2. Viertel
16	CD	1.–2. Note leg.
16	BF	9.–11. Note leg.
16	E	Nicht leg.
17	BF	3. Viertel nicht leg.
18	BCF	3. Viertel leg. wie NBA andeutet
19	CD	5.–6. Note leg. wie NBA andeutet
19	BF	Ein Bogen über 4. Viertel, in E über die sechs letzten Noten
20	CDF	1. und 2. Viertel je ein Bogen
22^4	B	d'' (statt c'')
24^{1-3}	BEF	leg. wie NBA andeutet
25	E	Nicht leg.
25	BF	Nicht leg., kein *tr*; dgl. 26 (hier F nur ohne *tr*)
25	D	Mordent (statt *tr*); dgl. 26
28	CDEF	Nicht leg.
28	B	Nicht leg., kein *tr* (DF: Mordent, statt *tr*)
29	BF	Nicht leg.; CDE ohne 2. und 3. leg.
30^1	D	Mordent (statt *tr*)
30	BEF	3.–4. Note ohne Bogen
32	BDF	Im 3. Viertel ohne leg.
33	BCDEF	1.–3. Note nicht leg.
34^3	B	g'' (statt f'')
34	BF	leg. im 4. Viertel: 1.–3. und 4.–5. Note
34	CD	Nicht leg.; E dgl. nur 3. Viertel
37	CD	9.–11. Note leg.
38	BEF	2.–3. Note nicht leg.
39	CD	2.–4. Note nicht leg.
40^1	BDF	Mordent (statt *tr*)
40	BF	3.–4. Note ohne Bogen
42	CDEF	Fehlt ♮ vor 3. Note

Takt	Quelle	Bemerkung
42	D	♯ vor 2. Note
43	BCF	1. Viertel nicht leg.; BF: 7. Note Mordent; C ohne *tr*
43, 44	D	Mordent (statt *tr*)
44^7	BF	Mordent
45	BDE	3. Viertel nicht leg.; C dgl. 1. und 3. Viertel
46	BF	3. Viertel nicht leg.
46	CD	4.–5. Note leg.; dgl. 6.–7. Note
48	BF	Im 3. Viertel nicht leg.
49	E	Im 1. Viertel paarweise leg.
49	BEF	Im 2. Viertel nicht leg.
49	CD	1.–8. Note paarweise leg.
50	BCF	3. Viertel nicht leg.; C dgl. 4. Viertel
51	CDF	1. Viertel leg. wie NBA andeutet
51	BCDEF	Im 4. Viertel leg. wie NBA andeutet
52	CD	3. Viertel punktiertes Achtel mit Sechzehntel
53	BCF	Ein Bogen über 2. Viertel
55^5	C	Ohne *tr*
55, 56	D	Mordent (statt *tr*)
56^6	BF	Ohne *tr*
57^6	D	as' (statt c'')
58^8	B	c'' (statt d'')
60	C	Fehlt 2. leg.
61	B	2. Viertel nicht leg.
62	E	1. Viertel leg.
64	B	3.–4. Note ohne Bogen
65	BF	3. Viertel nicht leg.
66	BD	Die Sechzehntel im 3. und 4. Viertel nicht leg.
67	BF	2.–4. Note leg.
69	E	Im 3. Viertel 2.–4. Note leg.; 4. Viertel leg.
70	BDF	Mordent (statt *tr*)
71	EF	1. Viertel leg.; E dgl. 2. Viertel
72	CE	*tr* wie NBA andeutet (D: Mordent)
73	BF	2. Hälfte nicht leg.
74	BF	3. Viertel nicht leg.; E: 4. Viertel nicht leg.
75	BCDF	2. und 3. Note c''/d''
75	E	4. Viertel nicht leg.
76	BCDEF	1. Viertel nicht leg.
77	BF	4. Viertel leg.
79^1	B	Ohne *tr*; 2. Hälfte nicht leg.
79^1	DF	Mordent
80	BF	1. Hälfte nicht leg.; 1. Note Mordent
80	CDE	1.–2. Note nicht leg.; D: 1. Note Mordent

Takt	Quelle	Bemerkung
80	BCEF	*tr* auf Halbnote wie NBA andeutet (D: Mordent)
81	CD	2. Viertel nicht leg.; D: Mordent auf Halbnote (statt *tr*)
83	BDEF	4. Viertel ein Bogen
84	BDE	2. Hälfte (F nur 4. Viertel) nicht leg.; in E ist 9. Note unleserlich
88	BF	3. Viertel (Sechzehntel) nicht leg.
88	CDE	Ein Bogen über 4. Viertel
89	C	2. Viertel nicht leg.
90^3	B	g' (statt a')
91^1	BF	Ohne *tr*; in D Mordent
93	B	10. Note g'' (statt f''); BF: 9.–10. Note nicht leg.; ebenda im 4. Viertel 1.–3. und 4.–5. Note leg.
99	BCDF	1. Viertel nicht leg.
103	BCF	2.–4. Note leg. wie NBA andeutet
105	C	2.–3. Note nicht leg.; dgl. 2. und 3. Viertel
105	BEF	Über 3. Viertel ein Bogen (bzw. 2.–4. Note); 4. Viertel nicht leg.
105	D	2. Hälfte nicht leg.
106, 107	BE	3. Viertel nicht leg.
106	CD	4. Viertel nicht leg.
107	C	3. und 4. Viertel nicht leg.
108	BF	4. Viertel h' mit Mordent.

Cembalo:

Takt	Quelle	Bemerkung
3	CDEFG	r. H. nicht leg.
8	C	r. H. ohne ♯ vor 2. Note
10^3	B	r. H. Mordent; in G *tr*
12^5	BF	r. H. ohne *tr*
13^1	BF	r. H. Mordent
13	BCDFG	r. H. 2. *tr* wie NBA andeutet
14^8	G	l. H. F (statt G)
15	CD	l. H. 3.–4. Viertel nicht leg.
16^3	BEFG	r. H. *tr* wie NBA andeutet
18	CDEFG	r. H. leg. wie NBA andeutet
19	G	r. H. leg. wie NBA andeutet
20	BCDEFG	r. H. 2. Hälfte nicht leg.
21	B	r. H. nicht leg.; dgl. FG nur 2. Viertel
22	FG	r. und l. H. 2. Viertel nicht leg.
22	BCDE	r. und l. H. 1. Hälfte nicht leg.; CE dgl. r. H. 3. Viertel
$23–24^1$	CDEG	l. H. Altschlüssel

Takt	Quelle	Bemerkung
25	BCD	r. H. nicht leg.
25	F	l. H. 7. Note g (statt f)
26	BCF	r. H. 3. Viertel nicht leg.; dgl. l. H. 1. Viertel (hier auch DG)
26	E	r. H. 2. Hälfte nicht leg.; dgl. l. H. 1. Viertel
29	BCDEFG	r. H. 1.Viertel nicht leg.
31	CDEG	r. H. 2. Hälfte nicht leg.
31	BF	r. H. 4. Viertel leg. wie NBA andeutet
32	B	r. H. nicht leg.; dgl. CDEF nur 3. Viertel
32	G	r. H. 4. Viertel leg. wie NBA andeutet
33	BCDEFG	l. H. 1. Viertel nicht leg.
34	CD	r. H. 2.–3. Note leg. wie NBA andeutet; dgl. G 2. Viertel wie NBA andeutet
35	D	r. H. 3.–4. Note c''/d''
35	G	r. H. leg. im 2. Viertel wie NBA andeutet
36	BG	r. H. ohne Bögen
36	CDEF	r. H. oberer Bogen fehlt
38	BE	r. H. 4. Viertel nicht leg.
38	CE	r. H. 3. Viertel nicht leg.
42	B	l. H. 3. Viertel nicht leg.
43	CD	r. H. *tr* wie NBA andeutet; dgl. 44, 45
43, 44	D	r. und l. H. leg. wie NBA andeutet; dgl. G nur r. H. 43
45	C	l. H. fehlt ♭ vor 8. Note
47[1]	B	r. H. ohne *tr*
48[6]	E	l. H. c' (statt b)
49[9]	G	r. H. *tr*
51	B	l. H. vor der 4. Note (as) ♮
52[3]	G	r. H. *tr*
53	C	r. H. 3. Viertel ♪♫♪
54	CEG	r. H. ein Bogen über 2. Viertel
54	BF	r. H. 2. und 2.–3. Viertel nicht leg.
54	CD	l. H. 3. Viertel ist Viertelnote g
55–61[4]	ACDEFG	l. H. Altschlüssel
59	BF	r. H. nicht leg.
59	CDEG	r. H. 3. Viertel nicht leg.
60	CD	r. H. nicht leg.
61	BFG	r. H. 3. Viertel nicht leg.
63	CD	r. H. Achtelvorschlag as' vor 3. Viertel
65[1]	BCDFG	r. H. *tr* wie NBA andeutet
65	BCDEFG	r. H. 3. Viertel nicht leg.
66[7]	BCDF	r. H. ohne *tr*
66	G	l. H. 3. Viertel leg.
66	B	r. H. ohne Überbindung zu 67[1]

185

Takt	Quelle	Bemerkung
67	BF	r. H. ohne *tr*
67	BCDEFG	l. H. nicht leg.
73, 74	BCEF	r. H. 3. Viertel nicht leg.; dgl. 75 in BDFG
75	B	l. H. fehlt ♮ vor 5. Note
76	B	r. H. fehlt ♮ vor vorletzter Note
78	CDEG	r. H. 2. Viertel leg.; DE dgl. Takt 79, beides wie NBA andeutet
78, 79	BCDEFG	l. H. 1.Viertel nicht leg.
79	CD	r. H. ohne *tr*
80	C	r. H. nicht leg.
81	BCEF	r. H. 3. Viertel nicht leg.; E dgl. auch 4. Viertel
82^1	BCDEFG	r. H. *tr* wie NBA andeutet
		l. H. 3. Viertel nicht leg.
82	C	r. H. ohne Überbindung vom 2. zum 3. Viertel
85^1	BCDEFG	r. H. *tr* wie NBA andeutet
86^1	BCDEFG	r. H. *tr* wie NBA andeutet
87^2	G	l. H. c (statt d)
89	BEF	r. H. 4. Viertel nicht leg.
94	BG	r. H. leg. im 2. Viertel wie NBA andeutet
95	B	r. H. ohne Überbindung von 3. zu 4. Note
95	E	r. H. vor der drittletzten Note ♮
99	BF	r. H. 3. Viertel nicht leg.
100	BE	r. H. 1. und 3. Viertel nicht leg.; dgl. CF nur 3. Viertel
101	CD	l. H. ohne Überbindung zum 4. Viertel
103	BF	r. H. 8. Note Mordent
104	BCD	r. H. 1. Viertel nicht leg.
104	G	r. H. 5.–7. Note leg.
105	C	r. H. ohne Überbindung von 3. zu 4. Note
106	G	r. H. 3. Note *tr*
108	BCDFG	r. H. *tr* wie NBA andeutet
109	G	l. H. ohne ⌢.

S a t z 3, *Adagio*:

CF: Cembalo r. H. 9/8-Takt.
D: Cembalo r. und l. H. 9/8-Takt.
CD: *Adagio ma un poco.*
E (Violinstimme): *Adagio ma non tanto*; dgl. F (nur Violinstimme).

V i o l i n e :

Takt	Quelle	Bemerkung
2	BCDF	1.–2. Note nicht leg.; dgl. 6
2	EF	3.–4. Note leg. wie NBA andeutet

Takt	Quelle	Bemerkung
3	BCDEF	Im 2. Viertel leg. wie NBA andeutet
4	DF	Mordent (statt *tr*); dgl. 8 in D
5	E	In dem durch Tintenfraß fast unleserlichen Ms. ist keine Dynamik zu erkennen; dgl. im weiteren Satzverlauf
6	F	2. Viertel leg. wie NBA andeutet
7	BF	1.–4. Note nicht leg.; CD dgl. nur 1.–2. Note; E: 2. Viertel nicht leg.
8[1]	BCF	Ohne *tr*
9	BCDF	forte wie NBA andeutet
10	BCDF	1.–2. Note nicht leg.
10	DE	3.–4. Note leg. wie NBA andeutet
11	BF	Mordent (statt *tr*); CD keine Verzierung
11	DF	3.–4. Note nicht leg.
13	CD	piano wie NBA andeutet
14	CD	leg. wie NBA andeutet
15	BCDF	Ohne *tr*
17	BDF	forte wie NBA andeutet
18	BCEF	1.–2. Note nicht leg.
18	C	3.–4. Note leg. wie NBA andeutet
21	BCDF	piano wie NBA andeutet
22	BCDEF	1.–4. Note nicht leg.
23	E	2. Viertel nicht leg.
24	BCDF	Nicht leg.
25	BCDF	forte wie NBA andeutet
25	BF	1.–2. Note leg. wie NBA andeutet
26	BCDF	1.–4. Note nicht leg.
27	BCEF	1.–2. Note nicht leg.; BCF: 5.–6. Note leg. wie NBA andeutet
27	D	2. Viertel nicht leg.
28	C	Viertel- (nicht Achtel-)vorschlag
29	BCDF	piano wie NBA andeutet
29	BEF	1.–2. Note nicht leg.
29	F	Ohne Überbindung zu 30[1]
30	B	Ohne ♮ vor der 2. Note
30	BCF	2. Viertel leg.; dgl. C 1. Viertel, beides wie NBA andeutet
31	BC	1.–2. Note nicht leg.
31	BF	*tr* wie NBA andeutet
33	CDE	Ohne forte; leg. wie NBA andeutet
34	CF	2. Viertel leg. wie NBA andeutet
34	F	Ohne Überbindung zu 35[1]
35	BCF	1.–2. Note leg. wie NBA andeutet
35	BD	2. Viertel nicht leg.
35	BCDF	Ohne Überbindung zu 36[2]

Takt	Quelle	Bemerkung
36	BEF	Achtelvorschlag es' vor d'; Mordent auf d'
37	B	1.–2. Note nicht leg.
37	CD	Ohne piano
38	BCF	2. Viertel leg. wie NBA andeutet; B dgl. 39
41	BCDF	forte wie NBA andeutet; 1.–2. Note nicht leg.
42	BCDF	1.–2. Note nicht leg.
42	BF	3.–4. Note leg. wie NBA andeutet
42	C	Achtel f' als 3. Viertel (sic)
42	D	Ohne Vorschlag
43	BF	1.–4. Note nicht leg.
43	C	2. Viertel nicht leg.
44	BCDEF	1.–2. Note nicht leg.; F: 3.–4. Note leg. wie NBA andeutet
46	D	leg. wie NBA andeutet; F dgl. nur 3.–4. Note
47	BF	*tr* wie NBA andeutet
47	D	1.–2. Note leg. wie NBA andeutet; von 2.–3. Note kleiner Bogen (Coulé?)
49	BCDF	piano wie NBA andeutet
50	F	2. Viertel leg. wie NBA andeutet
51	F	1.–2. Note nicht leg.
52	B	Vor dem 3. Viertel Sechzehntelvorschlag b'/c''; dgl. F (nachgetragen)
53	C	1. Viertel: Zwei einfache Achtel
54	BE	1.–4. Note nicht leg.
54	CDF	1.–2. Note nicht leg.
54	CF	3. Viertel leg. wie NBA andeutet
55	BCDEF	Nicht leg.; B ohne *tr*
55	D	3. Viertel:
57	BCD	1.–6. Note leg.
58	BEF	2.–8. Note nicht leg.; B dgl. 59
59/60	B	Ohne Überbindung.

Cembalo:

Takt	Quelle	Bemerkung
1	G	r. H. letzte Note es'
1	EG	r. H. ꝫ auf 3. Viertel
1, 3	CF	r. H. ohne ꝫ; dgl. D nur Takt 3
2	D	r. H. ꝫ auf 1. und 2. Viertel
3	EG	r. H. ohne ꝫ
3	F	r. H. ohne Überbindung zu 4[1]

Takt	Quelle	Bemerkung
4	CD	l. H. 2.–3. Viertel: [Notenbeispiel] ; dgl. 8, 12, 16, 20, 24, 28, 32, 36, 40, 47, 48, 55, 56
5¹	BF	r. H. *piano*
9	BCDEFG	r. H. ohne [Notenbeispiel] ; dgl. 11
10	CD	l. H. [Notenbeispiel] dgl. 14
11	CD	l. H. 1.–2. Note: [Notenbeispiel]
19³	B	l. H. es (statt d)
23	BCE	r. H. 2.–3. Note nicht leg.; dgl. G auch 4.–6. Note
23	CDEF	r. H. 3. Viertel leg.
25	C	r. H. ohne Überbindung
26	BCDEF	r. H. 2. Viertel leg.
26	C	l. H. A (statt As)
27	BCF	r. H. 3. Viertel leg.
27³	E	l. H. des (statt c)
28	BCDEFG	r. H. nicht leg.
29¹	BF	r. H. c''' (statt as'')
30¹	B	r. H. d'' (statt b')
34⁶	CD	r. H. d'' (statt es'')
34⁸	BF	r. H. es'' (statt d'')
34	BF	r. H. ohne Überbindung zu 35¹
36³	BF	r. H. es'' (statt d'')
44	B	r. H. ohne ♭ vor letzter Note
49¹	C	r. H. ohne ♭
49	F	l. H. 3. Viertel: Pause
55⁸	CD	r. H. es'' (statt f'')
58	E	r. H. nicht leg.
59	BCDFG	r. H. 3. Viertel nicht leg.; in CD leg. über 1. und 2. Viertel
60	CE	l. H. [Notenbeispiel] ; dgl. DF r. und l. H. wie NBA andeutet.

S a t z 4, *Allegro*:

V i o l i n e :

Takt	Quelle	Bemerkung
Vor 1	EF	*Allegro assai* (im Cembalo nur *Allegro*)
17	BCF	2.–4. Note nicht leg.
19	F	2.–4. Note nicht leg.
20	B	6.–8. Note nicht leg.
21	E	Nicht leg.
24	BF	2.–8. Note nicht leg.; dgl. E nur 2.–4. Note
24	DE	2. Viertel ein Bogen; dgl. 26, 27

Takt	Quelle	Bemerkung
26	BEF	2.–4. Note nicht leg.; BCF über dem 2. Viertel ein Bogen
27	BCF	Ein Bogen über 2. Viertel
28	BDEF	leg. wie NBA andeutet; dgl. C nur 2. leg.
29	BCF	1. Viertel nicht leg.; ein Bogen über 2. Viertel (so auch D)
30	B	Nicht leg.
30	DE	Ohne 2. leg.
32	CD	2.–4. Note nicht leg.
32	BF	leg. im 2. Viertel wie NBA andeutet
34^3	CDEF	Ohne ♮
35^5	C	♮ (sic)
37	BF	2.–7. Note nicht leg.
39–42	F	Jede Sechzehntelgruppe hat den Bogen von der 1.–3. Note
41	BEF	2. Viertel nicht leg.
42	BCDEF	Nicht leg.
55	CD	Ohne 2. leg.
56	BCDEF	Nicht leg.
58	CD	1.–3. (4.) Note leg.
59	BF	Im 2. Viertel nicht leg.
59	CDE	1.–4. Note leg., dgl. 5.–8. Note
60	BCDF	Nicht leg.
60	E	leg. über jedem Viertel
71	BF	2.–4. Note nicht leg.; CE: 6.–8. Note nicht leg.
74	E	2.–4. Note leg. wie NBA andeutet
75	BF	2.–8. Note nicht leg.
77	BCDEF	Ein Bogen über 2. Viertel
79	BF	2.–4. Note nicht leg.
81	BCF	3.–8. Note nicht leg.
82	BF	Mordent; CD ohne Verzierung
85	BF	1.–4. Note leg.; dgl. 5.–8. Note; dgl. 86
85	CE	1.–4. Note leg.; 2. Hälfte nicht leg.
86	D	1.–2. Note leg.; dgl. 3.–4. und 5.–8. Note
86	E	1. Hälfte nicht leg.
89	BEF	Nicht leg.
89	D	2. Viertel leg. wie NBA andeutet
90	B	2. Viertel nicht leg.
90	E	1. Viertel nicht leg.
91	BE	Nicht leg.
95	BDF	2.–4. Note nicht leg.
97	BF	2.–4. Note nicht leg.
98	BF	2. Viertel nicht leg.
99	BDEF	Nicht leg.
101	BF	2.–4. Note nicht leg.

Takt	Quelle	Bemerkung
103	BCDEF	2. Viertel leg. wie NBA andeutet
104, 105	B	Nicht leg.; BF dgl. 108–111
104	EF	1. Viertel nicht leg.; über 2. Viertel leg.
104	C	2. Hälfte leg.
105	EF	Nicht leg.
105	CD	Paarweise leg.
110	D	leg. wie NBA andeutet
112	CD	2. Hälfte nicht leg.
114	BF	2. Viertel nicht leg.; CDE ein Bogen
115	F	1. Viertel nicht leg.
115	B	Nicht leg.; CDEF: 2. Viertel ein Bogen
116	B	2. Viertel nicht leg.
117	BDEF	1. Viertel leg. wie NBA andeutet; über 2. Viertel ein Bogen (C: 2. Viertel ohne leg.)
Nach 118	ADEF	$\frown$.

C e m b a l o :

Takt	Quelle	Bemerkung
6	E	r. H. ohne 2. leg.
7	B	r. H. leg. über jedem Viertel; CDFG dgl. nur über 1. Viertel (1.–3. Note)
8	BCE	r. H. nicht leg.
10	BCDEFG	r. H. nicht leg.
13–15	BEFG	r. H. nicht leg.; dgl. CD nur 12, 13
14, 15	CD	r. H. 1. Viertel nicht leg.
14^{2-4}	E	r. H. eine Sekunde zu hoch
16, 17, 18	E	r. H. 2. Viertel nicht leg.; dgl. G nur 16
16, 17	BF	r. H. in den Sechzehntelgruppen gilt leg. offenbar von 1. bis 3. Note
18	BCF	r. H. 2. Viertel nicht leg.
19	D	r. H. die drei letzten Noten leg. wie NBA andeutet
20	BF	r. H. 6.–8. Note leg.
20	DG	r. H. jeweils 2.–4. und 6.–8. Note leg. wie NBA andeutet
21	BCDEFG	l. H. nicht leg.
21	E	r. H. ohne Überbindung
22	BEF	r. H. und l. H. nicht leg.
22	CDG	r. H. 1. Viertel ein Bogen; 2. Viertel nicht leg.; in C l. H. 1. Viertel nicht leg.
31	BCDEFG	r. H. nicht leg.; dgl. 33
38	BCDEF	r. H. nicht leg.; dgl. 39–41, 43, 44; l. H. 42 nicht leg.; dgl. G (mit Ausnahme von 39, 1. Viertel)

Takt	Quelle	Bemerkung
46	CDE	r. H. nicht leg.
50	BCDEFG	r. H. nicht leg.; BCD dgl. 53 (C nur 1. Viertel)
53	D	r. H. 1. Viertel nicht leg.
54^{I}	A	l. H. ♮ vor 4. Note; CD: ♯ vor 3. Note
54^{II}	G	r. H. Akkord: b/d'/g' (statt nur g')
59	BCDEFG	r. H. nicht leg.; dgl. 60, 64, 67, 69, 72, 76, 78 (hier nicht in C; D nur 2. Viertel)
68[4]	C	l. H. c (statt As)
70	EG	r. H. 2. Viertel nicht leg.
71	B	r. H. 2. Viertel nicht leg.; dgl. F 1. und 2. Viertel
74	BCEG	l. H. nicht leg.
80	E	r. H. nicht leg.
80	BCF	r. H. 1. leg. fehlt
81	E	r. H. ohne Überbindung zu 82[1]
82	C	r. H. leg. über 2. Viertel
82	E	r. H. nicht leg.
83	CD	r. H. 2.–4. Note leg., dgl. 6.–8. Note
84	BEF	r. H. nicht leg.
84	CD	r. H. 1. Viertel leg.; CG: 2. Viertel nicht leg.
85	E	r. H. 2. Viertel nicht leg.
92	BF	r. H. nicht leg.; dgl. E nur 2.–3. Note
94	B	r. H. ohne 2. leg.; C ohne 1. leg.
96	D	r. H. 2.–4. und 6.–8. Note leg. wie NBA andeutet
96	BCEF	r. H. 6.–8. Note leg.
98	CD	r. H. 2.–4. Note leg.; dgl. 5.–6. und 7.–8. Note
99	CD	r. H. 2.–4. Note leg.; C dgl. 6.–8. Note
101, 102	BEF	r. H. nicht leg.
102	C	r. H. nicht leg.
103	BCDEF	r. H. l. H. nicht leg.; dgl. G nur 2. Viertel
103	BF	r. H. ohne Überbindung zu 104[1]; dgl. F auch 104/105
104	CDEG	l. H. 2. Hälfte leg. wie NBA andeutet
104	BF	l. H. nicht leg.
105	B	r. H. ohne Überbindung zu 106[1]
107	C	l. H. vor 3. Note ♭
109	BCDEFG	l. H. nicht leg.
118	CD	r. H. ⌢; dgl. l. H.
Nach 118	E	r. H. ⌢; dgl. F r. und l. H.

S o n a t e Nr. 5 (f-Moll)

AEF: In allen Oktaven Schlüssel-♭ (E unregelmäßig, F jeweils nur im 1. System eines jeden Satzes).

Satz 1:

D: *Lamento.*

Violine:

Takt	Quelle	Bemerkung
8	BCDF	Ohne *tr*
16	C	leg. nur über den beiden Achteln; *tr* auf e'' (statt f'); D ebenda Mordent und leg. über den drei letzten Noten
17	BCD	1.–4. Note nicht leg.; D dgl. auch 5.–6. Note
22	CD	Viertelvorschlag c'' vor b' (D: Achtelvorschlag)
23	CD	1.–3. Note nicht leg.
28²	CD	as' (statt b')
31	B	Ohne Überbindung bei c'
32	CD	Ohne Vorschlag
33, 34	AC	leg. jeweils nur über den zwei ersten Noten; in C 34 leg. über c''/des''
36	ACD	leg. nur bei c'/b (gemeint ist wohl so wie NBA); BF kein leg.; CD kein *tr*
36	F	Mordent (statt *tr*)
40	C	leg. nur auf den beiden Achteln
40	BF	Ohne *tr*
40	D	Mordent (statt *tr*)
41	B	1.–4. Note nicht leg.; BF: 6. Note ohne *tr*
41	D	Ohne 2. leg.; Mordent (statt *tr*)
42	F	Punktierte Ganznote (ohne Pause)
44	C	Nicht leg.
44	D	Mordent (statt *tr*); dgl. 45
44	A	Nur 1.–2. Note leg. (gemeint ist wohl 1.–3. Note); so auch an Parallelstellen
45	BF	Ohne *tr*; dgl. 48
48	D	Mordent (statt *tr*); dgl. 49
48	C	Ohne *tr*
49	BF	Kein leg.
53	B	♮ vor es' (analog Cembalo)
57	B	1.–4. Note nicht leg.; BCF: 5.–7. (C: 6.–7.) Note leg. wie NBA andeutet
58	D	Achtelvorschlag c'' vor 5. Note
65	A	♮ vor 5. Note
68	D	Nicht leg.
83	BCDF	1.–3. Note nicht leg.; BF dgl. 85
87	BF	3.–4. Note nicht leg.
93	BDF	leg. wie NBA andeutet

Takt	Quelle	Bemerkung
93	CD	1.–2. Note leg., dgl. 3.–4. Note
95	BF	Nicht leg.
95	CD	1.–2. Note leg.
100	CD	Achtelvorschlag b' vor as'
100	CD	Drei letzte Noten leg. wie NBA andeutet
102	CD	Nur die beiden letzten Noten leg.; dgl. 103
105	B	2.–3. Note nicht leg.
105	ABF	Nur 4.–5. Note leg.
105	CD	5.–6. Note leg. wie NBA andeutet
106	D	2.–3. Note leg.; dgl. 4.–5. Note
107	BF	Nicht leg.

Cembalo:

Takt	Quelle	Bemerkung
2	F	r. H. letzte Note ohne ♮
6	B	r. H. Mittelstimme f' (statt Viertelpause)
8	BCDFG	Ohne „accomp."
8, 9	CD	l. H. Bezifferung wie NBA andeutet; dgl. 16/17
23	B	r. H. Überbindung zu 24^1 mit Bleistift nachgetragen
26	B	l. H. zwei Viertel- (statt Halbe) Pausen
26	D	r. H. obere Stimme nicht leg.; 27^1 Viertelpause
29	E	l. H. obere Stimme ohne Punkt
29	CDG	l. H. Überbindung zu 30^1 wie NBA andeutet
30^1	E	l. H. Halbe (statt Viertel-) Note as
32	D	r. H. 1. Note der Mittelstimme ist Viertelnote (zeitgen. in Halbe verbessert) mit Viertelpause
33	D	l. H. 3. Halbnote as fehlt
34	BFG	r. H. Mittelstimme f' als Ganznote, dgl. D, wo noch eine Halbnote b folgt, die zu 35^1 übergebunden ist; in C eine punktierte Ganznote f'; dgl. E
34	BFG	r. H. ohne Überbindung bei b zu 35
35	C	r. H. ohne Überbindung zu 36
36	B	r. H. zusätzliche Halbnote b im letzten Klang
36	G	r. H. *tr* auf g' (vorletzte Note)
38	E	r. H. untere Stimme ohne Überbindung zu 39
39	A	l. H. 3. Note es (statt des)
40	BF	r. H. Mordent (statt *tr*); CDE ohne Verzierung
44	C	l. H. Bezifferung wie NBA andeutet
48	BFG	l. H. nicht leg.
52, 53	CD	l. H. Bezifferung wie NBA andeutet; dgl. 57, 58

194

Takt	Quelle	Bemerkung
53	BFG	r. H. 4. Note e' (statt es'); vgl. Violine; das ♮ soll wohl vor 5. Note stehen
54	G	r. H. untere Stimme as' ohne Punkt
54	B	r. H. ohne Überbindung zu 55^1; 55^1 fehlt Viertel f'
55	G	r. H. ohne Pausen
56	B	r. H. ein leg. über die vier letzten Achtelnoten in D dgl. auch über die vier vorangehenden; CD nicht leg.
56	FG	r. H. 1.–3. Achtelnote leg.
58	B	l. H. 2. Note f (statt c)
58	D	l. H. 3. Note f, 4. Note F
62^1	D	r. H. ohne ♮
63	BF	r. H. Oberstimme ohne ♮
64	B	r. H. Oberstimme ohne Überbindung bei es"
77	BCDEFG	r. H. Oberstimme Überbindung zu 78^1 wie NBA andeutet
81	CD	r. H. 1.–2. Note leg.; dgl. 3.–4. Note
84	F	l. H. ohne Pausen
85	C	l. H. fehlt Halbnote c
85	D	l. H. ohne ♮ vor 1. Note, darauf Ganznote (statt Halbepause mit Halbnote c)
86	ACDE	r. H. fehlt ♮ vor 4., in BF vor 3. und 4. Note
86	G	l. H. c im 2. Viertel (statt As)
87	CD	l. H. Bezifferung wie NBA andeutet (CD: $^6_2$ unter c)
94	FG	l. H. ♮ vor 5. Note
96	ABCEFG	r. H. ohne Halbepausen; D: Halbepausen wie NBA andeutet
97	CD	l. H. ♮ vor e
98	A	l. H. ohne ♮
99	B	r. H. Unterstimme ohne 3.–6. Note
100	BF	r. H. Mittelstimme letzte Note (d") fehlt
101^1	CD	r. H. Halbnote d" (statt e")
102	BF	r. H. Überbindung zu 103^1 fehlt
104^1	F	r. H. e' ist Ganznote
104	CDE	l. H. ohne Vorschlag vor g
105	C	r. H. Viertel des' als Achtel
105	C	r. H. obere Stimme 6.–7. Note leg.; CDE: 7. Note *tr*
107	BCDEFG	r. H. nicht leg.
107^1	BEFG	r. H. f" (statt c")
108	BEG	r. und l. H. ohne ⌢; A nur r. H. ohne ⌢; CDF r. H. ⌢ wie NBA andeutet.

S a t z 2, *Allegro*:

CG: ¢

Violine:

Takt	Quelle	Bemerkung
4	D	Ohne ♮ vor 7. Note
5	A	3. ♮ fehlt
8	C	♮ vor 4. Note
10	D	Ohne ♮ vor 2. Note
12	B	2.–4. Note nicht leg.
16	B	2.–3. Viertel ohne Überbindung
20	D	Ohne ♮ vor 4. Note
22	C	*tr* auf letzter Note; D: Mordent
23	D	8. Note g'' (statt f'')
$24^{I, II}$	CD	♮ vor 1. (statt 2.) Note
$24^{I, II}$	BCDF	Ohne 2. leg.
25^{II}	BF	leg. auf 2. Viertel fehlt; CD ein Bogen über 2. Viertel
25^{II}	BCDF	Die beiden letzten Noten nicht leg.
26	BF	leg. auf 3. Viertel fehlt
27	BF	Nicht leg.; dgl. 28, 4.–5. Note und 29
27	D	leg. auf 3. Viertel wie NBA andeutet
31^9	D	ges' (statt b')
32	BCDF	Ein Bogen auf 4. Viertel
39	BCDF	3. leg. fehlt
40	B	2. und 3. Viertel nicht leg.; BF leg. auf 4. Viertel wie NBA andeutet
43	BF	leg. wie NBA andeutet; CD nur die drei letzten Noten leg.
45^1	BF	Ohne ♮
49	B	Ohne Überbindung vom 2. zum 3. Viertel
54	B	3. Viertel leg.
58	BCF	Nicht leg.
59	B	Fehlt ♭ vor 3. Note
59	C	Fehlt 2. leg.
60^I	F	Mordent auf 5. Note
Nach 60^{II}	DF	⌢ auf Doppelstrich.

Cembalo:

Takt	Quelle	Bemerkung
1–4	CD	l. H. Bezifferung wie NBA andeutet (C: $4^1 = \frac{6}{5}$)
6	C	l. H. ohne Überbindung vom 2. zum 3. Viertel
6	D	l. H. ♮ vor es (statt des)
20	G	r. H. ♭ vor vorletzter Note
21	B	r. H. ohne Überbindung vom 2. zum 3. Viertel
$24^{I, II}$	CD	r. H. nicht leg.

Takt	Quelle	Bemerkung
24^{I}	BCDEF	l. H. ohne ♮ vor 6. Note
25^{I}	BF	l. H. 1. und 2. Note fehlen
25^{II}	BCFG	r. H. 2. leg. wie NBA andeutet; BFG dgl. 28 (hier auch DE)
26	CE	l. H. 2. Viertel nicht leg.
26	G	l. H. 1. Viertel leg. wie NBA andeutet
39	BCDE	r. H. nicht leg.; dgl. FG nur 3. Viertel
40^{4}	CD	r. H. *tr*
40	BCDEF	r. H. nicht leg.
40	B	l. H. ohne ♮
41	CD	r. H. Überbindung vom letzten Achtel zu 42^1
42	BFG	r. H. 1. leg. wie NBA andeutet
42	CD	r. H. 3. Viertel nicht leg.
43	BFG	r. H. 1. Note Mordent, 3. Note *tr*
45	B	r. H. ohne Überbindung zu 46^1
50	E	r. H. nicht leg.
50	BCDEFG	l. H. nicht leg.; dgl. 51 CDEFG nur 1. Viertel
51	B	r. H. Bogen vom 1. zum 2. Viertel nachgetragen
51	BF	l. H. 3. Viertel nicht leg.
51	E	r. H. ohne Überbindung zu 52^1
59	A	l. H. ♮ vor 1. Note
59	BF	l. H. fehlt ♮ vor letzter Note
60^{I}	B	r. H. nicht leg.
Nach 60^{II}	D	⌒ auf Doppelstrich.

Satz 3, *Adagio*:

A: Schlüssel-♭ auch auf d-Stufe im 1. System (fehlt in den folgenden Systemen).

C: Vier Schlüssel-♭ (auch auf d-Stufe) durchweg, jedoch im einzelnen so notiert, als ob nur drei (ohne „des") vorgezeichnet wären.

BF: Im 1. System ♮ auf der d-Stufe.

Violine:

Takt	Quelle	Bemerkung
5	D	Die beiden letzten Noten der Oberstimme es'' (statt d'')
13	CD	7. und 8. Note der Unterstimme b (sic) statt d'
16	CD	3.–6. Note der Unterstimme c' c' bb (sic) statt as as g g
16^1	F	Untere Stimme f' (statt c')
23	BF	Achtelvorschlag d'' vor 3. Note
23	BF	Im 6. Achtel ist as' nach oben, c' nach unten kaudiert
24	F	Im letzten Viertel ohne ♮

Takt	Quelle	Bemerkung
25	AC	Ohne 1. Achtelpause; B kaudiert die 1. Note (c') als Viertel nach unten (neben der Achtelkaudierung nach oben) und läßt die beiden folgenden Noten der Unterstimme (g/as) wegfallen (d. h. sie werden durch Viertel- und Achtelpausen ersetzt); letzteres auch F
25	D	b in der Unterstimme des 4. Viertels fehlt
25	C	Unterstimme letztes Viertel ohne Überbindung bei b nach 26^1. Auch in D hat 26^1 (Unterstimme) keine Bindung von 25 her
26	ABFD	Ohne Achtelpause im 2. Achtel; BDF notieren die 1. Note als Viertel
26	BF	3. Viertel: Viertel as', darunter zwei Achtel b/c'.

Cembalo:

Takt	Quelle	Bemerkung
1–27	CDE	Abweichende Cembalostimme vgl. A n h a n g 1. Von der dort notierten Fassung E weichen CD in folgenden Einzelheiten ab: C: Vier Schlüssel-♭ CD grundsätzlich leg. über den Sechzehntelgruppen, die wenigen fehlenden Stellen werden stillschweigend ergänzt; E hat nur Takt 1 und 2 leg. Takt 10 r. H. letzte Note in CD ♮ (falsch), dagegen E (richtig) ♯ Takt 17 r. H. in E 3. Viertel d' (statt des')
1	BFG	r. H. nicht leg.
2	BF	r. H. 2. Hälfte Oktave höher; B letzte Achtelpause fehlt
8^1	BFG	l. H. f (statt es)
11	BF	r. H. ohne ♮ in 1. Viertel
27	BF	⌒ wie NBA andeutet; A *tr* in r. H.

S a t z 4, *Vivace*:

BFG: *Allegro*.
E: Ohne Tempoangabe.

Violine:

Takt	Quelle	Bemerkung
4	D	Mordent (statt *tr*); dgl. 24
18	F	Ohne Überbindung zu 19^1
19	CD	2.–6. Note leg.

Takt	Quelle	Bemerkung
23	C	Ohne Überbindung zu 24[1]
29	D	1.–2. Note leg.; dgl. 30, 2.–3. Note
58	BC	Ein Bogen über den ganzen Takt; DF leg. von 2.–6. Note
59	BF	1.–2. Note leg.; dgl. 3.–6. Note; dgl. 60
61	BF	Achtelvorschlag d'' vor c''
73	CDF	5.–6. Note leg.
84	F	Ohne *tr*
84	B	leg. wie NBA andeutet
88	BF	leg. 1.–3. und 4.–6. Note; CD paarweise leg.
89	D	1.–2. Note leg.; dgl. 3.–4. Note
89	C	3.–4. Note leg.; ohne Überbindung zu 90[1]
90	B	Ohne Überbindung zu 91[1]
91	D	3.–4. Note leg.
103[2]	CD	d'' (statt b')
104	CD	2.–5. Note nicht leg.
106	BF	leg. wie NBA andeutet
118	BF	3.–4. Note leg.; dgl. 5.–6. Note
121	BF	1. leg. fehlt; ein Bogen über 3.–6. Note
128	BCDF	Ohne *tr*; CD leg. wie NBA andeutet
129	F	Ohne ♮ vor 3. Note
140[1]	C	as' (statt f')
145	BF	1.–4. Note leg.
146	F	Ohne Überbindung zu 147[1]
148	B	Ohne ⌒
Nach 148	D	Zusätzliche ⌒ auf Doppelstrich.

C e m b a l o :

Takt	Quelle	Bemerkung
1–4	CD	l. H. Bezifferung wie NBA andeutet
10–12	ACDE	l. H. Altschlüssel
12	CD	l. H. ohne ♮ vor 2. Note
16	B	l. H. Mordent, DG: *tr* wie NBA andeutet
16	BCDEFG	l. H. nicht leg.
18[6]	C	r. H. as'' (statt a'')
20	BF	l. H. letzte Note ohne ♮
21[2]–22[6]	ACDE	l. H. Altschlüssel
24	CD	r. H. 3.–6. Note leg.
25, 26	CDE	l. H. Altschlüssel; in A dgl. nur 25
28	B	r. H. Mordent (statt *tr*); EF ohne Verzierung
29	CD	r. H. 2.–4. Note leg.; D dgl. 30 und 31
33	C	r. H. 3.–4. Note leg.; dgl. 5.–6. Note

Takt	Quelle	Bemerkung
34	CD	r. H. *tr* wie NBA andeutet; dgl. 36
35	CD	r. H. 3.–4. Note leg.; dgl. 5.–6. Note; dgl. 37
41	F	r. H. als „bis" von Takt 40 bezeichnet
45	B	l. H. fehlt ♮ vor d
57	C	r. H. ohne ♮ vor 6. Note
57	B	l. H. ohne Überbindung zu 58[1]
58	B	l. H. Mordent (statt *tr*); dgl. 59; CEF beide Male ohne Verzierung
61[1]	D	r. H. as" (statt c''')
69	F	r. H. ♮ vor letzter Note
70	E	r. H. nicht leg.
71	BEG	r. H. 1. leg. fehlt; B ein Bogen über 3.–6. Note; F leg. nur 5.–6. Note
75	CD	l. H. ohne Überbindung zu 76[1]
76	BFG	r. H. ohne 3. leg.; B l. H. Mordent (statt *tr*)
76	E	r. H. nicht leg.; EF l. H. ohne *tr*
79	B	r. H. ohne ♮ vor 6. Note
79	CDEFG	r. H. ohne ♮ vor 2. und 6. Note
81, 82	A	l. H. Tenorschlüssel
87	BF	l. H. ohne ♮ vor 6. Note
88	B	r. H. Mordent (statt *tr*); CEF ohne *tr*; D: 3.–5. Note leg.
94[2]	C	r. H. *tr* wie NBA andeutet; dgl. 96, 98; dgl. D (ohne D)
94	BF	r. H. ohne Überbindung zu 95[1]
105	BF	l. H. ohne ♮ vor 5. Note
111–115	D	l. H. Bezifferung wie NBA andeutet
123[6]	BF	r. H. Überbindung zu 124[1]; in CD ist wohl die richtige Lesart: 123, 5.–6. Note leg.
126[3]	B	l. H. Mordent; dgl. 129[3] r. H.; dgl. G, jedoch *tr* wie NBA andeutet
128	F	r. H. ohne Überbindung zu 129[1]
136[1]	G	l. H. Ges (nicht G)
139[3]	B	r. H. Mordent
145[1]	C	r. H. ohne ♮
146[2]	E	r. H. ohne ♭
147	BF	r. H. *tr* auf 4. Note; DE ohne *tr*
148	BG	Ohne ⌢; F dgl. nur l. H.
Nach 148	D	r. und l. H. zusätzliche ⌢ auf Schlußdoppelstrich.

Sonate Nr. 6 (G-Dur)

Auf die Problematik dieser Sonate wurde bereits eingangs hingewiesen. Die Sonate unterscheidet sich von den fünf ersten in erster Linie durch die Zahl, Folge und Art der Sätze. Im Gegensatz zu der traditionellen Vierzahl liegen hier fünf Sätze vor. Am Beginn steht ein schneller Satz, ferner taucht im Sonateninnern ein reines Cembalosolo und ein Generalbaßsatz auf. Es kommt hinzu, daß die einzelnen Quellen das Werk in drei verschiedenen Fassungen darbieten, wobei die Zahl der Sätze erneut Schwankungen unterliegt und eine dieser Fassungen sogar sechs Sätze umfaßt. Die 1. Fassung fällt in die Cöthener Zeit, die 2. in die frühe und die 3. in die späte Leipziger Zeit. Die in der nachfolgenden Übersicht den einzelnen Satztiteln vorangestellten eingeklammerten Buchstaben mögen die Zusammengehörigkeit der Sätze in den drei Fassungen verdeutlichen. Alle (a-)Sätze sind somit identisch, dgl. alle (b-)Sätze usw.

Die 1. F a s s u n g findet sich in den Hss. CD. Die Satzfolge lautet hier:

(a) Presto G-Dur 4/4 (= NBA Seite 172)

(b) Largo e-Moll 3/4 (= NBA Seite 179)

(c) Cantabile ma un poco Adagio G-Dur 6/8 (= NBA Seite 197)

(d) Adagio h-Moll 4/4 (= NBA Seite 202)

(a) Presto G-Dur 4/4 = 1. S a t z (= NBA Seite 172)

> Die Hs. C verzeichnet nichts über die Wiederholung des 1. Satzes an 5. Stelle. In D heißt es nach dem 4. Satz (d): *ab Initio repetat. et claudat.*

Die 2. F a s s u n g findet sich in der Hs. E, deren Violinstimme fehlt, weshalb diese Fassung als Ganzes nicht mehr rekonstruiert werden kann. Die Satzfolge lautet hier:

(a) Vivace G-Dur 4/4 (= NBA Seite 172)

(b) Largo e-Moll 3/4 (= NBA Seite 179)

(e) Cembalo solo e-Moll 3/8 (= NBA Seite 204)

(d) Adagio h-Moll 4/4 (= NBA Seite 202)

(f) Violinsolo mit Bc. g-Moll (= NBA Seite 208)

(a) Vivace G-Dur 4/4 = 1. S a t z (= NBA Seite 172)

> Die Hs. verzeichnet am Ende des 5. Satzes (f): *Repetatur ab Initio Presto* [sic].

Die 3. F a s s u n g findet sich in den Hss. ABFG. Die Satzfolge lautet hier:

(a) Allegro G-Dur 4/4 (= NBA Seite 172)

(b) Largo e-Moll 3/4 (= NBA Seite 179)

(g) Cembalo solo e-Moll 4/4 (= NBA Seite 180)

(h) Adagio h-Moll 4/4 (= NBA Seite 184)

(i) Allegro G-Dur 6/8 (= NBA Seite 186)

Der nachfolgende Quellenvergleich legt die 3. Fassung zugrunde und berücksichtigt dabei auch die in ihr wieder auftretenden Sätze der beiden ersten Fassungen. Die s i n g u l ä r e n Sätze der 1. und 2. Fassung jedoch werden erst am Schluß dieses Berichts verglichen bzw. näher gekennzeichnet.

S a t z 1, *Allegro*:

Molte Allegro ₡: BFG (hier ohne alla breve).
Presto ₡: CD.
Vivace: E.

ABCDEFG: Takt 22^1 Fermate und nach Takt 69 *Da capo*, d. h. die Takte 70–91 (= D. c.) sind nicht ausgeschrieben. Die Bemerkungen für die Takte 1–22^1 gelten daher auch für die Takte 70–91.

Der Satz wird in CDE a u c h als Schlußsatz gespielt. Die Hss. notieren ihn an dieser Stelle nicht noch einmal, sondern verweisen (mit Ausnahme von C) dabei auf den 1. Satz (*s. o.*).

V i o l i n e :

Takt	Quelle	Bemerkung
1	CD	Nicht leg.
2	B	Altschlüssel
4	B	Im 1. Viertel nicht leg.
7	C	1.–3. Note leg.
9	CD	2. Viertel leg.
10	D	2. Viertel leg.
13	BDF	1. Viertel leg. wie NBA andeutet
13	D	2. Viertel leg.; dgl. 14
21	BF	*tr* wie NBA andeutet
23	CD	1. Viertel nicht leg.
23	BF	3. und 4. Viertel leg. wie NBA andeutet; in CD: 3. und 4. Viertel jeweils 2.–4. Note leg.
24	CD	Im 2. Viertel nicht leg.; im 3. und 4. Viertel jeweils 2. bis 4. Note leg.
25	CD	Nur 3.–4. Note leg.
26	F	leg. wie NBA andeutet
27	CD	Nicht leg.; B leg. von der 1.–4., F von der 1.–3. Note
31	BF	leg. wie NBA andeutet
33	CD	1. Viertel nicht leg., dagegen 5.–6. Note leg.
34	BF	4. Note d'' (statt e'')

Takt	Quelle	Bemerkung
37	CD	Nicht leg.
38	CD	1. Viertel nicht leg.
44	CD	Die beiden Sechzehntel des 3. Viertels leg.
45	CD	2. Viertel leg.; C: 3. Viertel nicht leg.
46	BDF	1. Viertel nicht leg.
46	C	3. Viertel leg. wie NBA andeutet
48	C	leg. vom 3.–4. Viertel fehlt
49	CDF	1. Viertel leg. wie NBA andeutet
49	D	2. Viertel leg.
49	BF	leg. im 3. Viertel wie NBA andeutet
50	BF	leg. wie NBA andeutet; dgl. C nur 1. Viertel
50	D	Nur 2. Viertel leg.
56	BF	leg. wie NBA andeutet; dgl. 57, 58, 59
56	CD	11.–12. Note leg., dgl. 15.–16. Note
57	CD	6.–7. Note leg., dgl. 10.–11. und 14.–15. Note
58	CD	3.–4. Note leg., dgl. 5.–6. Note; dgl. nur D 7.–8. Note und 3. Viertel
59	C	3.–4. Note leg., dgl. 5.–6. Note
60	F	1.–3. Note leg., dgl. 9.–11. Note
61	BF	Ohne Vorschlag im 4. Viertel, dgl. 61, 1. Viertel
62	CD	3. Viertel nicht leg.; D dgl. auch 4. Viertel
63	CD	1. Viertel nicht leg.
65	BF	Achtelvorschlag h' vor 1. Note
69	D	Mordent (statt *tr*).

Cembalo:

Takt	Quelle	Bemerkung
2²–3³	ACD	r. H. g-Schlüssel auf der untersten Linie
3	BF	r. H. 1. Viertel auf tieferer Terz
5	BCDEFG	r. H. 1. Viertel nicht leg.
7⁷	E	l. H. A (statt D)
8⁶	CD	l. H. H (statt A)
10	CDE	l. H. 3. Viertel: zwei Achtel d/d'; 4. Viertel: Pause. Analog Takt 12, 14, 46, 48
11	F	l. H. 6. Note Fis (statt G)
16	ACDG	l. H. 4. Viertel bis Takt 17: Altschlüssel; dgl. 17, 4. Viertel bis 18, 8. Note; dgl. 38, 4. Viertel bis 40, 8. Note; dgl. 55, 2.–4. Viertel (in CDG bis 56, 1. Note); dgl. E nur 55, 3. Viertel bis 56, 1. Note
16	D	r. H. 2. Viertel leg.; letzte Note fehlt

Takt	Quelle	Bemerkung
16	CE	r. H. 1. Viertel nicht leg.
20	C	l. H. letzte Note d (statt h)
21	G	r. H. 11. Note *tr*
22–27	CD	l. H. Bezifferung wie NBA andeutet
28	G	r. H. 14. Note d" (statt e")
33	CD	r. H. Achtelvorschläge d" vor 3., cis" vor 4. Viertel und Takt 34 h' vor 1. Viertel
35[1]	E	r. H. g" (statt fis")
41	BF	r. H. ohne ♮ vor 5. Note
43	BCDEFG	r. H. im 3. Viertel nicht leg.; dgl. 44
44	CDE	l. H. 4. Viertel = Pause
46	F	r. H. ohne Überbindung vom 3. zum 4. Viertel; dgl. 50
50	CDE	l. H. 3. Viertel = zwei Achtel c/c'; 4. Viertel = Achtelpause und Achtelnote c'
51	C	r. H. 10.–11. Note a'/h'
53	CD	l. H. letzte Note c (statt d)
55	B	l. H. ohne ♯ vor 6. Note
64	G	l. H. 11. Note mit ♮ (statt ♯)
64	F	l. H. 11.–12. Note fis/g (statt gis/a)
69	BFG	r. H. ohne *tr*.

Satz 2, *Largo*:

F (nur Violinstimme): *Andante.*

Violine:

Takt	Quelle	Bemerkung
3	BF	Achtelvorschlag a' vor 1. Note
4	B	Mordent, D: Doppelschlag (statt *tr*)
5	CD	2. Viertel nicht leg.; dgl. C Takt 6
8	BF	*tr* wie NBA andeutet
11	F	Achtelvorschlag d' vor 1. Note
15	C	Ohne ♯ vor 2. Note; CD ohne *tr* auf 3. Note
16	C	Letzte Note fis" (statt g")
17	CD	Ohne Vorschlag
18	BF	Achtelvorschlag a' vor 1. Note
20	ABDF	Mordent auf 3. Note
21	CDF	⌢
Nach 21	D	⌢ auf Doppelstrich.

Cembalo:

Takt	Quelle	Bemerkung

Largo

Takt	Quelle	Bemerkung
1–11^1	E	l. H.
1–2	CD	l. H. Bezifferung wie NBA andeutet
4^1	BEF	r. H. ohne Vorschlag
4	CDG	r. H. Achtelvorschlag a' vor 3. Viertel
5	E	r. H. 1. Viertel: ... analog 7, 9, 16 (l. H.)
6	E	r. H. ohne Vorschlag vor Halbnote
8	CD	r. H. Achtelvorschlag c'' vor 1. Note
9^2	CD	l. H. d (statt H)
10	BFG	r. H. Mordent (statt *tr*); CDE ohne Verzierung
11	BCDF	l. H. Achtelvorschlag g vor fis im 2. Viertel
11	F	l. H. ohne Achtelpause im 3. Viertel (Mittelstimme)
11–14	CDE	Ohne Mittelstimme
12^1	E	l. H. g (statt G)
12	CD	l. H. Achtelvorschlag fis vor e im 2. Viertel; dgl. Takt 13 e vor dis
13^1	E	l. H. fis (statt Fis)
13	F	l. H. Mittelstimme 3. Viertel fehlt
14	BF	r. H. ohne Achtelpause
14	G	r. H. ohne Überbindung vom 1. zum 2. Viertel; die Sechzehntel e'/g' (Doppelgriff) im 2. Viertel sind in zwei aufeinanderfolgende Zweiunddreißigstel zerlegt
15	CD	r. H. *tr* (statt Mordent); 5.–7. Note leg.; EG kein *tr*
15	E	l. H. ohne Vorschlag vor 1. Note
16	B	l. H. Halbnote g (statt e)
16	E	r. H. 1.–2. Note h''/g''
16–19	CD	Fehlt Mittelstimme
17	G	l. H. 1. ♯ fehlt
17	CE	l. H. *tr* (D: Mordent) auf Halbnote
17	E	r. H. ohne Vorschlag
18	G	r. H. (Mittelstimme) ohne Achtelpause
20	CD	r. H. 2. Viertel leg.; dgl. 3. Viertel
20	EG	l. H. nicht leg.
21	CD	r. und l. H. ⌢
Nach 21	D	r. u. l. H. ⌢ auf Doppelstrich.

S a t z 3 (Cembalo-Solo), *Allegro*:

Takt	Quelle	Bemerkung
Vor 1	BFG	Ohne Allegro (letzteres auch A)
2^1	B	r. H. unterer Ton 4. Viertel h (statt Achtel c')
3^2	BF	l. H. A (statt H)
8	BFG	r. H. ohne Doppelschlag
8^1	G	r. H. ohne Vorschlag
9	ABFG	r. H. ohne Halbepause
10	BF	r. H. ohne Überbindung zu 11
16	BF	l. H. 3. Note: Achtelnote und Achtelpause (statt Viertelnote)
18	F	r. H. ohne Überbindung zu 19
25	B	r. H. fehlt das übergebundene a'
26	F	l. H. fehlt ♯ im 3. Viertel
28	B	r. H. 3. Viertel nicht übergebunden
31	G	r. H. ♭ vor 4. Note
32	B	r. H. ohne Überbindung zu 33^1
34	BF	r. H. ohne leg. im letzten Viertel; G leg. über drei letzte Noten
36	BF	r. H. Achtelpause wie NBA andeutet
45^8	B	r. H. a (statt e)
50	B	r. H. ohne Überbindung zu 51^1
51	A	r. H. Mittelstimme als 2. Viertel: Pause
51	BF	r. H. ohne Achtelpause; G ohne Mittelstimme im 1. Viertel
55	ABFG	r. H. fehlt 2. Viertelpause
58	BF	r. H. ohne ♮ vor 2. Note
62	AB	l. H. ohne ⌒ ; BFG dgl. auch r. H.
Nach 62	ABFG	r. und l. H. ⌒ auf Doppelstrich.

S a t z 4, *Adagio*:

F (Violinstimme): *Andante*.

V i o l i n e :

Takt	Quelle	Bemerkung
3^7	BF	Ohne *tr*
6	BF	leg. im 2. Viertel wie NBA andeutet
9	BF	leg. im 2. und 3. Viertel wie NBA andeutet
10	B	Ohne leg.
11	F	leg. im 2. Viertel wie NBA andeutet
12	BF	1.–3. Note leg. wie NBA andeutet; in B fehlt die Überbindung vom 1. zum 2. Viertel, auch ist das 2. Viertel paarweise leg.; F: 2. Viertel leg. wie NBA andeutet

Takt	Quelle	Bemerkung
13	BF	leg. wie NBA andeutet
15	BF	leg. im 2. Viertel wie NBA andeutet
21¹	BF	*tr*.

C e m b a l o :

Takt	Quelle	Bemerkung
Vor 1	F	¢
3	BFG	r. H. leg. im 2. Viertel wie NBA andeutet
3	BF	r. H. 3. und 4. Viertel ohne leg.; G dgl. nur 4. Viertel
3	B	4. Viertel ohne *tr*
3	F	l. H. 2. Viertel: ♩♩♩♩♩
5	BFG	l. H. *tr* auf letztem Ton
6	B	r. H. ohne Überbindung vom 2. zum 3. Viertel
7¹	BF	r. H. a' (statt fis')
10	BFG	r. H. ohne Überbindung vom 3. zum 4. Viertel
12	BF	r. H. 2.–3. Note ohne Überbindung; B: 4. Note gis' (statt ais')
13	B	l. H. ohne Überbindung vom 1. zum 2. Viertel
15	B	r. H. ohne Überbindung vom 3. zum 4. Viertel
17	BFG	r. H. *tr* wie NBA andeutet
17	B	l. H. ohne Bindebögen; dgl. F nur 1. Bogen
18	B	r. H. ohne leg. im 2. und 3. Viertel; FG ohne 4. und 5. leg.; F: l. H. ohne 1. leg.
19	BFG	r. H. 2. Viertel: ♪♫♫
21	G	r. und l. H. ohne ⌒.

S a t z 5, *Allegro*:

ABFG: Takt 31¹ Fermate; nach Takt 88 *Da capo*, d. h. die Takte 89–119 (= D. c.) sind nicht ausgeschrieben. Die Bemerkungen für die Takte 1–31¹ gelten daher auch für die Takte 89–119.

BFG: *Allegro assai*.

V i o l i n e :

Takt	Quelle	Bemerkung
14	B	2.–3. Note e''/fis''
20	BF	6. und 7. Note höhere Oktave
25	B	2. Takthälfte: Viertel und Achtel
29		In keiner Quelle Überbindung (NBA ergänzt)

Takt	Quelle	Bemerkung
30	BF	*tr* auf letzter Note
32	A	1. Takthälfte: [Notenbeispiel] ; analog 35 (mit ₃), 36, 53, 54, 58, 76, 77, 78, 79
32	BF	2. Takthälfte nicht leg.
33	BF	3.–4. Note leg.; dgl. 5.–6. Note; F: 7.–9. und 10.–12. Note leg.
35	BF	Ohne *tr*
36	B	Kein leg.; F dgl. nur 2. Takthälfte; B: Mordent (statt *tr*)
36	BF	Zwei Sechzehntel fis'/g' statt der 5. (Achtel-) Note fis'
38	BF	2.–6. und 7.–12. Note leg.; dgl. 56
44	F	3.–4. Note ohne Überbindung (in B dgl., aber nachgetragen)
47	F	3.–4. Note ohne Überbindung
52	B	Nicht leg.; dgl. F nur die beiden letzten Noten
53, 54	BF	2. Takthälfte nicht leg.
58	B	Ohne 2. und 3. leg.
59	F	2.–6. Note leg.; dgl. 7.–12. Note
67		In keiner Quelle Überbindung bei d'' (NBA ergänzt nach Analogie); dgl. 68 (bei c'')
68	B	Ohne Überbindung nach Takt 69
76	F	Nicht leg.
77	B	leg. wie NBA andeutet; F nur 2.–4. Note leg., 5. Note stacc. (Punkt); so auch 78, 79
82	A	5. Note h' (statt g')
83[1]	BF	cis'' (statt cis')
86	F	1.–4. Note leg.
87[8]	F	*tr.*

Cembalo:

Takt	Quelle	Bemerkung
7	BF	l. H. ohne Überbindung zu 8[1]
14	BFG	r. H. Viertelnote und Achtelpause (statt punktierte Viertelnote)
25	B	r. H. ohne Überbindung bei c'' (nachgetragen)
28	F	l. H. 2.–7. Note nachträglich noch die gleiche Notenreihe in der Unterquart
31	B	r. H. 1. Takthälfte: [Notenbeispiel]
31	BFG	r. H. Mordent (statt *tr*)
31	BFG	r. H. kein leg.; dgl. 32
32	A	r. H. 1. Takthälfte: [Notenbeispiel]

analog 36, 54, 57 (hier auch l. H.), 58, 76, 77, 78, 79

Takt	Quelle	Bemerkung
32⁵	BFG	r. H. zwei Sechzehntel h'/c'' (statt 3. Achtel h')
32	BFG	r. H. Mordent (statt *tr*)
36	BFG	r. H. Mordent auf 8. Note
52	G	r. H. *tr* wie NBA andeutet
54	BF	r. H. ohne *tr*; dgl. 57
57	BF	r. H. ohne *tr*
57	G	l. H. leg. wie NBA andeutet
57, 58	G	r. H. Mordent (statt *tr*); F dgl. nur 58
58	BFG	r. H. nicht leg.
62	BF	r. H. ohne ⌢ vor 3. Note
71	B	r. H. ohne *tr*; in F ohne ⌢
76	G	r. H. leg. wie NBA andeutet
77	BF	r. H. nicht leg.
78	BFG	r. H. leg. wie NBA andeutet; dgl. G 79
87	B	r. H. nicht leg.
88	G	r. H. *tr* wie NBA andeutet.

Kritische Bemerkungen
zu den singulären Sätzen (c), (d), (e), (f) in den Hss. CDE

1. Der 3. Satz *Cantabile ma un poco Adagio* (c) in den Hss. CD.

Dieser Satz ist im Notenband als A n h a n g 2 nach der Hs. D abgedruckt. Nachfolgend werden die Abweichungen hiervon in C sowie Emendationen verzeichnet. Beide Hss. notieren den Satz mit Da-capo-Abkürzung, d. h. Takt 12: Fermate auf 4. Achtel bedeutet „Fine"; nach Takt 76 steht *Da capo*, d. h. die Takte 77–88 sind nicht ausgeschrieben, sondern müssen im Original als Takt 1–12 wiederholt werden. Die Bemerkungen zu 1–12 gelten daher auch für 77–88.

Violine:

Takt	Quelle	Bemerkung
5	C	*tr* (statt Mordent); dgl. 7
7	C	leg. wie NBA andeutet
11	C	1. leg. fehlt
12	C	leg. und *tr* wie NBA andeutet
14	C	*tr* (statt Mordent)
16	C	1.–6. Note leg.
18	C	Nur 2.–5. Note leg.
19	C	*tr* (statt Mordent); dgl. 24

Takt	Quelle	Bemerkung
20–23	C	Ohne Eintragung
28	CD	6. Note a' (statt h')
30	C	Ohne Überbindung zu 31[1]
31	C	*tr* (statt Mordent); dgl. 33, 39
37	C	*tr* auf 3. und 5. Note
38	C	*tr* auf 4. Note; 3.–5. Note leg.
42	C	1.–2. Note leg.
47	D	Letzte Note h' (statt c'')
47	C	*tr* auf 3. Note; leg. auf 2. Takthälfte wie NBA andeutet
62	C	*tr* (statt Mordent); 3.–5. Note leg.
64	C	*tr* (statt Mordent); dgl. 69, 71
70	C	Nicht leg.

Cembalo:

Takt	Quelle	Bemerkung
13	C	r. H. *tr* auf 2. Note (statt Mordent)
16	C	r. H. 8. Note Mordent
18	C	r. H. nicht leg.
20	C	r. H. *tr* (statt Mordent); die vier letzten Noten leg.
20	CD	r. H. Vorschlag vor 4. Note: f''
22	C	r. H. nicht leg., ohne Mordent
23	C	r. H. kein Mordent, dagegen auf 2. Note *tr*
24	C	r. H. *tr* (statt Mordent)
26	CD	r. H. 2. Note g'' (statt fis'')
30	C	r. H. Mordent auf 1. Note
35	C	r. H. die beiden ersten Vorschläge sind Achtel
36	C	r. H. ohne Überbindung von 1.–2. Note
37	C	r. H. *tr* auf 3. und 5. Note
38	CD	r. H. 2. Note g' (statt d')
38	C	r. H. *tr* auf 4. Note
38	C	l. H. ursprünglich vergessen, dann am Zeilenende angeflickt, wobei die 4.–6. Note lautet: h–H–Fis (ohne Bezifferung)
45	C	r. H. auf 5. Note *tr* (statt Mordent)
54	C	r. H. *tr* (statt Mordent)
56	C	r. H. nicht leg.
61	C	l. H. Bezifferung wie NBA andeutet; 4.–5. Note leg.
63	C	r. H. *tr* (statt Mordent)
71	C	r. H. 1.–2. Note: Sechzehntel
73	D	r. H. 1. Note c'' (statt e'')

Takt	Quelle	Bemerkung
73	C	r. H. 2. Note *tr*
74	C	r. H. 1. Note Mordent
75	C	r. H. 4.–6. Note leg.; dgl. 7.–9. Note und 10.–12. Note.

2. Der 4. Satz *Adagio* (d) in den Hss. C D E.

Dieser Satz ist im Notenteil als Anhang 3 nach der Hs. D abgedruckt. Nachfolgend werden die Abweichungen hiervon in CE verzeichnet. Für E ist (s. o.) nur die Cembalostimme vorhanden; doch hat diese Stimme in Zweifelsfällen besondere Beweiskraft, da sie autograph ist.

Violine:

Takt	Quelle	Bemerkung
3	C	Ohne ♯ vor 8. Note
7	C	3. Viertel nicht leg.
15	C	2. Viertel nicht leg.

Cembalo:

Takt	Quelle	Bemerkung
3	E	r. H. nicht leg.; dgl. 4
9	C	r. H. 1. und 2. Viertel nicht leg.; dgl. E nur 2. Viertel
10	C	r. H. ♯ vor 2. Note, 2. Viertel nicht leg.
10	E	r. H. 3. Viertel leg. wie NBA andeutet
12	CD	l. H. ♯ vor 5. Note
12	E	r. H. Variante im Kleinstich; l. H. 3. Viertel wie NBA andeutet (in CD keine Akzidenzien)
14	CD	l. H. vor 2. Note kein ♮
16	C	r. H. *tr* (statt Mordent); E ohne *tr*.

3. Der 3. Satz *Cembalo solo* (e) in der Hs. E.

Dieser Satz ist im Notenteil als Anhang 4 abgedruckt. Seine Überlieferung in E ist autograph. Es handelt sich um einen Satz von suitenhaftem Charakter, den Bach bald wieder aus diesem Sonatenorganismus herausgelöst und als *Courente* in die e-Moll-Partita Nr. 6 im 1. Teil der *Clavierübung* übernommen hat. Die Abweichungen, die hier nicht vermerkt werden, sind geringfügig. Nachfolgend sei lediglich auf einige problematische Stellen des Satzes in E hingewiesen:

Takt	Bemerkung
Auftakt zu 1	r. H. verkleckst und unklar, aber offenbar g′ gemeint (zuerst h′?)
19$^{1-2}$	r. H. Sechzehntel (statt Zweiunddreißigstel)

Takt	Bemerkung
28¹	r. H. könnte auch *tr* (statt Mordent) sein
54	r. und l. H. Sechzehntelpause fehlt
102⁷–103¹	r. H. erst h'/h' mit Bindebogen, dann 103¹ in c'' verwandelt, Bindebogen aber zu 102 (Ende der Akkolade) nicht getilgt (v o r 103 ist der Bindebogen gestrichen).

4. D e r 5. S a t z *Violino solo* (f) i n d e r H s. E.

Dieser Satz ist im Notenteil als A n h a n g 5 abgedruckt. Seine Überlieferung ist, wie die der Sätze (e) und (d) aus E, autograph. Und wie der Satz (e) wurde auch dieser Satz (f) zu einem späteren Zeitpunkt (wohl gleichzeitig wie jener) aus der Sonate herausgenommen und, mit der Überschrift *Tempo di Gavotta* sowie nach e-Moll transponiert, in die Partita Nr. 6 im 1. Teil der *Clavierübung* eingefügt. Ein Vergleich hiermit erübrigt sich um so mehr, als die Fassung in Hs. E nur den B a s s umfaßt, während die Violinstimme fehlt. Es war dies der einzige Satz in den sechs Violinsonaten, der kein obligates Trio, sondern von Anfang bis Ende ein Bc.-Satz war.

Die Herausgabe der Sonaten BWV 1014–1019 besorgte Rudolf Gerber (†), die der übrigen Werke Günter Haußwald. Das von Rudolf Gerber kurz vor seinem Tode abgelieferte Manuskript wird unverändert wiedergegeben, die Korrekturarbeiten wurden vom Johann-Sebastian-Bach-Institut Göttingen übernommen.